LES ORPHELINS IRLANDAIS

MICHELINE DALPÉ

Roman

Couverture : Kevin Fillion et Bérénice Junca
Conception graphique : Bérénice Junca
Révision, correction : Fleur Neesham, Audrey Faille et Élaine Parisien

© Les Éditions Goélette, Micheline Dalpé, 2014
www.editionsgoelette.com
www.facebook.com/EditionsGoelette

Dépôt légal : 3e trimestre 2014
Bibliothèque et Archives nationales du Québec
Bibliothèque et Archives Canada

Les Éditions Goélette bénéficient du soutien financier de la SODEC
pour son programme d'aide à l'édition et à la promotion.

Nous remercions le gouvernement du Québec de l'aide financière
accordée par l'entremise du Programme de crédit d'impôt pour
l'édition de livres, administré par la SODEC.

Patrimoine   Canadian
canadien   Heritage

Nous reconnaissons l'aide financière du gouvernement du Canada par
l'entremise du Fonds du livre du Canada pour nos activités d'édition.

Membre de l'Association nationale des éditeurs de livres

Imprimé au Canada

ISBN : 978-2-89690-577-5

Micheline Dalpé

LES ORPHELINS
irlandais

DE LA MÊME AUTEURE

Les Batissette, roman, Éditions Au Pied de la Lettre, 1998 (réédition Les Éditions Coup d'œil, 2013).

Charles à Moïse à Batissette, roman, Éditions Au Pied de la Lettre, 1999 (réédition Les Éditions Coup d'œil, 2013).

La Fille du sacristain, roman, Éditions Au Pied de la Lettre, 2002 (réédition Les Éditions Coup d'œil, 2012).

Joséphine Jobé, Mendiante, roman, Éditions Au Pied de la Lettre, 2003 (réédition Les Éditions Coup d'œil, 2012).

La chambre en mansarde, Mendiante T. 2, roman, Éditions Au Pied de la Lettre, 2005 (réédition Les Éditions Coup d'œil, 2012).

L'affaire Brien, 23 mars 1834, roman, Éditions Au Pied de la Lettre, 2007 (réédition Les Éditions Coup d'œil, 2012).

Marie Labasque, roman, Éditions Au Pied de la Lettre, 2008 (réédition Les Éditions Coup d'œil, 2014).

Évelyne et Sarah, Les sœurs Beaudry T. 1, roman, Les Éditions Goélette, 2012.

Les violons se sont tus, Les sœurs Beaudry T. 2, roman, Les Éditions Goélette, 2012.

Faut marier Héléna, La grange d'en haut T. 1, roman, Les Éditions Goélette, 2013.

L'exode de Marianne, La grange d'en haut T. 2, roman, Les Éditions Goélette, 2013.

À Thomas Smith, toute ma reconnaissance,
et à Érika-Lyne, mon affection.

Effeuiller une marguerite,
c'est comme éplucher un cœur.
Victor Hugo

Note de l'auteure

J'espère rendre ce roman aussi intéressant que l'a été Thomas Smith, cet imposant personnage qui a eu la gentillesse de me consacrer du temps et de m'accorder son amitié. Thomas vit toujours sur la ferme héritée de ses ancêtres, dans la maison construite par Daniel, son arrière-grand-père, qui fut le premier de ses ancêtres à venir s'établir au pays. C'est en Irlande que tout a commencé, il y a de cela près de deux cents ans.

Le fond de l'histoire est véridique, cependant, l'auteure se garde le droit d'ajouter certains agréments dans le but de combler les manques.

CHAPITRE 1

Cobh, Irlande, 1824

De la cuisine de l'auberge, Mary regardait Michael Doyle siphonner une chope de bière quand deux copains, Daniel et son cousin Nicolas Carter, souples comme des chats, surgirent derrière lui à pas de velours.

Daniel ne laissa pas le temps à Michael de se retourner, il posa les mains sur ses yeux de manière à lui boucher la vue.

— Devine qui est là, dit-il d'une petite voix empruntée.

Michael ne répondit pas. Il enleva les mains qui l'empêchaient de voir et, de son pied, il avança deux chaises qui crissèrent sur le plancher.

— Les gars, venez vous soûler la gueule, dit-il avec un sourire malicieux aux commissures des lèvres.

Michael, Daniel et Nicolas étaient trois bons amis, plus précisément, trois inséparables dont l'âge variait entre vingt et un et vingt-sept ans. À trois, ils se sentaient comme des adolescents invincibles, des héros s'élevant contre toute la rue, toute la ville, toute la terre.

Michael fit un signe à la belle Mary qui s'approcha sans empressement.

— La tournée pour tout le monde, dit-il en levant sa chope vide.

Sitôt commandées, trois bières mousseuses se retrouvèrent sur la nappe à carreaux rouge.

Mary retourna à la cuisine, sans entrain. En retrait, elle observait Daniel, son amoureux. À son arrivée, il ne l'avait même pas saluée. Pourquoi ne faisait-il pas de cas d'elle aujourd'hui, lui habituellement si empressé ? « Ses amis passent avant moi, se dit-elle, offensée. Qu'est-ce que je peux bien avoir de différent aujourd'hui pour qu'il ne me voie pas ? Peut-être ma tenue. »

Elle se rendit à la chambre de ses parents, pour se mirer dans la glace. Elle replaça ses cheveux, prit le flacon de lavande sauvage de sa mère et en appliqua deux gouttes derrière ses oreilles. Quand elle eut fini de se parfumer, elle farda ses lèvres et ses joues. Puis, les mains sur sa taille fine, elle fit un tour complet sur elle-même. Elle retourna ensuite à son poste.

Les garçons, toujours attablés, causaient gaiement de guerre et de religion, tout en vidant chope après chope.

Mine de rien, Mary suivait, tant bien que mal, leur conversation qui portait sur la guerre des dîmes que subissait l'Irlande.

— Nous, les catholiques, expliquait Nicolas, nous n'avons pas à payer pour l'entretien des églises anglicanes en plus des nôtres. Les Anglais nous prennent pour des cons, juste bons à pourvoir à leurs besoins.

— Et si nous leur réglions leur cas ? proposa Daniel.

— Qui ça, nous ? demanda Nicolas.

– Nous trois, ici présents. Nous n'avons pas besoin de ces maudits Anglais, nous allons les retourner dans leur pays.

– Idiot! rétorqua Nicolas. Je ne suis pas d'accord avec ce que tu dis, mais je suis prêt à me battre pour que tu aies le droit de le dire.

Michael leva un doigt espiègle pour demander la parole.

– Moi, je suis partant, dit-il un peu pompette.

Les garçons se tapèrent dans la main pour montrer qu'ils étaient tous d'accord et ils se mirent à rire pour rien, à s'en tenir les côtes.

Les occupants des tables voisines les observaient discrètement.

Michael était pris d'un hoquet et les deux autres rotaient. De son poste, Mary craignait que les garçons vomissent sur la table.

Ils se trouvaient dans un état d'ébriété avancé quand la folie les prit d'aller s'enrôler dans les forces armées du pays, une démarche absurde qu'ils n'auraient jamais tentée s'ils avaient été à jeun. Ils se levèrent en se frappant mutuellement dans les mains et se dirigèrent vers la sortie.

Daniel se retourna, leva un bras lourd pour saluer Mary qui, le cœur plein de ressentiment, ne répondit pas à son geste. C'était la première fois que Daniel s'en allait d'un pas mal assuré et sans lui adresser la parole.

Mary s'avança jusqu'à la porte du commerce et suivit les gais lurons du regard. Ils s'en allaient, les mains des uns chevauchant les épaules des autres, en chantant à tue-tête la chanson du soldat, un hymne irlandais.

***

Le lendemain, Daniel se réveilla avec un mal de tête, étonné d'avoir dormi tout habillé. Il ne reconnaissait même pas le lieu où il se trouvait.

En apercevant ses amis, il réalisa sa bêtise. Eux aussi se réveillaient avec un mal de tête et un vague souvenir des événements de la veille.

Daniel s'assit sur le bord de son grabat et laissa tomber sa tête échevelée dans ses mains.

— Je pense qu'on a un peu trop bu, hier, dit-il.

La porte claqua. Un officier apparut.

— Officier Maxwell! dit-il. Vous êtes sous mes ordres. Levez-vous.

— Où sommes-nous? demanda Nicolas dont le regard étonné se promenait autour de la pièce.

— Dans une baraque de l'armée. Hier, vous vous êtes enrôlés.

— Vous dites?

L'officier remit à chacun un uniforme des forces armées.

— Suivez-moi. Vous allez vous doucher avant de vous présenter au commandant.

Nicolas tenta par tous les moyens de faire comprendre à l'officier que ses compagnons et lui avaient signé leur engagement sous l'effet de l'alcool et que, n'ayant pas eu toutes leurs facultés, ils regrettaient leur geste.

— Je dois rentrer, dit-il, j'ai une femme et des enfants à la maison.

Mais l'officier ne voulait rien entendre.

— Une signature est un engagement et un engagement doit être honoré.

Sur ce, l'officier disparut.

– Quel puant, murmura Nicolas.

Daniel, désemparé devant sa bêtise, ne savait plus comment se déprendre de la situation. Il comptait sur son père pour le tirer d'embarras. En ce moment, ses parents devaient s'inquiéter, se demander où il se trouvait et pourquoi il n'était pas rentré se coucher comme à son habitude. Comme il allait les décevoir !

***

Quand Daniel raconta les faits à ses parents, son père lui fit comprendre qu'il n'y pouvait rien.

– Désolé, mon garçon ! Maintenant que tu as signé, tu n'as pas d'autre choix que de faire ton temps. Ça t'apprendra à boire modérément.

Sa mère se mit à pleurer ; elle imaginait déjà son petit garçon au front, sous une pluie de balles. La mort dans l'âme, elle cherchait par tous les moyens à faire annuler son contrat. Elle tapota maternellement le dos de sa main.

– Je vais prier monsieur le curé d'intercéder en ta faveur, s'il pouvait intervenir auprès de l'armée… Je promets de réciter un rosaire par jour pour demander au ciel que les choses s'arrangent pour toi.

***

Les semaines passaient et, malgré l'intervention du curé et les prières de sa mère à la Vierge Marie, Daniel végétait toujours dans l'armée.

Ce vendredi ensoleillé d'août, après une journée d'entraînement épuisante de marche militaire, Daniel Cuthoen retournait chez lui à pied. Sitôt sorti de la baraque, le garçon redevenait un bon vivant. Les mains dans les poches, il sifflait allègrement. Tantôt, il allait revoir Mary, la fille de l'aubergiste.

Daniel était un grand roux d'à peine vingt et un ans, au teint clair, au front dégagé, aux yeux verts. Ses sourcils broussailleux, sa bouche droite et son menton volontaire démontraient une force de caractère peu commune. Spirituel et raffiné, Daniel était fou de liberté. Il faisait partie du peuple en majorité catholique.

Il passa par le chemin qui longeait la côte, un chemin où toutes les maisons ressemblaient à des petites boîtes de carton aux couleurs criardes, presque joyeuses, comme celles qu'on suspendait à l'arbre de Noël.

Parmi ces maisons se dessinait une modeste auberge de dix chambres à coucher qui avait les pieds dans l'eau. Du chemin, on pouvait distinguer une bergerie et un poulailler accrochés à son flanc droit. L'auberge était peinte d'une chaude teinte orangée. Au-dessus de la porte se démarquait en lettres vertes : « Le trèfle à quatre feuilles. »

L'auberge Le trèfle à quatre feuilles était située dans le port de Cobh et elle était tenue par James et Patricia Thompson.

Les tenanciers avaient deux filles : Mary, seize ans, et Caterina, quatorze. Leur commerce était une affaire de famille. À quatre, ils pouvaient suffire à la tâche en ne comptant pas leurs heures de travail.

***

Dans la grande cuisine de l'auberge, Mary épluchait les patates à l'aide d'un petit couteau mal aiguisé quand elle aperçut derrière le rideau jaune le beau Daniel dans son uniforme de guerrier : une tunique rouge aux boutons par quatre avec un trèfle irlandais brodé sur le col, un casque à aigrette et des brodequins en cuir noir. Cet uniforme militaire faisait craquer Mary. Quand Daniel approchait, le visage de Mary s'illuminait.

Comme à chaque congé militaire, Daniel se rendait à l'auberge dans le seul but de bavarder avec Mary.

Il poussa la porte et entra comme chez lui. Il s'attablait presque chaque fois au même endroit, à droite, tout près de la fenêtre, de manière à voir circuler Mary de la cuisine à la salle à manger.

De son poste, il pouvait voir la jeune fille déposer son petit couteau et abandonner sa casserole sur le comptoir pour venir à lui.

Daniel commanda une liqueur douce. Il ne consommait plus que cela depuis qu'il s'était enivré avec ses amis. Il regrettait encore la perte de ses facultés qui l'avait conduit à l'enrôlement dans les forces armées. Il détestait la discipline rigoureuse qui y régnait, surtout les quatre heures par jour de marche au pas militaire.

Mary déposa un verre devant Daniel, tira la chaise la plus près de lui et s'y assit, le cœur battant.

— Ça va, toi ? dit-elle.

— Ça va toujours quand ma petite Mary est là. Je viens d'obtenir une permission de trois jours de mon officier.

Le cœur de Mary vibrait, comme si c'était elle qui venait d'obtenir un congé, tant elle était heureuse. Elle savait que pendant ses trois jours de relâche, Daniel passerait plus de la moitié de son temps à l'auberge.

Chaque fois que Daniel se penchait pour siroter sa liqueur, ses cheveux touchaient les siens, et sa bouche frôlait son visage. Le faisait-il intentionnellement? Le moindre mouvement de ses cheveux chatouillait sa joue et ce doux contact était une caresse pour Mary qui le désirait de toute la force de sa jeunesse. Daniel allait-il l'embrasser? Certes non, pas sous l'œil vigilant de son père qui n'était jamais loin.

James Thompson, le père de Mary, enveloppé d'un long tablier blanc, se tenait assis sur un tabouret, derrière le comptoir. Il s'occupait de la comptabilité de son commerce. De temps à autre, il levait les yeux sur les jouvenceaux, puis, après un moment, il replongeait dans ses chiffres.

Ce n'était pas la première fois qu'il voyait Mary traînailler avec ce militaire, et les assiduités de ce dernier le préoccupaient au point de fausser ses calculs. Le crayon suspendu à ses lèvres, ses pensées s'échappaient et faisaient un saut dans le temps. Ses filles, à peine nées, avaient commencé l'école et, le temps de se retourner, elles étaient devenues deux belles adolescentes. James Thompson n'était pas prêt à les laisser prendre leur élan. Il les adorait, les possédait, mais pour combien de temps encore? Parfois, il les imaginait parties vivre leur vie. Il ne se voyait pas, seul avec sa femme, dans une maison vide de moqueries, de rires et de chamailleries, et, sans qu'il s'en rende compte, une tristesse voilait ses yeux. Pourtant, un jour, ses filles auraient vingt ans et elles quitteraient le nid familial pour voler de leurs propres ailes. Ce jour-là, qu'adviendrait-il de lui? S'il pouvait repousser ces départs le plus loin possible... Il se pencha de nouveau sur ses comptes, mais son esprit, absorbé par une autre préoccupation, ne suivait plus ses calculs. C'était pour ses filles qu'il avait monté ce commerce, pour leur permettre un peu de facilités, de belles toilettes et quelques bijoux. Si ce n'étaient d'elles, il se serait contenté d'un travail à la journée avec un petit salaire.

Il déposa ses lunettes sur son livre de comptes, quitta son tabouret et s'approcha des jouvenceaux.

— Jeune homme, dit-il, ma fille est trop jeune pour fréquenter les garçons. Je vous demanderais de la laisser tranquille et de vous intéresser aux jeunes filles de votre âge.

Daniel lui lança un regard froid et se retira prestement sans dire un mot. Il devait forcément se tenir tranquille, son père n'accepterait pas qu'un de ses garçons fasse des esclandres dans la place.

Mary, insultée, dévisagea son père un moment et, révoltée, elle se leva brusquement, sans égard pour sa chaise qui bascula par terre avec fracas.

— J'ai seize ans, dit-elle, le regard furieux, les dents serrées.

À pas saccadés, Mary franchit la porte de l'auberge avec l'intention de fuguer et d'ainsi inquiéter son père. Elle lui ferait regretter ses paroles.

À l'intérieur, son père enjamba la chaise renversée qui gisait par terre. Il se posta sur le pas de la porte et s'écria:

— Où vas-tu, Mary? Reviens!

Mary faisait la sourde oreille et marchait derrière Daniel, sans se demander où ses pas la mèneraient. C'en était fini de son bonheur. En chassant Daniel, son père lui enlevait sa raison de vivre. Elle aidait ses parents et en retour de ses services son père flanquait son ami à la porte. Il n'avait pas le droit d'agir de la sorte. Elle s'en allait, le regard fixe, la bouche amère. Devant elle, Daniel tournait au coin du chemin. Il marchait sans se retourner. Mary s'écria :

— Attends, Daniel, je vais t'expliquer.

Mais Daniel s'en allait comme un automate. Il devait lui en vouloir d'avoir un père aussi intransigeant. Mary tourna le coin à son tour. Quelques maisons plus loin, Daniel entrait chez lui. Mary passa tout droit et, deux rues plus loin, elle entendit des pas rapides dans son dos. Comme elle se retournait en espérant voir Daniel la rattraper, son père saisit fermement son bras.

— Arrive ! dit-il. Rentre à la maison.

— Non ! hurla Mary en se débattant comme un beau diable. Laissez-moi.

Souple comme une anguille, Mary s'arracha à sa prise. Elle secoua les coudes et marmonna :

— Lâchez-moi, je suis capable de marcher toute seule.

Des gens s'arrêtaient pour regarder le spectacle, d'autres apparaissaient aux fenêtres ouvertes sur la rue.

James Thompson se sentait ridicule de crier devant les gens de la place. Il craignait d'être reconnu de ses clients. Il laissa tomber son bras.

— Mary, dit-il d'un ton discret, oblige-moi pas à demander l'intervention des gendarmes.

Mary croisa les bras et ne desserra pas les dents. Elle marchait à pas pressés pour distancer son père. En repassant devant la maison des Cuthoen, son cœur battait plus fort. Daniel la voyait-il? Elle ne le saurait jamais, elle regardait droit devant elle.

Sur le chemin du retour, James Thompson tenta de faire comprendre à sa fille qu'il agissait pour son bien, mais il parlait seul: Mary, qui se butait dans son silence, s'en allait, la tête haute, sans ralentir le pas et sans faire aucun cas de son père.

Sitôt arrivée à l'auberge, elle croisa sa mère sans la regarder et monta l'escalier en martelant chaque marche pour mieux marquer son mécontentement. Une fois à sa chambre, elle ferma la porte à tour de bras. Impuissante à se venger, elle se jeta sur son lit et éclata en sanglots.

Elle se disait intérieurement: «Daniel ne remettra jamais un pied à l'auberge; il n'a même pas fait de cas de moi quand je lui ai crié de m'attendre pour m'expliquer. Fini de jaser avec lui comme avant. Finies ses visites à l'auberge. Papa, toujours prêt à me passer mes moindres caprices, m'a enlevé ce que j'ai de plus cher. Par sa faute, je viens de perdre l'amour de ma vie.»

***

Les jours qui suivirent se ressemblèrent. Semaine après semaine, même s'il ne se passait rien de nouveau, les sentiments de Mary pour son beau soldat s'amplifiaient, jusqu'à prendre toute la place dans son cœur, et la conscience de sa vie manquée la rendait morose.

Elle n'adressa plus la parole à son père.

À la suite de cette scène, Mary avait perdu sa bonne humeur. Quand elle ouvrait la bouche, c'était pour bougonner.

***

Chaque vendredi, à cinq heures, Mary se rendait à la fenêtre du salon qui donnait sur le chemin et, de son poste, toute triste, elle regardait Daniel passer devant l'auberge. Il était beau garçon, de dos comme de face, et son uniforme militaire rehaussait encore sa prestance. Mary le voyait s'en aller sans s'arrêter et elle répétait intérieurement les plus beaux mots d'amour. Et Daniel passait son chemin sans tourner la tête de son côté. Est-ce qu'il lui en voulait? Si seulement elle pouvait lui parler. C'était pour elle une torture. «Daniel, disait-elle intérieurement, je t'aime et je t'aimerai toujours!» Ses pensées d'amour restaient sans écho.

CHAPITRE 2

Semaine après semaine, derrière le rideau jaune, Mary surveillait Daniel qui passait devant l'auberge sans s'arrêter. Parfois, elle se désespérait.

« Je suis folle de m'accrocher, se disait-elle, je perds mon temps à attendre un amour impossible. Daniel est trop orgueilleux pour risquer de se faire montrer la porte une deuxième fois. Il va m'oublier plutôt que de braver mon père qui me prend encore pour une gamine. Quelle affaire! Tout ce grabuge parce que Daniel est venu au monde cinq ans trop tôt. Quand on pense que papa et maman ont eux aussi cinq ans de différence d'âge! Mais comment fait-on pour oublier un amour? Je ne pourrai jamais. »

Mary se terrait dans sa chambre, le seul endroit où elle pouvait rêvasser tranquille et laisser son cœur soit s'emballer, soit saigner, sans se donner en spectacle devant les siens.

***

Sur ces entrefaites, Donald Kay entra. Ce beau garçon était le fils du marchand, quelqu'un de bien. Depuis quelques semaines, Donald fréquentait régulièrement l'auberge. Mary devinait qu'il venait spécialement pour elle ; il ne partait jamais sans un mot gentil à son endroit. L'intérêt qu'il lui portait l'amusait.

À la messe du dimanche, elle sentait sa présence dans son dos. À la sortie, Donald l'attendait chaque fois sur le parvis de l'église où ils s'attardaient pour causer.

Puis, un jour, Donald demanda à venir la voir au salon.

Mary, enchantée de susciter son admiration, accepta de le recevoir chez elle, mais elle ne ressentait aucune attirance physique pour lui.

Donald avait l'âge que son père visait pour elle, mais ce garçon avait aussi la sagesse et la maturité d'un homme de quarante ans. Mary ne retrouvait pas chez ce garçon la spontanéité et les tournures d'esprit de Daniel qui la faisaient rire. Les veillées au salon en compagnie de Donald étaient ennuyantes, interminables. Mary avait toujours hâte que se termine la soirée. Avec Daniel, c'était tout le contraire, les heures passaient à la vitesse de l'éclair et il partait toujours trop tôt.

Après quelques mois de fréquentations assidues, Mary se lassa de Donald Kay et le laissa tomber.

Elle se sentit soulagée d'un poids. C'était comme si elle ouvrait de nouveau la porte à Daniel Cuthoen qu'elle n'arrivait pas à oublier.

***

Le temps courait et Mary rêvait d'une famille à elle. Toujours seule, elle accepta de recevoir Joseph Barnes au salon. Celui-là, au tout début de ses fréquentations, elle le recevait à contrecœur.

Un jour, à la table, Mary parla de Joseph à sa sœur. Elle s'en moquait ouvertement devant les siens.

— Joseph n'a pas de colonne vertébrale. Et moi, je déteste les garçons qui rampent à mes pieds. Il répète toujours les mêmes niaiseries plates.

Caterina pouffa de rire.

Sa mère intervint.

— Cessez de vous moquer de lui. Le jeune Barnes est un bon garçon.

— Je ne me moque pas de lui, je me moque de ce qu'il dit et de comment il le dit, ce n'est pas pareil. Mais ne vous en faites pas, il ne sera jamais votre gendre : je l'ai *clairé*.

— Ça ne te donne pas le droit de te moquer.

***

À la suite de ces brèves fréquentations, Mary n'avait plus le goût d'aider ses parents. Elle passait presque tout son temps dans sa chambre à rêvasser à Daniel.

Avant le souper, une odeur de farine grillée monta de la cuisine : sa mère devait être en train d'épaissir une sauce.

Mary s'avança au haut de l'escalier et s'écria :

— Il y a quelque chose qui brûle en bas ? Ça sent jusqu'ici.

— Oui, c'est ma sauce qui a un peu trop chauffé, tout ça pour une distraction.

Sa mère étira le cou et appela :

— Arrive, toi ! Viens dresser les tables. Les clients entrent à pleine porte et je suis prise à la cuisine.

Mary n'entendait rien ; son esprit vagabondait ailleurs, avec son beau guerrier. Elle savait si peu de lui, sauf qu'il était militaire. À seize ans, sa présence lui suffisait ; à cet âge insouciant, ce qu'elle ne savait pas n'avait pas d'importance, mais maintenant, à dix-huit ans, elle ne se contentait plus d'être follement amoureuse, elle aurait voulu en connaître davantage sur Daniel, son travail, sa famille, ses projets. Mais trop tard, elle ne saurait plus jamais rien de lui.

— Mary, arrive donc ! l'appela de nouveau sa mère. Descends.

Mary sursauta.

— C'est au tour de Caterina d'aider.

— Vous ne serez pas trop de deux.

Mary se vit obligée de couper court à la rêverie dont elle emplissait sa vie. Elle descendit l'escalier en empruntant le même air revêche qu'elle réservait chaque fois à son père. Après deux années de rancune, elle n'arrivait toujours pas à faire la paix avec lui.

Mary n'avait pas mis le pied sur la dernière marche d'escalier que sa mère déposait une lourde pile d'assiettes dans ses mains en disant :

— Dis-moi donc ce qu'y a de si intéressant là-haut.

Mary n'allait pas avouer à sa mère qu'elle avait besoin de se retirer tranquille pour rêver à Daniel ; les peines d'amour se vivent en solitaire. Elle préférait enfouir ses sentiments au fond de son cœur.

— Je regardais la mer de ma fenêtre. Elle est bien plus belle vue d'en haut.

— La mer, la mer! Tu es trop rêveuse, Mary. Ici, le travail commande et tu n'es jamais là quand j'ai besoin de toi.

— Rêver, c'est le seul droit que j'ai dans cette maison. Et puis, Caterina pourrait vous donner un coup de main, elle aussi. Vous ne lui demandez jamais rien, à elle.

— Elle non plus n'est jamais là quand on a besoin d'elle. Vous êtes deux pareilles quand il s'agit d'aider. C'est à croire que vous vous cachez.

— J'en ai ras le bol de votre commerce. J'ai hâte de me marier pour ne plus y travailler.

— Regarde! Ton père fait signe d'apporter un pichet d'eau. Va donc!

Comme chaque fois, Mary obéit.

Après avoir déposé les assiettes, quatre par table, elle quitta la salle à manger en vitesse, traversa la cuisine et sortit par la petite porte arrière qui servait aux livraisons. De là, elle appela sa sœur:

— Caterina! Viens ici tout de suite.

— Bon! Qu'est-ce qu'il y a encore de si important, qui vaille la peine de me déranger?

Caterina, les coudes juchés sur la clôture qui délimitait le terrain, faisait la parlotte avec une petite voisine. Elle échappa un long soupir et, avec sa lenteur habituelle, elle s'approcha en traînant les pieds.

— Plus vite, lui répéta Mary, maman a besoin de toi à la salle à manger. Tu sais comme le souper est demandant. Maman a beau se démener, elle ne peut pas tout faire seule.

— Aide-la, toi, rétorqua Caterina.

— C'est toujours moi qu'on commande dans cette maison. Ce n'est pas juste.

— Tant pis! dit Caterina. Moi, j'aime parler et je parle.

— Viens donc.

Caterina poussa un long soupir de résignation et suivit sa sœur.

Avant d'entrer, elle chassa de la main les mouches qui rebondissaient avec obstination sur la moustiquaire. Tout pour flâner. À l'intérieur, elle s'assit sur la berçante. Mary devait sans cesse la pousser dans le dos.

— Qu'est-ce que tu fais, assise, quand le travail commande?

— Je réfléchis.

— *Mouve*! Les clients attendent.

— Tu veux que je fasse une attaque de nerfs?

— Toi, une attaque de nerfs? Jamais! Aide-moi à monter les tables, apporte les beurriers, les sucriers, les crémiers, ensuite ça prendra des serviettes de table, quarante. Tu les compteras.

Caterina, poussée à outrance, leva ses deux mains grandes ouvertes sous le nez de sa sœur, comme si elle poussait sur quelque chose d'invisible, et elle étira lentement ses mots:

— Wô, wô, wô! Mary Thompson, une affaire à la fois.

***

Mary repartit aussi vite qu'elle était venue. Elle porta un pichet d'eau à chaque table.

Patricia Thompson remplissait les assiettes des clients pendant que son esprit vagabondait de l'une à l'autre de ses filles. À son côté, James, son mari et chef cuisinier, lui reprochait sa sévérité envers ses enfants.

— Moi, sévère ? Tu sais comme Mary est difficile à diriger. Tu vois : elle n'en finit plus de te bouder.

— Elle a ton caractère, Patricia. Tu devrais la comprendre.

— Moi, je suis sa mère et c'est à moi que revient la tâche d'éduquer les enfants. Ça va être beau si on laisse nos filles faire leurs quatre volontés.

Puis son ton s'adoucit.

— Au fond, tu sais comme je les aime ! Je devrais peut-être engager une domestique, ça leur laisserait un peu de temps de loisirs.

— Une domestique ! s'exclama James. Et les filles n'auraient plus rien à faire ? dit-il. Si plutôt on leur donnait un petit salaire ? Ça les encouragerait.

— C'est normal pour les enfants d'aider les parents sans rien attendre en retour, comme on a aidé les nôtres dans le temps.

— Ce n'est pas comparable ; nous, nous tenons un commerce qui rapporte des sous.

— Toi, tu les gâtes trop.

Depuis la réflexion de son mari, Patricia se questionnait intérieurement. Peut-être était-elle trop exigeante envers ses filles, comme le lui avait dit James ? Elle leur en demandait beaucoup et, en retour, elle s'impatientait si ses ordres n'étaient pas exécutés sur-le-champ. Mary et Caterina n'avaient pas à subir les contrecoups de sa fatigue. « Mais j'ai tant à faire, se dit Patricia, je pourrais jamais y arriver sans elles. »

Quand tous les clients eurent quitté la salle à manger, la femme rapporta les restes d'agneau à la cuisine. Devant la cuvette, Mary faisait couler l'eau qui devait servir à laver la vaisselle du souper et, deux pas plus loin, Caterina lisait.

— En retour de vos services, dit Patricia à ses filles, j'ai pensé à vous donner l'argent de la vente des œufs et de la tonte des moutons.

Caterina leva la tête. Le visage de Mary s'éclaira.

— C'est vrai, ça? dit Mary. Et nous pourrions en faire ce que bon nous semble?

— Oui, mais sans le gaspiller.

— Et papa va accepter ça?

— Bien sûr. L'idée vient de lui.

Caterina reprit un peu d'allant.

***

Une année passa sans que rien ne change pour Mary, sauf ses traits qui s'embellissaient. À dix-neuf ans, la jeune fille était superbe. Et pourtant, elle effeuillait toujours la marguerite: «Il m'aime, il ne m'aime pas.» Toujours ces sentiments tenaces qu'elle n'arrivait pas à déraciner de son cœur.

***

La vie continuait à l'auberge, sous le signe du travail. La salle à manger était bondée de clients. Après trois bières d'affilée, Hugh Caroll posa la main sur la taille de Mary et la laissa descendre lentement sur sa cuisse. Mary lui asséna un coup de talon au mollet. L'insolent se déplaça brusquement en faisant entendre un rire grossier. La mère de Mary, témoin de cette scène vulgaire, s'écria:

— Bas les pattes, jeune homme. Ici, personne ne touche à mes filles. Toi, Mary, garde tes distances.

— Mais, maman! Je dois approcher les clients pour les servir. Je ne peux pas faire autrement.

Sa mère ajouta, le ton sévère :

— Va chercher les draps chez la blanchisseuse. Tu verras s'ils sont trop empesés ou pas assez et ne te gênes surtout pas pour lui dire ce que t'en penses.

Mary se rendit à la bergerie et revint avec une petite voiture rouge à quatre roues qui servait au transport de la literie et des serviettes.

— Caterina, viens avec moi à la buanderie.

La sortie imposée se changea en une charmante promenade qui invitait les filles aux confidences. Jusqu'à ce que Mary fasse allusion à Daniel : dès lors, le charme de la conversation tomba.

Caterina détestait Daniel, à tel point que son nom la rendait agressive.

— Tu sais, dit-elle, ce que m'a raconté Émilia Neilan au sujet de ton greluchon?

— Je n'aime pas que tu nommes Daniel « mon greluchon ». Et puis, comment veux-tu que je sache ce qu'Émilia t'a raconté vu que je n'étais pas là?

— Elle prétend être amoureuse de Daniel Cuthoen. Elle a dansé toute la nuit dans ses bras au bal de la Saint-Patrick, pis y se sont revus plusieurs fois. Elle se dit sa fiancée.

Mary tira un mouchoir de sa poche.

— C'est vrai ce que tu me racontes?

— Si je te le dis, c'est que c'est vrai!

— Tu me fais pleurer, dit Mary avec une fêlure dans la voix. Ça t'est égal, à toi, que j'aie de la peine, hein?

— Arrête de pleurer dans la rue, ça te rend laide aux yeux des gens.

— Je me fiche des gens. Ça fait trois ans que j'aime Daniel, trois ans d'attente, de torture, pour me faire dire qu'il en aime une autre, et toi, tu voudrais que je prenne ça en riant?

— Je me demande comment tu peux aimer un si vieux bonhomme? En plus, il a mille défauts.

— Tu dis ça parce que tu le détestes. Comment peux-tu tenir de tels propos quand tu ne le connais même pas? Tu le trouves vieux parce que t'es jeune. Être vieux, ce n'est pas un défaut. Ce ne sont pas cinq ans d'écart qui font une grosse différence. Daniel a presque mon âge. Et pis, moé, je l'aime comme il est, avec ses qualités et ses défauts. Tu comprendras quand tu seras en amour.

Et Mary marmonna comme pour elle seule:

— Je me demande s'il existera quelque part un garçon capable de te supporter.

Caterina, insultée, tourna brusquement les talons et laissa sa sœur continuer son chemin seule.

CHAPITRE 3

Ce dimanche ensoleillé de juin, Mary monta dans le train qui roulait de Cobh à Cork, où elle allait rendre visite à sa grand-mère qui était aussi sa marraine. Un trajet de vingt-cinq minutes. Habituellement, sa sœur Caterina l'accompagnait, mais cette fois, celle-ci, légèrement indisposée, refusa de se joindre à elle. Cela faisait l'affaire de Mary : étant seule, elle causerait plus librement avec sa grand-mère. En présence de Caterina, Mary devait toujours peser ses paroles.

Par pur hasard, Mary et Daniel voyageaient dans le même train, à seulement trois banquettes l'un de l'autre. Quand Daniel aperçut Mary, son cœur reprit le rythme fou de leurs premières rencontres. De sa place, il la surveillait du coin de l'œil. Elle portait une robe en cotonnade vert bouteille et, sur sa tête, un bandeau du même ton retenait sa crinière brune. Elle était plus belle que jamais. N'ayant rien pour s'occuper, Daniel laissait son esprit réveiller ses souvenirs et vagabonder dans le temps. Il connaissait Mary depuis qu'elle n'était qu'une gamine qui s'amusait avec une cuillère de bois à creuser des trous dans le sable. Au début, il ne la remarquait pas ; elle était à l'âge où les fillettes sont moches. Puis, à quinze ans, Mary avait embelli. Elle avait troqué ses tresses pour des boucles folichonnes qui ondoyaient sur ses épaules, ainsi que sa robe courte de petite fille pour une jupe qui descendait à la cheville et la faisait paraître plus élancée. Les traits de son visage s'étaient affinés, sa peau semblait plus douce et quand elle souriait, sa bouche ronde s'ouvrait sur des dents ravissantes. Daniel la trouvait mignonne, mais le père de Mary l'avait éconduit, et il avait tourné les yeux vers d'autres soupirantes. Puis, à dix-neuf ans, à l'âge où les yeux des filles se mettent à briller et que les pommettes s'arrondissent, elle faisait de nouveau tomber Daniel sous son charme.

**

Mary, de plus en plus jolie, était recherchée de tous les garçons. Au mess des officiers, ces derniers en parlaient entre eux et vantaient sa beauté. C'était à qui gagnerait son cœur. Chaque fois, Daniel ressentait une petite jalousie. Dommage! La porte de Mary lui était interdite. Aujourd'hui, elle devait lui en vouloir de ne pas s'être expliqué. Le beau militaire ignorait que, même après toutes ces années sans le voir, Mary l'aimait toujours et qu'elle repoussait les avances des autres prétendants.

**

Dans le train, leurs yeux se croisèrent à quelques reprises, comme s'ils se surveillaient, et chaque fois, Mary baissait les yeux dans une attitude réservée. Elle n'était plus l'adolescente un peu irréfléchie que Daniel avait connue plus tôt. Toutes ces années sans se fréquenter avaient laissé une distance entre eux, et aujourd'hui, ils se retrouvaient comme deux étrangers. Avec l'âge, Mary, plus mature, plus discrète, attendait que Daniel fasse les premiers pas pour regagner son cœur.

Daniel hésitait à lui parler à cause d'une vieille dame assise à côté de Mary qui le mettait mal à l'aise. À l'arrêt suivant, il vit la dame libérer son siège et quitter le wagon. La place restait vacante près de Mary. Daniel se rendit jusqu'à elle et lui demanda la permission de s'asseoir à son côté. Mary accepta gentiment.

Elle se tassa au fond de la banquette, le cœur battant.

— Où tu t'en vas comme ça? lui demanda Daniel un peu embarrassé à cause de leur longue séparation.

— Je vais rendre visite à ma grand-mère à Cork.

— Elle t'attend?

— Elle m'attend toujours, mais sans rendez-vous. Aujourd'hui, je voulais lui faire une surprise. Et toi, où vas-tu?

— À Cork, moé aussi. Je vais rendre visite à mon cousin Nicolas et sa petite famille.

— Nicolas, ce ne serait pas le garçon qui s'est enrôlé en même temps que toi?

— Oui, l'an dernier, l'armée l'a transféré à Cork.

— Quelle coïncidence! s'exclama Mary, tout sourire.

— Si tu veux m'accompagner, je t'emmène, lui dit Daniel. Et puis non, je préfère que nous nous baladions seuls. J'ai certaines choses à régler avec toi. Je veux qu'on reparle un peu de notre dernière rencontre qui s'est plutôt mal terminée. Je te dois des excuses. Après le fâcheux événement, comme ta porte m'était interdite, je n'ai pas pu m'expliquer.

— Je comprends.

Après un silence, Mary ajouta :

— J'en veux encore à mon père pour ce qu'il nous a fait. Si tu savais comme je me suis ennuyée de toi et de tes petites visites à l'auberge. Ces dernières années, je n'avais plus le cœur à rien.

Daniel prit les mains de Mary dans les siennes et les serra chaleureusement sur sa poitrine.

Il sentait par ses récents aveux que la jeune femme était toujours éprise de lui, qu'elle lui appartenait un peu. Il se pencha et déposa un baiser furtif sur ses lèvres.

Le cœur de Mary reprit son élan.

— Il faut se revoir, Mary, dit-il.

— J'aimerais ben, mais où ?

— Chez mes parents, au restaurant, où tu voudras, mais je ne veux plus te perdre, dit-il. Et si aujourd'hui nous profitions de la journée pour nous balader seuls tous les deux puisque personne ne nous attend ? À dix-sept heures trente, comme prévu, nous reprendrons le train de retour.

Mary hésita un moment. Elle voulait profiter de l'absence de Caterina pour parler à sa grand-mère de la mésentente qui s'éternisait avec son père. Mais l'occasion était trop belle, la tentation, trop forte. L'amour qu'elle portait à Daniel fit pencher la balance du côté de son cœur.

— Pourquoi pas, dit-elle, après tout, rien ne me retient.

En descendant du train, Daniel saisit la main de Mary, et les amoureux descendirent la rue principale en trottinant, le cœur léger. Soudain, Daniel s'arrêta net.

– Tu vois l'hôtel, au bout de la rue ? Nous allons entrer nous asseoir et prendre un rafraîchissement.

L'hôtel était somptueux. Au plafond de la salle à manger était suspendu un beau lustre à pendeloques de cristal, et les murs étaient couverts de miroirs qui réfléchissaient l'image des clients attablés.

Tout en savourant un gâteau à la vanille, Daniel, assis en face de Mary, ne pouvait détacher son regard du sien.

– As-tu eu des amoureux pendant ces dernières années ? dit-il.

– Oui, disons plutôt des amitiés, rien de sérieux. Je t'ai bien attendu, mais tu ne venais pas. Finalement, je me suis découragée de t'attendre et j'ai essayé de t'oublier, mais j'ai jamais pu, dit-elle, le regard toujours plongé dans le sien.

Daniel écoutait Mary lui raconter sa longue et douloureuse épreuve.

– Il y a beaucoup de va-et-vient ici, dit-il, si tu veux, je vais louer une chambre. Comme ça, nous aurons plus d'intimité que dans cette salle où les gens entendent tout ce qu'on dit.

Mary se figea. Un désir passa comme un éclair dans ses yeux et alluma ses pupilles. Une chambre ! Elle était libre de faire à sa guise. Son cœur disait oui, cependant, sa tête disait non. Pourtant, laissée à elle-même, elle pouvait agir en toute liberté.

– As-tu déjà amené une fille dans une chambre d'hôtel ?

– Non, jamais ! Tu serais la première. Ici, personne ne nous connaît, nous ne serons pas jugés.

– Et si je refuse ?

— Tu sais, nous ne ferons rien de mal, à part jaser et nous embrasser. Ici, devant tous ces clients, je ne peux même pas te donner un petit bec sans être regardé de travers.

Mary ne parlait plus.

— Tu m'aimes, Mary? dit-il.

— Bien sûr que je t'aime. Tu en doutes encore après tout ce que je viens de te raconter?

Mary hésitait. La tentation était forte, mais il y avait les conséquences qui pourraient s'ensuivre. Et si Daniel, après l'avoir possédée, l'abandonnait ensuite? Elle retira sa main que Daniel reprit aussitôt. Il mêla ses doigts à ceux de Mary.

« Si je refuse, se dit-elle, je verrai bien s'il est sérieux. »

Elle se leva.

— Partons d'ici.

Daniel, vaincu, était visiblement déçu. Lui qui pensait que Mary se donnerait à lui sans résister. Il baissa les yeux sur les mains délicates de la jeune femme.

— D'abord, serais-tu prête à m'accompagner chez mon cousin Nicolas? Il a toujours été comme un frère pour moi. Je vais te présenter sa petite famille. Tu vas voir comme Kate est gentille.

— Comme tu veux.

— Vu la distance, nous allons prendre la diligence.

En attendant le coche, Daniel serrait le corps de Mary contre lui.

***

À la suite de cette rencontre, Daniel oublia les filles connues jusqu'alors. Depuis leurs retrouvailles, il invitait Mary chez ses parents, aux fêtes du village, à de longues promenades qui les conduisaient chaque fois jusqu'au quai. Pour les amoureux, tout devenait des occasions de rencontres.

Chaque fois que Mary quittait la maison, elle rentrait tard le soir et ses parents se mouraient d'inquiétude.

— Veux-tu me dire d'où tu viens encore, toi? s'impatientait sa mère. Je n'arrête pas de me faire du mauvais sang tant que tu n'es pas rentrée.

— Comme je n'ai pas la permission de recevoir des garçons chez moi, dit Mary, prête à s'immoler sur l'autel de l'amour, je vais les rencontrer à l'extérieur. Comme ça, papa n'aura pas le plaisir de leur montrer la porte.

— Viens t'asseoir un peu, Mary, j'ai à te parler.

— Me parler de quoi encore? rétorqua Mary, réticente. Si vous pensez que j'ai la tête aux réprimandes…

— Tu ne trouves pas qu'il serait temps de mettre fin à cette mésentente avec ton père qui dure depuis des années? Tu sais, tu étais un peu jeune dans le temps pour des fréquentations sérieuses.

— Mes sentiments n'ont jamais intéressé personne dans cette maison.

— Viens t'asseoir, je te dis. Je veux que tu mettes fin à ce froid qui persiste entre toi et ton père.

— C'est à lui de le faire.

***

Après une discussion à n'en plus finir avec ses parents, Mary obtint finalement la permission de recevoir Daniel au salon.

– Daniel acceptera jamais de remettre un pied ici après s'être fait mettre dehors comme un chien. Il a quand même son orgueil.

Son père gardait sa dignité. Il ajouta :

– Tu lui diras que notre porte lui est ouverte, puis ce sera à lui de décider de la suite.

***

Les fréquentations duraient depuis plus de deux ans quand, par un beau samedi du début de mai, la mère de Mary fut hospitalisée pour une pneumonie. Comme son père et Caterina devaient se rendre à son chevet, Mary s'occupait seule de l'auberge.

L'après-midi comptait toujours un temps mort. Toutes les tables de la salle à manger étaient vacantes. Mary les essuyait à l'aide d'un torchon quand Daniel fit irruption dans l'auberge. Ils étaient seuls dans la grande salle à manger, mais pour combien de temps ? Dans une auberge, on ne peut pas prévoir l'heure où des clients vont se présenter.

– Excuse-moi de te laisser seul, dit Mary. Comme maman n'est pas là, je dois faire le ménage des chambres et ça ne peut pas attendre. La fin de semaine, c'est toujours complet.

Daniel offrit de l'aider.

– À deux, ça ne traînera pas, dit-il, tout sourire.

– Apporte la pile de draps et dépose une paire dans chacune des chambres, lui commanda Mary. Même chose pour les serviettes.

Daniel la suivit dans l'escalier, les bras chargés de pièces de literie.

Mary enseignait à Daniel la manière de bien border un lit en rentrant l'alèse sous le matelas, sans faire de faux plis, quand celui-ci la bascula sur le lit. Mary pouffa de rire et se releva d'un bond. Daniel recommença. À la troisième poussée, Mary, allongée sur le lit, devint sérieuse, puis langoureuse, et s'abandonna. On était en mai, le mois des amours. Daniel retroussa sa jupe et fit voler son cotillon. Il précipita son grand corps sur le sien.

— Si tu savais comme je t'aime! murmura-t-il, le nez dans ses cheveux.

Mary ressentit une émotion indescriptible. C'était la première fois que Daniel lui dévoilait ses sentiments. Il lui disait qu'il l'aimait. Elle qui attendait ce doux moment depuis des années. Elle répondit: « Je t'aime aussi. » Daniel enfouit son nez entre ses seins où il découvrit une odeur de miel sucré. Puis, sa bouche remonta vers la sienne et un long baiser scella leur amour réciproque.

Depuis le temps que Daniel la désirait, il profita du fait qu'ils étaient seuls pour la caresser et il la caressa jusqu'à la posséder corps et âme.

En bas, la porte bâilla. Mary se leva promptement, enfila son cotillon, replaça sa robe et s'écria:

— Il y a quelqu'un? Une minute, j'arrive.

Elle qui avait promis à son père de garder la caisse en vue, elle avait manqué à sa promesse, mais elle ne pouvait pas être partout à la fois. Elle replaça ses cheveux et descendit tranquillement comme si de rien n'était. Personne ne pouvait deviner les émotions fortes que Mary vivait intérieurement. Elle servit une bière au client qui était un régulier et se rendit à la cuisine, en gardant la caisse en vue.

Daniel descendit à son tour sur la pointe des pieds et s'assit au bas de l'escalier. Il adressa un large sourire à Mary, mais celle-ci restait sérieuse. Elle lui dit avec un léger trouble dans la voix :

— Je ne sais pas ce qui m'a pris, je regrette ma conduite, qui pourrait avoir des conséquences.

— Pourquoi regretter, Mary ? Moi, je recommencerais n'importe quand, dit-il avec son sourire charmeur. Je passerais ma vie avec toi dans mon lit.

Mary reçut la plaisanterie de Daniel comme une autre déclaration d'amour.

— Toi, tu as toujours le mot pour me faire rire, dit-elle, mais quand même, j'ai bien envie de t'avouer que moi aussi.

— Bon, moi, je me sauve, dit Daniel, avant que ton père me pince ici. S'il nous surprend seuls, il me montrera la porte une autre fois.

Daniel embrassa Mary sur la bouche et se sauva par la petite porte de service.

Mary termina son travail en chantonnant.

Le même jour, Patricia Thompson rentrait chez elle avec une ordonnance médicale à ne pas négliger.

***

Après s'être envoyée en l'air, Mary s'inquiéta des conséquences de sa conduite. Elle était plus pensive, moins souriante. Comme une obsédée, elle marquait les jours d'une croix sur le calendrier et mesurait sa taille qui restait la même. Elle ne parla pas de ses tourments à Daniel ; pourquoi l'affliger avec des doutes non fondés ? Les jours n'en finissaient plus de passer, tous plus désespérants que la veille.

Un matin, au sortir du lit, Mary sentit ses seins plus lourds. Il lui sembla que sa mère voyait à travers elle ; devinait-elle les angoisses qu'elle vivait ? Mary espérait que l'arrêt de ses menstruations ne soit que temporaire, jusqu'à ce que des nausées l'indisposent et qu'elle ait la certitude d'être enceinte. Elle était désespérée. Et si elle en parlait à Daniel ? Celui-ci allait-il la rejeter comme une vieille pantoufle usée ? Elle imaginait toutes ses réactions possibles. Daniel qui aimait rire et blaguer était-il assez mature pour faire face à des responsabilités de père ? Mary ne voyait plus d'issue à sa condition. Elle repoussait toujours le moment de confier son lourd secret à Daniel.

***

Un soir, comme il leur arrivait quelquefois pendant les congés militaires et que la température le leur permettait, Mary et Daniel s'en allaient, main dans la main, au port de Cobh où les amoureux assistaient aux arrivées et aux départs des bateaux. Ils enjambèrent des piles de sacs et s'assirent sur un bas muret en bois qui courait jusqu'au quai. Daniel enlaça Mary qui appuya la tête sur son épaule.

Toutes les voix de la mer surgissaient des rochers, des flots, du vent, comme un enchantement pour les amoureux. Le vent murmurait, la mer soupirait, le ciel rassurait.

– Tu me sembles bien songeuse depuis quelque temps, lui dit Daniel.

Mary lui sourit tristement.

– Moi, songeuse?

– Il me semble que tu as perdu ton entrain des beaux jours. Où est passé ton beau sourire?

Mary ravala sa salive. Les mots ne passaient pas dans sa gorge serrée.

Daniel se pencha et son regard scruta le sien jusqu'au fond de ses yeux où perlait une larme. Il la serra contre lui. Mary crut le temps venu de lui confier son secret.

– Je vais être mère, dit-elle.

Daniel la regarda de nouveau, intensément, pour s'assurer que ce n'était pas une farce. Il vit bien que Mary était trop bouleversée pour badiner. Un pli amer barrait son front soucieux.

Après un moment de réflexion, Daniel s'excusa.

– Je m'en veux de t'avoir compromise, dit-il, repentant.

– C'est ma faute, dit Mary. Ce jour-là, j'aurais dû te repousser. Mais ce qui est fait reste fait pis c'est pas les regrets qui vont arranger les choses. Quand mes parents vont l'apprendre…

Daniel ne laissa pas Mary aller plus loin.

– Ne leur dis pas, Mary. Ce qui s'est passé entre nous ne regarde que nous deux. Je vais prendre mes responsabilités. Nous allons nous marier.

Mary se demanda si elle avait bien compris.

– Nous marier? Toi et moi! Tu es sérieux, Daniel?

– J'y pensais depuis quelque temps, mais maintenant que les choses se précipitent, il est urgent d'agir.

Mary ressentit un soulagement aussi vif que l'attente avait été invivable. Elle respirait plus à l'aise. Elle se blottit dans les bras de Daniel, heureuse et préoccupée à la fois.

– Avant la naissance du bébé? demanda-t-elle.

– Mais oui, bientôt, très bientôt. Je voulais justement te parler d'un rêve qui me tient à cœur depuis quelques années.

– Quel rêve? Tu ne m'as jamais parlé de tes rêves.

– Tu es la première à qui j'en parle. J'attendais pour te mettre dans le coup que ce projet soit bien fondé. Avec toutes ces révoltes entre l'Angleterre et l'Irlande, j'en ai assez de guerroyer. Je projette secrètement d'aller m'établir en Amérique et j'aimerais que tu m'accompagnes là-bas. Depuis des années, j'amasse tout mon argent à cette intention. Si tu veux me suivre, je t'emmène.

Mary était au septième ciel. Tout était trop beau pour être vrai.

– Tu as le droit? L'armée te laisserait partir comme ça? dit-elle, inquiète.

– Non, évidemment, mais j'ai tout prévu. Je déserterai. Je te demande seulement de garder notre départ secret parce que, si le bruit se répand, l'armée me mettra la main au collet et ce sera la prison pour moi.

– Te suivre en Amérique, dit-elle, quel merveilleux projet! Là-bas, tu serais exempté de la guerre et aussi ça arrangerait tout pour notre enfant.

Soudain, il y eut un court silence, après quoi Mary, préoccupée, ajouta:

– Et si mes parents refusent de me laisser partir?

– Ne leur dis rien. Je vais commencer par en parler avec les miens. Je vais le faire bientôt. J'attendais à la toute dernière minute, mais maintenant nous en sommes rendus là. Je sais que ce ne sera pas facile, ni pour toi ni pour moi, mais comme c'est de notre avenir qu'il s'agit, nous devrons tenir tête et abattre tous les obstacles qui se mettront en travers de notre projet.

***

Le temps pressait. On était jeudi et un navire devait partir dans quatre jours. Les Thompson et les Cuthoen n'étaient encore au courant de rien. Daniel remettait toujours à plus tard cette nouvelle qui allait surprendre les siens et qui risquait de provoquer des conflits entre eux. Maintenant, sur le point de partir, il n'avait plus le choix. C'était tout un contrat que de plaider sa cause ; ses parents allaient s'opposer, ils allaient monter sur leurs grands chevaux, comme le jour où il s'était enrôlé. Sa mère surtout. Daniel entendait déjà l'orage gronder. Toutefois, il ne reculerait pas devant leurs arguments. Il serait poli, mais ferme, comme un vrai Irlandais.

Le plus difficile serait pour Mary. « Pour une fille, les choses sont toujours plus compliquées, pensait Daniel. Comment arrivera-t-elle à convaincre les siens de la laisser partir pour s'exiler sur un autre continent ? »

***

Le lendemain, Daniel quitta la baraque comme chaque vendredi. Au retour, il ralentit le pas. Plus il approchait de la petite auberge orangée, plus ses battements de cœur s'accéléraient. C'était la maison de James et de Patricia Thompson, les parents de Mary, sa fiancée. Daniel surveillait la fenêtre qui donnait sur la rue. Aujourd'hui, Mary serait-elle là, à le regarder passer, comme chaque vendredi? Plus près, Daniel vit le rideau de voile se soulever et, comme une apparition, Mary se tenait à la fenêtre dans sa robe blanche. Elle lui faisait bonjour de la main et elle restait le nez collé à la vitre. Daniel passé, le rideau retomba tristement.

Daniel continua son chemin, les yeux bas, un peu déçu. Il aurait bien aimé entrer dire un petit bonjour à Mary, mais que diraient ses parents de voir surgir le prétendant de leur fille un vendredi, quand tous les soupirants s'en tenaient au dimanche, comme si c'était un commandement de l'Église? Il continua son chemin et s'arrêta à une maison marine aux ouvertures rouges, celle où il habitait.

***

Sitôt entré chez lui, Daniel, pensif, s'affaissa sur la berçante.

Sa petite sœur, une enfant de quatre ans, courut grimper sur ses genoux et s'abandonna, confiante, molle comme un chiffon, comme elle le faisait à chaque retour de son grand frère. Contrairement à son habitude, Daniel la repoussa et laissa échapper un profond soupir qui ne passa pas inaperçu aux yeux de sa mère. La petite restait plantée devant lui, la bouche boudeuse.

Il fallait que Daniel soit bien préoccupé pour repousser la gamine. Il adorait cette enfant. Il prenait toujours son parti, même quand sa mère la reprenait et que la petite avait tort. Susana était née dans cette maison alors que Daniel avait vingt-sept ans, l'âge d'être père. Cette enfant aurait pu être la sienne. Chaque soir, la petite se réfugiait dans ses bras et s'endormait au son de ses ballades.

Sa grande sœur, Elisa, prit la main de l'enfant.

– Viens, Susana, la soupe est dans ton assiette.

La mère déposa un dernier bol fumant sur la nappe fleurie.

– Approche, toi aussi, Daniel, avant que ton souper tiédisse. Il n'y a rien de mieux qu'un bon repas chaud et une nuit de sommeil pour refaire ses forces.

Sa mère parlait le gaélique, un jargon qu'elle nommait le «garlic», un dialecte propre aux habitants de Cobh. Elle refusait de parler l'anglais dans sa maison parce que c'était la langue de leurs ennemis jurés.

Daniel continuait de délacer ses grosses bottines de l'armée sans lever les yeux. Il déplia ses longs membres et, une fois debout, il tira la berçante jusqu'à la table et s'y rassit, l'air soucieux. Sa mère voyait bien qu'il n'était plus le même ces derniers temps ; il devait être fatigué avec l'entraînement militaire intensif que lui faisait suivre l'armée : quatre heures par jour de marche et de course.

Ça grouillait dans la grande cuisine où les enfants regroupés autour de la table bavardaient et se taquinaient pendant que les bolées de soupe se vidaient. Seul Daniel, la tête penchée sur son bol, ne disait mot. Il semblait préoccupé.

– T'as mauvaise mine, Daniel, lui dit sa mère. Ça ne va pas ?

– Je gage que sa blonde l'a mis dehors, intervint son frère Oliver, un petit malin qui ne manquait pas une occasion d'ajouter son grain de sel.

– Tu devrais te coucher le soir, lui conseilla sa mère, plutôt que d'aller rejoindre tes amis.

– J'ai vingt-sept ans, maman !

– Je sais, je sais ! Mais que veux-tu, je n'arrive pas à perdre cette manie de couver mes enfants. Mais j'achève ; encore un peu de temps et ce sera la belle Mary qui prendra la relève.

– Justement, parlant de Mary, j'ai des projets.

– Je gage que tu vas te marier, s'écria son frère Patrick, un gamin de douze ans.

– Un jour, peut-être, dit Daniel, évasif, tout le monde se marie un jour ou l'autre.

– Il serait grand temps, à vingt-sept ans, releva Patrick.

Daniel n'ajouta rien de plus devant ses jeunes frères et sœurs. Il devait garder son projet secret ; il craignait que les jeunes s'échappent devant leurs amis, que ceux-ci en parlent à leurs parents et que l'affaire en vienne aux oreilles des autorités. Sa fuite serait considérée comme un crime. Et s'il était dénoncé, il serait accusé de désertion et passible de prison.

Le souper terminé, les enfants sortirent de la maison en coup de vent. Daniel s'attardait, les coudes sur le bois blond de la table, en sirotant une deuxième tasse de thé. Il regardait son père ouvrir un petit sac de tabac haché et en remplir sa pipe. Thomas Cuthoen se penchait, frottait une allumette sur sa fesse et allumait. Après chaque repas, il fumait pendant que sa femme desservait la table. Daniel aimait ses parents et il allait les attrister. C'était le moment propice. Il devait profiter du fait qu'il était seul avec eux pour les mettre au courant de ses projets secrets.

– Je vais bientôt partir pour l'Amérique, leur annonça-t-il. Avec toutes ces révoltes qui n'en finissent plus entre protestants et catholiques, l'Angleterre est en train de nous engloutir. J'en ai assez de vivre sur un pied de guerre.

Je ne me vois pas élever des enfants en Irlande avec un père au front.

Sa mère, qui allait de la table à la cuvette, s'arrêta net, telle une petite bête au bout de sa corde. Elle pâlit et posa la main sur son cœur qui sautait dans sa poitrine. Elle pensa : «Encore un coup dur, comme lorsque Daniel s'est enrôlé dans l'armée. Il n'en fera encore qu'à sa tête.» Elle s'en remit à son mari, les yeux suppliants ; lui saurait peut-être le retenir.

Thomas Cuthoen, tout comme sa femme, était atterré. Ça commençait par leur fils aîné et ensuite ce serait au tour d'Oliver, de Peter et de Patrick de suivre les pas de leur grand frère, de s'exiler.

— L'armée ne te laissera pas partir comme ça, protesta son père. En tant que guerrier, t'appartiens au pays. Tu vas te faire arrêter et enfermer au cachot par les autorités.

— Je sais. J'ai tout prévu. Pour déjouer l'armée, je me suis enregistré sous le nom de Smith, Daniel Smith.

Son père réprima une grimace. Ses descendants, en plus de naître Américains, ne porteraient pas le nom de Cuthoen. C'était pour lui comme si son fils Daniel reniait sa famille. Cependant, son projet partait d'un bon sentiment. Les Cuthoen étaient de fervents catholiques. Thomas ne pouvait pas empêcher son fils de vivre sa vie comme il l'entendait.

Daniel n'avait pas fini de les surprendre. Il ajouta :

— Nicolas veut partir lui aussi.

— Me parles-tu de ton cousin Nicolas, le garçon de ma sœur Victoria ?

— Oui.

– Lui aussi abandonnerait sa famille pour aller s'exiler en Amérique?

– Non! Il partirait avec sa femme et ses enfants.

– Ah oui? Eh bien, ça, c'est toute une surprise! Qu'est-ce que Victoria dit de ça?

– Je ne sais pas si elle est au courant.

Daniel regardait son père caresser sa barbiche, tout en fixant le vide de ses grands yeux gris. C'était une manie chez Thomas Cuthoen de flatter sa barbe quand quelque chose le préoccupait. Puis, l'homme leva les yeux et dit:

– Ça me rassurerait un peu de ne pas te savoir seul au bout du monde.

– Je ne serai pas seul. Je pars avec Mary.

En entendant le nom de Mary, sa mère, scandalisée, s'indigna.

– J'aurais dû m'y attendre. Partir avec une fille sans être mariés! Ça ne se fait pas, Daniel, tu le sais très bien, c'est contre notre religion.

Sa décision prise, Daniel n'y revenait pas. Il était fait comme ça, résolu comme sa mère, comme les Irlandais. Il trancha la question une fois pour toutes.

– C'est décidé, nous sommes fiancés, nous nous marie-rons en arrivant en Amérique.

– Oublie ça! Les Thompson ne laisseront pas partir leur fille avant que tu lui passes l'anneau au doigt, et avec raison.

– De toute façon, à vingt-deux ans, Mary est majeure, rétorqua Daniel. Ce sera à elle de décider.

– Majeure ou pas, ce serait scandaleux, mon garçon. Ça ne se fait pas! s'écria de nouveau sa mère, le visage rouge de colère. Et quel mauvais exemple pour tes frères et sœurs !

Daniel n'ajouta rien. Avec sa mère, il n'aurait pas le dernier mot, et encore moins maintenant que la vertu était en cause. Il cessa d'argumenter ; il ne voulait pas partir en brouille avec les siens. Il leur fit promettre de ne parler à personne de son départ.

Il se leva et sortit, laissant ses parents seuls avec la nouvelle accablante.

Même épuisé, rien ne pouvait empêcher Daniel d'aller rejoindre un groupe d'amis, la plupart des guerriers comme lui, dans un bâtiment désaffecté, situé non loin du port, qui leur servait de lieu de rendez-vous secret.

* * *

De l'extérieur, Daniel entendait des murmures.

Il poussa en douceur une vieille porte en planches délavées qui fit entendre un long gémissement. Dans un coin de la bâtisse se tenaient une soixantaine de citoyens qui désiraient quitter le pays. La plupart étaient des militaires comme lui, des hommes bien bâtis, presque des géants dans la force de l'âge. Et le nombre augmentait de jour en jour.

À peine Daniel fut-il entré dans le bâtiment qu'un silence se fit et que tous les yeux se tournèrent vers l'arrivant. Les partants étaient toujours curieux de connaître les nouveaux intéressés qui entreprendraient la traversée avec eux.

— Je crois qu'il ne manquait que moi, ici, dit Daniel, tout sourire.

Tout en plaisantant, le garçon cherchait Mary des yeux. La jeune fille venait vers lui.

Les gens discutaient entre eux et le ton montait.

Daniel intervint :

— Baissez le ton, on entend tout de l'extérieur.

O'Connell, le chargé des droits de passeport, exigea le silence.

— Les nouveaux arrivés, prenez votre mal en patience et attendez votre tour. Il ne reste que quarante places à combler sur le *Scotland* et vous êtes plus de soixante à vouloir partir. Je répète pour les derniers arrivants que le prix de la traversée est fixé à trois livres par tête et on nous a bien précisé que rien ni personne ne changera la loi établie.

Nicolas Carter, indigné, dévisagea O'Connell.

Ses traits se durcirent.

— Combien ? Trois livres ? Mais c'est du vol ! s'écria Carter. Ils exagèrent. Avec une femme et trois enfants, il m'en coûterait quinze livres. Je ne peux absolument pas payer un prix aussi exorbitant. Je vais devoir attendre un autre bateau ou bien nous devrons nous résigner à rester au pays.

Carter n'était pas le seul à être déçu ; un murmure de révolte parcourait le groupe. Puis, les hommes se mirent à crier comme des chiens enragés, certains même pleuraient de voir leur projet de départ échouer.

O'Connell attendit que les hommes se calment, puis il expliqua :

— Les navires sont luxueux et la nourriture est abondante. Comme les places sont très recherchées, les capitaines en profitent pour monter leurs prix. Vous aurez beau crier, hurler, ce sera pour rien. Et si vous remettez votre départ à plus tard avec l'intention de payer moins cher, vous vous trompez : les prix risquent d'augmenter.

Quelques hommes se retirèrent en claquant la porte et, les rangs défaits, les autres se bousculèrent pour prendre les places avant.

— Maintenant, continua O'Connell, reste à savoir lesquels d'entre vous prendront la mer.

— Le départ est pour quand ? demanda Daniel.

— Dans trois jours.

— C'est bien ce que vous nous aviez dit, mais avec les navires, allez savoir, dit Daniel.

CHAPITRE 4

On était le vendredi 12 août 1831.

O'Connell proposa de tirer les noms des partants au sort.

— Vous allez écrire vos noms sur un bout de papier que vous déposerez ensuite dans mon chapeau.

Il ne restait que cinquante noms, les autres s'étaient désistés, ayant décidé d'attendre des prix à la mesure de leurs moyens.

Daniel s'approcha de O'Connell et lui murmura à l'oreille:

— Mary est enceinte et nous devons partir avant que les choses tournent mal pour nous. Je suis prêt à payer deux couchettes et je te donne une livre de plus pour acheter ton silence. Une livre, c'est payé assez grassement, hein?

Depuis six ans, Daniel mettait son salaire de militaire de côté dans le seul but de quitter le pays.

— Pas de passe-droit ici, dit O'Connell. Prends ton mal en patience, Smith, et prie pour que ton nom sorte.

Le nom de Mary sortit le douzième. Daniel applaudit.

La jeune fille, fébrile, espérait que le nom de Daniel ferait partie des gagnants, sinon, elle serait tenue de rester au pays. À chaque nouvelle pige, un frisson d'inquiétude parcourait tout son être.

– Hugh Caroll ! McCarty ! Malarky…

À la trente-deuxième pige, O'Connell s'écria : « Smith ! »

– Ça va pour vous, les amoureux, leur dit-il.

Mary se tenait à côté de Daniel, la main droite dans la sienne, alors que la gauche soulevait sa longue robe blanche qui rasait le sol.

Et la pige continuait.

– Murry ! Beckett ! Byne !… Si ça peut consoler quelques-uns d'entre vous, dit O'Connell, on attend la venue d'un autre navire pour les prochains jours.

Puis il s'informa :

– Est-ce que tout le monde est satisfait ?

– Non ! On n'est pas contents, mais on n'a pas le choix, rétorqua Nicolas Carter dont le départ, remis au prochain voyage, restait incertain. Comme on veut se retrouver tous en bons termes une fois là-bas, c'est pour ça qu'on se ferme la gueule.

On entendait des murmures venant des femmes déçues.

Il y avait toujours des mécontents, mais ceux-là, O'Connell les ignorait.

– Le voyage va durer un mois et demi si les vents sont favorables, dit-il. N'oubliez surtout pas d'apporter des bottes et des lainages : à New York, le thermomètre descend parfois jusqu'à zéro. On dit même avoir déjà vu de la neige.

Daniel savourait sa chance de pouvoir s'embarquer sur le premier navire. Il lui restait maintenant à chercher un complice fiable qui n'appartiendrait pas à l'armée et qui accepterait de porter ses bagages au port. Il préférait laisser ses amis en dehors de ses plans. Peut-être le grand O'Sullivan dont la haute stature dépassait la moyenne ?

Ce garçon attirait la confiance en dépit de sa laideur. La nature l'avait doté d'un nez aplati et d'yeux globuleux. Par contre, une envie de rire perpétuelle, collée à ses lèvres, lui attirait la sympathie des gens.

Daniel s'en approcha et lui parla à voix basse. Adam O'Sullivan accepta la proposition de Daniel et les deux garçons s'entendirent pour la veille du départ. Adam et lui devinrent dès lors deux complices qui entreprendraient la traversée ensemble.

Daniel était si excité qu'il ne portait plus attention au reste du groupe. Il adressa un large sourire à Mary, passa un bras sous le sien et l'entraîna à l'extérieur.

— Viens, dit-il. C'est le temps d'aller parler à tes parents.

— T'as vu les femmes, tantôt, comme elles me regardaient de travers, dit Mary, la mine défaite. Je les entendais penser. Je suis sur le point de causer un gros scandale parce que je pars avec un garçon sans être mariée. Je crains qu'on nous empêche de partir.

— Ne t'en fais pas. Elles ne diront rien. Ces gens sont bien mal placés pour dénoncer, presque tous sont des clandestins comme nous.

Daniel serra la main de Mary et ce simple geste la réconforta.

— Allons-y, dit-il.

***

Il était dix heures du soir quand le couple fit irruption chez les Thompson, une heure inconvenante pour entrer chez les gens. Mais Mary voulait profiter du temps où sa sœur serait montée à sa chambre pour annoncer son départ à ses parents. Daniel attendit dans le portique et Mary s'avança.

Sa mère était furieuse contre elle. Depuis que sa fille fréquentait Daniel Cuthoen, elle disparaissait à tout moment sans dire où elle allait, pour ne rentrer à la maison que tard dans la soirée.

— D'où viens-tu, toi? Tu n'es jamais là quand nous avons besoin de toi. On te cherchait partout.

— Autant vous le dire, maman, Daniel et moi prendrons le bateau dans trois jours pour l'Amérique. Ce soir, nous sommes allés payer notre billet de voyage.

La femme reçut la nouvelle comme un coup de masse sur la tête. Sa figure se figea. Son ton faiblit.

Daniel s'avança, mais la femme, trop saisie par la nouvelle, ne semblait pas le voir.

— Ma foi, t'es folle, Mary! Tu ne vas pas quitter ta famille et ton pays pour suivre un supposé amoureux? Je te défends de partir.

Daniel avança d'un pas et prit la part de Mary.

— Mary est majeure, madame.

La femme sursauta.

— Vous, ici? dit-elle. Sortez tout de suite de cette maison, monsieur Cuthoen, sinon je vais vous dénoncer aux autorités.

Daniel se raidit. Il ne s'attendait pas à être traité comme un moins que rien, comme le jour où James Thompson l'avait éconduit parce qu'il disait sa fille trop jeune pour les fréquentations. Le dénoncer! La mère de Mary pouvait-elle en arriver à une action si basse? Daniel s'avança, tenta de s'expliquer, mais c'était inutile, madame ne voulait rien entendre. Comme il s'apprêtait à sortir, malheureux comme les pierres, Mary le reconduisit à la porte et s'attarda dans le portique. Elle lui murmura :

– Je t'aime.

– Mais, tu pleures, Mary ?

Daniel essuya d'un doigt la larme qui coulait sur sa joue lisse.

– J'ai jamais rien gagné à tenir tête à mes parents, dit-elle. J'ai bien peur de ne pas y arriver.

– Ce serait dommage parce que moi, je partirai avec ou sans toi.

– Avec ou sans moi ! répéta Mary, sidérée. Est-ce que j'ai bien compris ? Si tu es prêt à m'abandonner, c'est que tu ne m'aimes pas.

– Tu as vingt-deux ans, Mary ! Tu es majeure, donc maître de tes décisions. Moi, je me prépare à quitter le pays depuis trop longtemps pour penser à reculer. J'en ai assez de guerroyer contre l'Angleterre. Tu sais tout ça, je t'en ai déjà parlé. Mais je tiens à ce que tu saches que c'est avec toi que je voudrais fonder une famille. Pense à notre enfant ; donne-lui la chance d'avoir ses deux parents.

Le coup avait porté.

Mary n'était pas prête à renoncer à l'amour de sa vie. Daniel avait touché la corde sensible en lui parlant de l'enfant qu'elle portait dans son sein. Elle ne connaissait pas d'autre solution. Il n'était pas question pour elle de reculer. Elle accompagnerait Daniel, coûte que coûte.

– Je serai au port lundi, dit Mary, insouciante de la suite des événements. Même si maman et papa me le défendent, je serai là.

Daniel doutait. Il chatouilla sa nuque tendre et lui dit :

– Demain, j'irai parler au chanoine O'Corner. Je lui demanderai d'intervenir auprès de tes parents, de plaider ta cause. On ne perd rien à essayer. En attendant, prends bien soin de toi.

Sur ce, Daniel lui vola un baiser et quitta la maison des Thompson.

Dehors, le vent du large fouettait son visage. Daniel allongea le pas. Il retournait chez lui un peu sceptique. Tout allait de travers pour Mary et lui. Madame Thompson avait parlé de le dénoncer et si elle mettait sa menace à exécution, cette trahison le tuerait. Autre chose aussi le chicotait : Mary l'avait assuré qu'elle serait au port lundi, mais, malgré sa promesse, des doutes persistaient. Elle serait sans doute étroitement surveillée par ses parents. Bien sûr, Daniel ne mettait pas en cause la bonne volonté de sa fiancée, mais il entendait encore l'avertissement de la mère Thompson lui marteler les oreilles : « Je vais vous dénoncer aux autorités. » Si la femme mettait ses menaces à exécution, c'en serait fini de sa vie. La mère de Mary le tenait à la gorge.

Tout en marchant, Daniel mijotait son idée de s'en remettre au chanoine O'Corner, lui qui ne se confiait jamais à personne. Les prêtres, ces philosophes de la sagesse et de la vérité, jouissaient d'un grand pouvoir de persuasion auprès de leurs paroissiens. Peut-être celui-ci serait-il de bon conseil ? Arriverait-il à calmer madame Thompson et à lui faire accepter le départ de Mary ? « Je passerai à l'évêché demain », se dit Daniel.

Déjà obsédé par l'annonce de sa paternité, il ne voyait que des entraves à son projet. Comme il regrettait d'avoir mis les parents de Mary dans le secret ! Mary et lui auraient pu filer en douce et n'aviser les Thompson qu'une fois rendus en Amérique. Daniel, la tête pleine de tant de préoccupations, s'endormit à une heure tardive de la nuit.

***

Le samedi, Daniel enleva son uniforme, se fit une toilette rapide et enfila un habit civil. Il se rendit à la cathédrale où le chanoine O'Corner, un homme bon comme la vie, l'invita à passer à son office, une petite pièce attenante au vestibule. Le prêtre lui présenta une chaise que Daniel refusa poliment. L'entretien préoccupait ce dernier ; il n'était pas le genre à se confier. Il ne cessait de tripoter nerveusement son béret qu'il tenait à la main.

— Vous avez l'air bien embarrassé, mon garçon, lui dit le chanoine. Prenez un siège et dites-moi ce qui me vaut le plaisir de votre visite.

— Je ne suis pas venu ici dans l'intention de vous déranger, monsieur le chanoine, donc je vais aller droit au but, comme ça, vous ne perdrez pas votre temps et moi non plus.

— Mon travail est d'être à la disposition de mes paroissiens. Allez, je vous écoute.

— Je dois partir dans deux jours pour l'Amérique et j'ai l'intention ferme d'emmener ma fiancée, mais ses parents, les Thompson, s'y opposent. Ils ne savent pas que Mary est enceinte ; nous avons décidé de ne pas leur dire. Si vous pouviez intervenir… J'aimerais bien que, tous les deux, nous partions en bons termes avec notre famille. Si vous leur parliez, ils vous écouteraient peut-être, vous, un prêtre.

– Vous voulez partir pour cacher une maternité?

– Non, je veux quitter le pays pour vivre en paix en Amérique. J'en ai ras le bol de ces guerres à n'en plus finir entre l'Angleterre et l'Irlande et je veux élever mes enfants dans la religion catholique.

– Vous avez là un gros problème, mon fils, mais que vous désiriez prendre vos responsabilités vous honore. Vous avez l'air d'être un bon garçon et je serais bien prêt à intervenir, cependant, comme vous et Mary n'êtes pas mariés, ce serait contre mes principes d'encourager les unions libres. Je comprends que les Thompson soient réticents. Mais si c'est la seule vraie raison, mariez-vous et tout le monde se calmera.

– C'est dans nos projets à venir.

– Revenez avec votre fiancée. Nous en causerons à trois. Il faudra d'abord commencer par publier les bans, ce qui exigera deux semaines d'attente.

– C'est impossible! Nos billets de passage sont payés sur le *Scotland* et le navire part dans deux jours. Nous nous marierons une fois rendus là-bas.

– Vous savez que les capitaines ont une permission spéciale pour célébrer des mariages sur leur navire dès qu'ils quittent les eaux territoriales? Et ces mariages sont reconnus par notre Sainte Mère l'Église. Ainsi, vous pourrez épouser votre fiancée lors de la traversée et faire bénir votre mariage par un prêtre à votre arrivée en terre étrangère.

– Vous en êtes certain? dit Daniel. Vous allez me trouver incrédule, mais j'ai peine à y croire.

– Mais oui! Sur votre instance, j'irai en discuter ce soir avec les Thompson.

Daniel sourit. Il s'imaginait déjà en mer avec sa bien-aimée.

— Vous feriez ça pour moi? Merci, monsieur le chanoine, dit Daniel. Je vous fais entièrement confiance.

— En retour, mon fils, j'aimerais beaucoup que vous me laissiez débattre cette question en privé avec les Thompson. Votre présence me gênerait.

— À votre gré, monsieur le chanoine, à votre gré. Et si possible, passez sous silence la grossesse de Mary.

— Ça dépendra de la réaction des Thompson. Il se peut fort bien que cette grossesse me serve d'argument. Maintenant que nous nous sommes bien compris, dites-moi à quel endroit vous rêvez de vous installer en Amérique et ce que vous désirez faire comme travail là-bas. J'imagine que ce ne sera pas militaire. Vous savez, mes ouailles me tiennent à cœur plus que vous ne le pensez.

— Le navire doit accoster à New York, dit Daniel, c'est là que doit finir son périple. Une fois arrivé, je n'ai encore rien de défini.

— New York est assez près du Canada. Je sais qu'au Québec, en Nouvelle Acadie, le gouvernement octroie des terres aux immigrants. Plus précisément, à Saint-Jacques-de-l'Achigan. Certains Irlandais sont déjà installés dans ce coin. Si vous êtes intéressé, je peux vous recommander à un confrère, le vicaire Félix Perreault; lui vous mettra en contact avec les responsables du projet qui connaissent mieux que moi la marche à suivre.

Pour la deuxième fois depuis le début de l'entretien, le visage de Daniel s'illumina.

– Ah oui ? Des terres ? murmura le garçon, l'esprit déjà là-bas. Et le trajet de New York à Saint-Jacques se fait à pied ?

Sa question fit sourire le curé.

– Mais non ! Vous devrez prendre le train.

– Une terre, répéta Daniel, ce serait un cadeau du ciel. Est-ce que je peux avoir l'adresse de ce vicaire ?

Le chanoine farfouilla dans un tiroir en fronçant les sourcils.

– Voyons ! Où ai-je mis mon calepin noir ? dit-il.

Pendant que l'ecclésiastique cherchait, Daniel, nerveux, tortillait son béret et priait saint Antoine de Padoue, le patron des objets perdus.

– Où je peux bien avoir mis ça ? marmonnait le chanoine contrarié.

Daniel, craignant que le prêtre renonce, tenta de cacher sa déception aux yeux du curé.

– Prenez tout votre temps, monsieur le curé, dit-il, il me faut cette adresse à tout prix. Il y va de mon avenir.

Le tiroir était sens dessus dessous et le prêtre ne trouvait toujours pas son calepin.

– Laissez-moi un peu de temps et je vais mettre la main dessus, je vous le jure. Nous nous reverrons bientôt, l'assura le prêtre.

– Je ne pourrai pas dormir de la nuit après ce que vous venez de me faire miroiter. Moi, j'ai tout mon temps. Vous savez, je peux aller attendre à côté, dans le vestibule, le temps que vous cherchiez.

– Allez ! dit le curé. Je passerai chez vous ce soir, après ma visite aux Thompson. Ça me donnera le temps d'écrire un mot que vous remettrez à l'abbé Félix Perreault. En attendant, faites une petite prière pour que tout aille bien.

– Je n'y manquerai pas.

Daniel serra la main du prêtre et le remercia chaleureusement.

– Attendez pour me remercier, dit le prêtre, la partie n'est pas encore gagnée.

Daniel se retira confiant. Sur le chemin du retour, il sifflait sous la pluie, comme un gamin. Quelle bonne idée il avait eue de se confier à un prêtre. Si le gouvernement concédait des lots, peut-être que lui et ses compatriotes pourraient s'installer les uns près des autres. Cette histoire de terre l'obsédait. C'était trop beau pour être vrai. Daniel pensait à ses compagnons et, surtout, à son cousin Nicolas Carter qui n'avait malheureusement pas l'argent nécessaire pour couvrir les frais de son voyage. Si Nicolas savait, il pourrait probablement emprunter la somme manquante. Demain, il irait lui parler.

Daniel s'imaginait être le propriétaire d'une belle ferme avec une maison, une grange, et Mary dans sa cuisine. «Mais monsieur le chanoine arrivera-t-il à faire plier les Thompson? Après tout, peut-être! Qui pourrait résister à un prêtre, se dit-il, quand celui-ci parle au nom de Dieu?»

Daniel s'en allait, les mains dans les poches, les cheveux mouillés et la tête haute, comme s'il se moquait de la pluie. Sous le portail d'une cour, deux amoureux s'étreignaient. Daniel pensa à Mary; bientôt, ce serait à son tour de serrer sa fiancée dans ses bras. Tout chantait en lui. Il se remit à siffler.

En passant devant l'auberge, il cessa net de siffler pour mieux réfléchir. Il aurait bien aimé entrer dans la salle à manger, au même titre que les clients, et parler avec Mary, mais depuis que les Thompson connaissaient son projet d'emmener leur fille en Amérique, il se sentait un intrus chez ces gens. Il passa tout droit.

***

Des clients étaient encore attablés à la salle à manger de l'auberge quand le chanoine entra, aussi à l'aise que chez lui.

Mary s'occupait à essuyer les verres. En apercevant la soutane et le ceinturon violet, elle se figea sur place. « Un prêtre dans un hôtel ? » se dit-elle, surprise. À moins que ce soit le chanoine dont Daniel lui avait parlé. Mary s'en approcha aussitôt.

— Passez au salon, monsieur le chanoine. Ici, avec les clients, vous ne seriez pas tranquille.

— Je suppose que vous êtes la fiancée de monsieur Cuthoen ?

— Oui, dit-elle, nerveuse, en précédant le chanoine au salon.

Elle prit son chapeau et invita le prêtre à s'asseoir.

Les Thompson, étonnés de cette visite pastorale inattendue, suivaient le prêtre, deux pas derrière.

Après les échanges de civilité, la femme s'assit en face du chanoine, les mains croisées sur son genou droit qui chevauchait le gauche et, la tête penchée, elle attendit que le prêtre en vienne à l'objet de sa visite.

— Je viens sur l'instance de monsieur Daniel Cuthoen, dit le prêtre.

En entendant le nom de Daniel, la femme sentit comme un coup violent qui redressa son corps.

— Vous dites de Daniel? dit Mary, inquiète.

Un mélange de crainte et d'espoir tiraillait la jeune fille. Le prêtre lui apportait-il une bonne ou une mauvaise nouvelle? Peut-être avait-on capturé et emprisonné son fiancé?

— Toi, ordonna Patricia Thompson à sa fille, laisse-nous. Va t'occuper des clients avec ta sœur.

Mary ne voulait rien entendre. En ce moment crucial, les clients étaient le dernier de ses soucis.

— Ça me regarde, maman, c'est de moi, de ma vie et de celle de Daniel qu'il est question, insista Mary, la bouche tremblante. Je veux savoir ce qui se passe au sujet de Daniel.

— Laissez-nous, mademoiselle Mary, intervint le prêtre, je vous ferai signe au besoin.

«Au besoin!» se répéta la jeune fille, insatisfaite. Toutefois, elle n'allait pas tenir tête à un prêtre; ce serait irrespectueux. Que pouvait bien lui avoir dit Daniel? Qu'est-ce qu'ils allaient manigancer tous les trois dans son dos? Le chanoine savait-il qu'elle était enceinte? Si oui, allait-il l'apprendre à ses parents? Et comment réagiraient ceux-ci?

La tête pleine de questions, Mary sortit lentement de la pièce, referma la porte en douceur, en prenant soin de laisser un entrebâillement. Elle resta là, en retrait, recroquevillée sur la plus basse marche de l'escalier. De son poste, l'oreille collée à la porte du salon, elle pouvait entendre tout ce qui se disait dans la pièce voisine.

La présence d'un membre du clergé n'empêcha pas madame Thompson de s'emporter. Avant de connaître la vraie raison qui amenait le curé chez elle, son inquiétude s'extériorisa en cris.

— Je suppose que monsieur Cuthoen a recours à vos services pour plaider sa cause? Je n'ai pas mis des enfants au monde, s'écria-t-elle, pour les laisser s'exiler avec le premier venu. Comme militaire, ce garçon n'a pas le droit de quitter le pays. Je vais le dénoncer aux autorités et tout sera réglé.

Assise dans l'escalier, Mary retenait son souffle et ses larmes. « Une mère, faire ça à sa fille, se dit-elle. Maman me déteste. »

Le prêtre lança à la mère un regard noir que la femme ne lui connaissait pas. Il brûlait de lui dire que le père de son petit-fils serait fait prisonnier par sa faute. Il remit cet argument à plus tard.

— Ce serait un crime odieux, madame, dit-il, de dénoncer ce jeune homme, par pure vengeance, ce serait vous ranger du côté des Anglais et renier votre religion. Osez et vous serez excommuniée.

— Excommuniée, parce que je veux garder ma fille au pays?

— C'est le moyen que vous employez que je réprouve, cette vengeance qui vous ronge le cœur.

En retrait, Mary respirait mieux.

James Thompson, qui avait tout écouté depuis le début sans intervenir, tenta d'apaiser sa femme.

— De grâce, Patricia, calme-toi. Tu as beau lui en vouloir d'aimer ta fille, Daniel Cuthoen n'est pas un mauvais garçon.

– Non? Dis donc, c'est quoi pour toi, un mauvais garçon? Il a ensorcelé Mary et, maintenant, il veut nous l'enlever. Notre fille n'était pas rebelle avant de le connaître; elle pliait à tout ce qu'on lui demandait.

– Je sais, je sais. Ce n'est pas facile de voir partir son enfant, mais ils partent tous un jour ou l'autre, dit le père, résigné. On ne peut pas mettre nos enfants en boîte.

La femme prit sa tête à deux mains.

– Je ne pensais pas qu'élever des enfants pouvait exiger un si gros sacrifice des parents. Mary va me rendre folle avec ses idées d'aventure.

Le chanoine ne pouvait placer un mot; la femme ne lui en laissait pas le temps. Il insista :

– Laissez-moi d'abord vous expliquer les faits, madame Thompson. Monsieur Daniel me semble un bon garçon et s'il s'exile, c'est pour élever sa famille dans la foi catholique qui, par les temps qui courent, est en danger dans le pays. Vous ne trouvez pas que son projet part d'un bon sentiment?

– Au diable son projet! Je refuse de laisser partir ma fille avec lui. Mes enfants sont mon bien.

– Réfléchissez un peu, madame. Les sentiments des jeunes sont importants, peut-être plus encore que les parents ne le pensent, et on ne doit surtout pas couper les ailes à nos enfants. Imaginez par exemple que vous empêchiez mademoiselle Mary de partir et qu'elle ne s'en remette jamais. Elle vous en voudrait pour le reste de ses jours, et avec raison. Ou encore, si vous la voyiez malheureuse avec un mari qu'elle n'affectionnerait pas autant que monsieur Daniel.

La femme ne parlait plus. Son regard se perdait du côté de la fenêtre.

— À son âge, votre fille a droit à ses décisions, insista le curé, seulement, il serait préférable qu'elle parte en bons termes avec ses parents, sinon son départ serait pour vous comme pour elle une croix encore plus lourde à porter. Profitez donc de l'occasion pour partager ces derniers moments ensemble dans la paix et l'amour.

Personne n'osait tenir tête à un chanoine. On obéissait au doigt et à l'œil au clergé qui détenait tous les pouvoirs. Le père penchait en faveur de sa fille, mais avant de se conformer aux conseils du prêtre, James Thompson s'assurerait que le mariage serait célébré en bonne et due forme.

— Qui nous assure que notre fille se mariera sur le navire ?

— Moi, monsieur Thompson. J'en prends l'entière responsabilité. Je parlerai au capitaine en personne avant l'embarquement, et votre fille Mary vous fera un suivi des événements dès son arrivée en terre étrangère.

Sur ce, le prêtre, satisfait de sa rencontre, se leva et serra la main des Thompson.

Mary, qui n'avait pas perdu un mot de l'entretien, s'éclipsa à sa chambre avant d'être surprise à écornifler.

Finalement, le chanoine ne revit pas Mary — il préférait laisser le soin aux parents de parler à leur fille — , mais il n'en pensait pas moins que celle-ci allait être au septième ciel.

***

Dans la pénombre de sa chambre, Mary marchait sur la pointe des pieds pour ne pas réveiller sa sœur, Caterina.

En douceur, elle sortit de l'armoire une valise en maroquin rouge et la déposa sur son côté de lit. Elle l'ouvrit et y déposa quelques vêtements. Aux premiers déclics de la serrure et aux mouvements du lit, Caterina sursauta.

– Je voulais pas te réveiller, s'excusa Mary.

– Je dormais pas encore. Qu'est-ce que tu fais avec cette valise, Mary, tu pars?

– Oui. Mais promets-moi de ne pas en parler. C'est un secret. Je pars pour l'Amérique avec Daniel.

– Ah oui? Avec ton guerrier? Pour combien de temps?

– Pour toujours. Ce qui me fait le plus mal, c'est que je ne te reverrai plus.

– Je veux partir avec toi, Mary. Emmène-moi, s'il te plaît.

– C'est impossible. Papa et maman mourraient d'ennui si tu les laissais seuls. Et puis, la traversée coûte cher, tu n'aurais pas l'argent nécessaire.

Caterina s'assit carré dans le lit.

– Je ne veux pas que tu partes, dit-elle en accrochant ses bras au cou de sa sœur.

– Je t'écrirai souvent et tu répondras à mes lettres, lui dit Mary, tout en tapotant le dos de sa sœurette. Comme ça, tu ne m'oublieras pas. Et tu me raconteras tout ce qui se passera ici, à Cobh.

La valise était remplie et Mary en ajoutait encore sur le tas: des draps, des taies d'oreiller, un chandail, une couverture légère, une jaquette, des chaussures de pluie, un savon, une brosse à cheveux, des ciseaux. Finalement, la valise était pleine à craquer et il restait encore mille petites choses: une plume, un encrier, un cahier, une loupe, un chapelet, quelques pennys, etc. Mary sortit de la penderie son vieux sac d'école en toile et le remplit de tout ce fourbi.

— Tiens, Caterina, je te donne mes chaussons roses.

— Je n'en veux pas, marmonna Caterina, les lèvres serrées.

— Et la ballerine que ma marraine m'a donnée. Plus jeune, tu voulais toujours t'amuser avec.

Caterina regardait ailleurs.

— Je n'en veux pas non plus. Je n'ai plus l'âge.

— Ce serait un souvenir. D'abord, veux-tu mon livre de messe à tranche dorée?

Caterina ne répondit pas, mais par son air absent, Mary comprit que sa sœur lui en voulait de son départ, chose qui la surprenait: depuis leur jeunesse, Caterina et elle étaient toujours comme chien et chat. Quel était donc cet attachement soudain? Mary partait au moment où Caterina était à l'âge des amours tendres, où toutes deux étaient sur le point de devenir des complices.

Mary s'assit tout près de Caterina, passa son bras autour de sa taille et lui dit à l'oreille:

— J'ai un secret à te dire, mais seulement si tu me promets de ne pas en parler avant mon départ.

Au regard fermé de Caterina, Mary voyait bien qu'elle boudait.

— D'abord, je ne te le dis pas.

Caterina leva les yeux.

— O.K. Ça va, dit-elle.

— Je vais avoir un bébé.

Caterina se redressa, comme si elle venait de recevoir un coup.

— Toi, Mary, un bébé? Et je ne le connaîtrai pas?

— Demain, tu pourras le dire à maman, mais pas avant mon départ.

Caterina se figea. En un rien de temps, tout se bousculait dans sa tête. Mary allait disparaître et elle, Caterina, resterait seule avec ses parents. Elle s'imaginait avec le bébé de sa sœur dans les bras, une scène qui ne se produirait jamais. Elle renonça à annoncer à sa mère qu'elle allait être grand-mère.

— Tu lui diras toi-même, Mary, moi, je me sentirais mal à l'aise d'aborder ce sujet avec maman qui est bourrée de scrupules.

La porte geignit doucement. C'était leur mère. Mary se demanda si elle avait entendu leur conversation. Sans dire un mot, sa mère appuya ses avant-bras sur la barre de métal qui surmontait le pied du lit et fixa Mary, comme si elle craignait d'oublier son visage. Mary voyait bien qu'elle ravalait sa peine. Soudain, la femme éclata en pleurs et un torrent de larmes tomba sur ses mains. En voyant sa mère sangloter, Caterina se mit à pleurer aussi, et Mary, émue, enchaîna à son tour.

***

Après être sorti de chez les Thompson, le chanoine fit un crochet par la maison des Cuthoen. Il pensait que Daniel serait satisfait de l'aboutissement de ses démarches, comme lui d'ailleurs qui ressentait un peu de joie à participer au bonheur du jeune couple.

Daniel l'attendait patiemment. Comme prévu, le bon chanoine lui apportait l'adresse du vicaire Félix Perreault de Saint-Jacques-de-l'Achigan et une lettre de recommandation à lui remettre. Daniel jubilait. «Une terre!» se dit-il, et Mary allait bientôt lui appartenir pour de bon. C'était son jour de chance. Cependant, une phrase du curé tournait dans sa tête et venait assombrir sa joie: «Je pense que la pauvre madame Thompson va mourir de douleur de voir sa fille s'exiler sur un autre continent.» Daniel pensait à sa propre mère qui, elle aussi, était très triste, mais le plus difficile pour lui était de quitter sa petite sœur Susana à qui il était très attaché et qu'il ne verrait pas grandir et s'épanouir. Elle lui manquerait terriblement. Reverrait-il les siens un jour? Il ne le croyait pas.

Il tourna et retourna la lettre, puis la déposa sur son lit. Il aurait bien aimé en lire le contenu. Il brûlait d'envie de voir ce que le chanoine avait écrit au sujet des terres à distribuer aux colons, mais c'était impossible: l'enveloppe était bien cachetée.

Ce soir-là, Daniel put se laisser aller à rêver à Mary qu'il associait à ses beaux projets. Il s'endormit avec son image en tête; il la revoyait, si douce et si jolie, avec ses cheveux noirs, attachés sur sa nuque, ses yeux bleus, transparents, sa peau laiteuse et son sourire charmeur.

***

Le lendemain, dimanche, Daniel frappa chez son cousin, Nicolas Carter.

– Daniel! s'écria Nicolas. Entre donc!

Nicolas serra la main de son cousin et l'invita à passer à la cuisine où sa femme, assise près de la fenêtre, brodait un bout de tissu. Kate se leva et offrit sa berçante que Daniel refusa.

— Je suis pressé, dit-il.

— Tu ne viens pas me tourner le fer dans la plaie, toujours? lui dit Nicolas.

— Oui et non, répondit Daniel. Avant que tu renonces définitivement à partir, je voulais que tu saches qu'au Canada le gouvernement donne des terres aux exilés pour encourager la colonisation. Des lots de trois arpents sur trente, moyennant quelques deniers et trois ou quatre minots de blé par année, ce qui ne représente presque rien sur la récolte. Il donne aussi une vache la première année et si le colon passe le premier hiver sans la tuer pour la viande, il lui en donne une deuxième l'année suivante. Tu n'y penses pas, en arrivant au pays, nous serons aussitôt propriétaires d'une terre.

Nicolas pinçait les lèvres.

— Tu sais très bien que je n'ai pas l'argent nécessaire pour payer la traversée de cinq passagers.

— Et si tu l'empruntais?

— Trop tard! Ton bateau part demain. Quand l'armée va compter ses déserteurs, le port sera étroitement surveillé.

— Et si une place se libère? C'est toujours possible; quelqu'un peut changer d'avis. Vous pourriez vous embarquer avec nous.

— Non. Je suis désolé.

Daniel se leva et serra la main de son cousin.

— Je voulais que tu saches. Je m'en serais voulu de ne pas t'en avoir parlé.

— Tu m'écriras et tu me raconteras comment ça se passe là-bas.

Daniel lui fit une accolade et s'en retourna déçu de sa rencontre.

CHAPITRE 5

La journée du lundi parut une éternité à Daniel. La dernière marche rapide n'en finissait plus. «Je serai bientôt libre de tous ces puants d'officiers», se dit Daniel qui ne vivait que pour son départ prévu pour le soir même.

Après le souper, il demanda à aller discuter avec l'aumônier du camp, ce qui n'était qu'un prétexte pour s'échapper. Il fila à la maison d'un bon pas en espérant que personne ne remarque son absence.

Une fois chez lui, il enleva son uniforme de l'armée pour la dernière fois et l'échangea contre un habit civil. Avec un sourire triomphant, à l'aide du grand tisonnier, il poussa l'habit militaire dans le feu du poêle.

— Tu gaspilles du bon butin, Daniel, lui dit sa mère. J'aurais pu me servir du tissu pour confectionner des vêtements aux enfants.

— Non ! On pourrait reconnaître l'étoffe et vous accuser de complicité avec moi. Il vaut mieux effacer toute trace de l'armée dans cette maison.

— Oui, peut-être, acquiesça sa mère, songeuse, mais comme la couleur est très recherchée, j'aurais pu tirer les fils rouges et les retisser pour en garnir les vêtements des filles.

– Trop tard, le feu a tout détruit.

Daniel avisa ses frères :

– Ne parlez pas de mon départ à vos amis. Et si quelqu'un me cherche, vous direz que vous ne m'avez pas vu, que vous ne savez pas où je suis. Faites ça pour moi.

Son père lui fit cadeau d'un luth à treize cordes, caché dans un étui en cuir tan, pour remplacer sa harpe, un instrument trop embarrassant et trop délicat pour l'apporter outre-mer.

– Tiens, dit-il, je sais que tu manies bien cet instrument. Tu laisseras la harpe à tes frères.

– Merci, papa, je vais en avoir soin comme de mes yeux et chaque fois que je jouerai, je penserai à vous.

Son père déposa dans sa main un petit boîtier que Daniel ouvrit pour y découvrir une montre de poche en forme d'oignon, attachée à une chaînette en or.

– Oh, qu'elle est belle ! Depuis le temps que je rêvais d'en posséder une...

– J'ai pensé que ce serait une nécessité pour toi. Sois un bon fils et que la vie soit agréable pour toi, là-bas.

La montre passa de main en main pour revenir à Daniel qui attacha la chaîne à une boutonnière de son veston et rentra le bijou dans la poche de son gilet.

Susana courut chercher un bout de crayon à mine et un calepin à moitié gribouillé qu'elle donna à Daniel. Celui-ci souleva la gamine de terre et embrassa le bout de son nez.

– Je vais m'en servir pour écrire à maman, dit-il, et je vais t'envoyer plein de becs dans mes lettres.

Il déposa Susana au sol, mais l'enfant restait pendue à son cou.

— Je veux aller avec toi en Amérique, dit-elle.

Daniel dénoua les petits bras récalcitrants.

— Avant, il faut que tu ailles à l'école et que tu apprennes à écrire pour me donner des nouvelles de la maison.

C'était au tour de Peter de tendre une toute petite boîte de carton à son grand frère.

— Ça, c'est d'Oliver et de moi.

Daniel regardait Peter et Oliver d'un œil soupçonneux ; les adolescents savaient si bien s'amuser à ses dépens, il ne comptait plus leurs tours. Il souleva prudemment le couvercle en carton épais et y découvrit une vieille boussole qui traînait dans la maison depuis des années et qui ne servait pas. Un large sourire éclaira son visage.

— C'est bien pensé, les gars ! dit-il. Je croyais que c'était un autre de vos vilains tours. Avec vous deux, je sais jamais à quoi m'en tenir, hein !

— C'est pour que tu retrouves le chemin de notre maison, précisa Oliver.

Daniel, ému, n'ajouta rien, certain qu'il ne reverrait jamais sa famille. Pourquoi fallait-il un départ pour lui faire prendre conscience de l'amour et de l'attachement des siens ?

Le dernier souper fut pénible ; les pensées prenaient le dessus sur les dialogues. Le père mâchouillait sa nourriture. La mère essuyait ses yeux du coin de son tablier. Les enfants respectaient leur chagrin, un peu comme au décès de leur grand-mère. Peter et Oliver ne trouvaient rien à dire ; le moment ne se prêtait pas aux taquineries dont ils étaient les champions. Daniel, leur frère aîné, était pour eux un pilier inébranlable et pourtant, ce soir, il ébranlait toute la famille par son départ.

Sur le point de partir, Daniel avisa les siens :

— Ne venez pas me reconduire au port, c'est un risque à ne pas courir. Mary et moi devrons passer inaperçus.

— Tu nous rends ton départ encore plus difficile, lui dit sa mère.

— C'est pour ma sécurité, précisa Daniel.

— Surtout, là-bas, n'oublie pas ton *garlic*.

— Ne craignez pas, maman.

***

À la tombée du soir, O'Sullivan frappa chez les Cuthoen. Les bagages de Daniel se trouvaient entassés près de la porte. Comme Daniel allait jucher délicatement son luth sur le dos d'O'Sullivan, celui-ci refusa de l'apporter, le disant trop encombrant. Daniel le dévisagea, les yeux humides. O'Sullivan vit une émotion intense passer dans le regard de Daniel. Il ne dit mot et il chargea l'instrument sur son dos. Les parents de Daniel lui serrèrent la main et lui souhaitèrent un bon voyage. O'Sullivan prit les valises et salua la maisonnée.

— Nous nous reverrons sur le bateau, dit O'Sullivan à Daniel en quittant la maison des Cuthoen.

Après avoir embrassé les siens, Daniel enfonça un vieux chapeau sur sa tête jusqu'aux yeux et prit le chemin qui menait au port où il s'attendait à trouver Mary. Il ne la vit nulle part. « Pourvu qu'elle n'ait pas eu d'empêchements », se dit-il. La crainte de ne pas la revoir lui serrait les tripes. Il se retira sur un vieux banc de pierre et attendit patiemment. Il revivait en pensée son dernier repas en famille. Il n'avait rien laissé voir aux siens, mais la séparation avait été déchirante. Toutefois, sa décision prise, il lui fallait aller de l'avant et vivre sa vie loin d'eux.

L'heure avançait et Daniel ressentait une insécurité grandissante. Il redoutait que l'armée l'attende au port.

Il descendit son chapeau sur son nez et courba les épaules, ce qui lui donnait l'aspect d'un vieillard de quatre-vingt-dix ans, et il remonta lentement vers la ville, gardant toujours le port en vue. Par mesure de précaution, il monterait sur le navire au tout dernier moment. Si on l'arrêtait, il donnerait comme prétexte qu'il allait reconduire sa fiancée au bateau. Mais où donc se terraient les autres voyageurs clandestins? Il ne les voyait nulle part. Peut-être se cachaient-ils comme lui?

Une lune blanche flottait au-dessus de la cathédrale. Daniel ne savait pas pourquoi la lune lui faisait chaque fois penser à Mary.

Soudain, il lui sembla entendre son nom au loin.

Daniel regarda de tous les côtés, craignant à tout moment d'être arrêté par l'armée. Tous les gens, même les civils, devenaient des suspects.

Mais non, c'était Mary en robe blanche. Elle courait vers lui, cheveux au vent, une valise à la main et un sac en bandoulière qui tapait sur sa hanche. Daniel s'élança à sa rencontre et Mary lui tomba dans les bras. Mais il eut tôt fait de mettre fin aux épanchements. Il ne devait pas s'attarder près du port; s'il se faisait pincer à embrasser une fille, il attirerait l'attention, et si on le reconnaissait, ce serait le cachot, comme l'avait prévenu son père.

– Va! dit-il. Marche en avant, comme une inconnue. Je ne dois pas me faire remarquer. Tant que le navire n'aura pas quitté le port, je ne serai pas tranquille.

— Mes parents sont déjà là. Ils tenaient à venir me saluer.

— Si les gendarmes me découvrent ici, tu leur diras que je suis venu te faire mes adieux et tu t'échapperas aussitôt du navire.

Le quai était noir d'immigrants, de touristes, de commis voyageurs et de vendeurs ambulants qui ne vendaient presque rien.

Les débardeurs finissaient de vider la cale de ses marchandises. Maintenant, une longue file de voyageurs marchait du port jusqu'à la passerelle qui menait au navire. Daniel et Mary y montèrent en courant comme des enfants, puis Mary s'arrêta, le temps de reprendre son souffle.

Sa mère, les yeux rougis, le cœur fendu en deux par la peine de la séparation, cria :

— N'oublie pas de nous envoyer ton adresse, Mary.

À un bout de la passerelle, la mère pleurait et, à l'autre bout, la fille riait.

Comme ils posaient le pied sur le navire, Daniel sentit la main de Mary devenir plus lourde à tirer. Elle ne riait plus. La journée précédente avait été longue et chargée, et celle-ci n'était guère mieux.

— T'es fatiguée, Mary ?

— Ce n'est pas ça.

Daniel s'arrêta et la fixa du regard.

— Je sens ma vie coupée en deux, dit-elle. Je laisse tout derrière moi, ma famille, mon coin de pays et tout.

— Comme moi, Mary, mais maintenant, ta famille, c'est nous deux et notre enfant. Pense au bonheur qui nous attend là-bas, en Amérique.

– Tu as raison, Daniel.

Mary se disait prête à aller au bout du monde avec Daniel, et aujourd'hui, elle y allait.

Un coup de sirène déchira l'air. Mary serra la main de Daniel. Les déserteurs étaient tous là. Les marins détachaient les cordages. Le *Scotland* ouvrait toutes grandes ses voiles et mettait le cap sur l'Amérique. L'eau clapotait sur les flancs du navire. Le *Scotland* trembla un peu, puis s'éloigna de la côte en emportant dans ses flancs un médecin, dix-sept membres d'équipage et deux cents passagers, dont plus de quarante Irlandais, la plupart des déserteurs. On était le lundi 15 août 1831.

Les Thompson, restés au quai, regardaient le navire rapetisser jusqu'à devenir un point noir qui emportait leur fille en exil.

Daniel se sentait maintenant en sécurité. Après la douleur de la séparation et la crainte d'être arrêté par l'armée, c'était la liberté, le paradis. Et vive l'aventure! Bientôt, Mary allait lui appartenir pour la vie. N'était-il pas le plus heureux des hommes? Il s'appuya au bastingage de manière à dissimuler Mary aux regards des passagers, puis il l'embrassa à pleine bouche. Il avait peine à croire que bientôt elle allait être à lui pour le reste de ses jours.

– Viens, dit-il, allons nous installer.

Ils s'engagèrent prudemment dans le petit escalier qui menait à la cale.

O'Connell leur avait menti quand il avait dit: «un navire luxueux». Le *Scotland* était d'une saleté repoussante. Les passagers devaient dormir dans la cale du navire avec toutes sortes d'odeurs nauséabondes. Les lits étagés étaient faits de planches mal équarries et recouverts de paille. Des seaux en métal servaient de toilettes. Dire que la traversée devait durer au moins six semaines en haute mer ! Le dessous du lit était le seul endroit disponible pour ranger les effets. Daniel y glissa son luth.

Les quarante Irlandais ne s'éloignaient pas les uns des autres. Ils sentaient une sécurité à rester agglutinés, comme s'ils formaient une grande famille. Ils occupaient les lits à l'avant de la cale. Daniel n'aimait pas cette manie de s'isoler, de former un clan ; il aurait préféré que les siens se mêlent aux étrangers, qu'ils échangent avec eux, mais comme le départ était récent, il se dit que c'était un peu tôt pour en parler.

Au coucher, Mary se contorsionna sous sa couverture, avec l'agilité d'un singe, pour échanger sa robe contre une jaquette, sans avoir à se donner en spectacle. Elle s'assit sur son lit et, dans la pénombre, elle mesura de l'œil l'espace entre les couchettes ; pas plus de quarante centimètres, qui servaient à la circulation des passagers.

La pensée de Mary, comme un poisson vif, traversa la mer et rejoignit sa mère, celle qui dissipait ses peurs et amortissait ses chutes. Dans le temps, elle était toujours là pour la rassurer. Déjà, elle lui manquait. À cette heure tardive, ses parents étaient au lit et eux aussi devaient penser à elle. Ils étaient déjà loin et ils le seraient de plus en plus. Ils ne connaîtraient jamais son enfant. Demain, ils apprendraient son existence. Mary se demandait s'ils lui en voudraient d'avoir trompé leur confiance. Elle sentit un froid traverser ses membres. Mais pourquoi avoir tellement besoin de ses parents maintenant qu'elle avait Daniel sur qui s'appuyer ?

Soudain, dans la cale, les voyageurs entendirent un boum terrible. Des cris suivirent, puis un autre boum accompagné d'un craquement effrayant. On eût dit que le *Scotland* était sur le point de se briser. Dans le ventre du navire, tous les passagers ressentaient les violentes secousses. Ils se regardaient, silencieux, la peur leur serrait les tripes. Une femme pleurait et serrait son fils contre elle. Son mari tentait de la rassurer, mais lui aussi tremblait. Les frères McGowan disaient que leur dernière heure était arrivée. Le plus petit des deux, blanc de peur, leva les bras en l'air, en signe d'impuissance, et les laissa retomber sans dire un mot.

Daniel n'en était pas à son premier voyage en mer — avec l'armée, il avait maintes fois navigué — et pour lui ces secousses étaient normales. Il tentait d'apaiser les voyageurs.

— Assez de ces lamentations et de ces idées noires! Nous devons nous fier aux navigateurs, dit-il, le *Scotland* en a vu d'autres, bien avant aujourd'hui.

— Je ne peux pas m'empêcher d'avoir peur, geignait Mary. Va demander au capitaine combien de temps durent les tempêtes.

— Il n'y a pas de tempête, le temps est clair. Ce sont les vagues qui frappent le navire. Tout est normal.

— C'est à se demander ce que ce sera quand il y aura des tempêtes, marmonna Mary.

— Ça va être comme ça tout le reste de la traversée, autant t'habituer. Au bout de quelques jours, tu ne les entendras plus.

— Je ne pourrai jamais m'habituer, dit Mary, le navire va se briser, l'eau va entrer et nous allons tous mourir noyés.

Daniel passa un bras protecteur autour des épaules de Mary, mais rien ne la rassurait.

— Si le bateau coule, nous mourrons tous les trois, chuchota Mary, les mains ouvertes sur son ventre.

Daniel sortit son chapelet et se mit à réciter le rosaire à haute voix pour distraire les voyageurs et couvrir le bruit des vagues qui frappaient le navire. Puis suivit un concert de râles, de ronflements, de soupirs.

Mary se recroquevilla sous sa couverture, comme lorsqu'elle était petite et qu'elle redoutait les orages. Elle aurait voulu se blottir dans les bras de Daniel, mais il y avait tous ces gens qui pourraient mal la juger. Et toujours, les vagues continuaient de frapper le navire avec un bruit d'enfer.

Daniel ne pouvait fermer l'œil ; le fait de savoir Mary à deux pas de lui allumait son désir. Il la chercha, le bras tendu, à tâtons dans le noir. Mary essuyait une larme de ses yeux quand elle sentit la main consolante de Daniel chercher la sienne et la tirer de sa détresse.

Finalement, les amoureux s'endormirent, les mains jointes entre leurs lits, et ce lien fragile se brisait pour se renouer chaque fois qu'un des leurs se rendait au vase de nuit.

***

La veille de son mariage, Mary, émotive, ne pouvait garder son calme. Un mal de ventre l'incommodait. Daniel demanda à voir le docteur.

— La cause de votre mal est la constipation, dit le médecin. Avec un léger purgatif, tout rentrera dans l'ordre.

Cependant, pour encore un mois, vous devrez être très prudente. Ces secousses répétées des vagues sur le navire sont mauvaises pour une femme qui en est à ses premiers mois de grossesse. Pour le reste du voyage, vous devrez rester allongée le plus souvent possible, si vous désirez rendre votre enfant à terme. Si tout va bien, repassez me voir dans un mois.

Daniel régla la note et le couple descendit dans la cale du navire.

La nuit même, le purgatif fit son œuvre et tout rentra dans l'ordre.

***

Pour son mariage, Mary porterait sa robe blanche qui avait perdu sa blancheur dans la saleté de la cale. C'était la seule dont elle disposait; elle l'avait choisie parce que Daniel la complimentait chaque fois qu'elle la portait. Mais malheureusement, elle était tachée à quelques endroits. Mary tenta de faire disparaître les taches en les frottant avec un peu d'eau, mais elle ne réussit qu'à agrandir les contours de grands cernes bistre. Pour ajouter à sa déception, sa robe étreignait sa poitrine. Et comment assouplir ses cheveux qui avaient besoin d'être lavés? Sur le navire, les exilés, considérés comme des gens de basse classe, ne jouissaient d'aucun autre service que la nourriture et le gîte. Le soir, Mary s'endormit en pensant à son apparence qui en prenait un coup.

* * *

Après trois jours de navigation, Daniel et Mary unissaient leur destinée devant le capitaine et les passagers du *Scotland*. Le capitaine fit servir un scotch pour remplacer le vin d'honneur. Tout le navire était en fête, jusqu'aux gens de classe supérieure, attirés par la curiosité d'un petit mariage. L'après-midi, les émigrants s'attardèrent sur le pont où ils chantèrent sans gêne, tantôt le sexe, tantôt l'amour tendre, chacun dans la langue de son pays. Margaret Malarky, une fillette de huit ans, s'avança à son tour. Elle était jolie et d'une prestance superbe, en plus d'être dotée d'une voix claire et pure. Daniel resta interdit sous l'effet de l'émotion. Il se tourna vers Mary.

— Quelle voix surprenante pour une petite fille! Je l'écouterais chanter toute la nuit.

— On dit que Margaret tient ça de sa mère qui, elle aussi, a une belle voix.

Daniel accompagnait ses compatriotes au luth. Aux airs entraînants, on frappait des mains et on tapait du pied en cadence pour étoffer le rythme. Aux ballades, les corps se berçaient d'un côté et de l'autre et les chansons resserraient pendant un moment toutes les classes de la société, allant du riche bourgeois à celui qui leur semblait un paria. Au fur et à mesure que la journée avançait, les chansons se changeaient en complaintes, dont plusieurs en langues étrangères. Quelques-uns pleuraient d'émotion.

Puis, les exilés redescendirent dans la cale.

Avant la nuit, les nouveaux mariés désertèrent leurs compatriotes. Ils revêtirent des gilets de laine à longues manches et remontèrent sur le pont.

Pendant leur absence, dans la cale, les hommes s'amusèrent à approcher deux lits simples l'un contre l'autre, de manière à former un grabat double autour duquel ils suspendirent des couvertures afin de préserver l'intimité des nouveaux mariés qui, bercés par la houle, auraient droit à une nuit de noces inoubliable.

***

Daniel avait apporté son luth sur le pont. La mer était houleuse, sans être méchante. La lune, ce soleil de nuit, formait un trait lumineux qui venait jusqu'à eux et qui frémissait sur l'eau. Daniel étreignit Mary qui frémit, elle aussi.

– Avant de partir, j'ai révélé notre secret à Caterina, dit Mary, et je lui ai demandé de parler de mon état à maman seulement après notre départ. Elle a refusé. Je sais que c'est gênant pour une fille de parler d'un sujet aussi délicat avec une mère qui nous prêche la pudeur depuis notre enfance. Alors j'ai écrit une lettre à maman où je lui ai appris qu'elle serait grand-mère. Je l'ai placée sous son oreiller. Je saurai dans sa prochaine lettre si elle m'en tient rigueur.

Daniel l'embrassa, sans rien ajouter.

– Maintenant, Mary, je vais chanter pour toi seule.

Mary appuya sa tête sur l'épaule de Daniel et ne bougea plus jusqu'à la fin de sa romance. Comme elle se sentait bien, tout contre son mari! Daniel déposa son luth et prit sa taille.

– Nous ne sommes rien, dit-il, même pas un grain de sable dans l'immensité de la mer.

— Est-ce que tu regrettes notre départ? demanda Mary.

— Tu sais bien que non! Et toi?

— Non, mais à Cobh, le jour de notre mariage, les cloches de notre village auraient sonné spécialement pour nous deux. Je me demande si nous avons fait le bon choix en quittant notre pays.

— Pour moi, ce n'est pas un choix, c'est une nécessité.

Daniel serra Mary contre lui pour la rassurer et il repoussa de la main les boucles folles qui tombaient sur ses yeux tristes.

— Qu'est-ce que c'est que ces idées noires le jour de notre mariage, Mary? Tu n'es pas heureuse?

— Mais oui! Tu le sais bien. C'est seulement un peu d'inquiétude devant l'inconnu.

— Tu es trop sensible. Le voyage, n'est-ce pas la liberté?

— La liberté ou bien la solitude. Nous entreprenons un voyage tellement long, un voyage sans retour, sans savoir ce qui nous attend là-bas. Mais le pire dans tout ça, c'est de quitter les miens.

— Il y aura le courrier pour nous rapprocher. Pour le moment, dis-toi que le ciel, la mer et la terre entière nous appartiennent et qu'une vie meilleure nous attend au Canada.

— Moi, je ressens une certaine insécurité à ne pas savoir où nous allons exactement et ce que nous ferons une fois rendus en Amérique.

— Fais-moi confiance. J'achèterai un cheval et une voiture pour nous rendre à Saint-Jacques. Et si j'ai la chance de posséder une terre là-bas, je bâtirai une bonne maison où nous serons heureux jusqu'à la fin de nos jours.

Mary sourit.

— Assurément, dit-elle, une bonne maison pour recevoir notre enfant et tous ceux qui suivront. Mais en attendant, où vivrons-nous ? Dans une auberge ?

— Je ne sais pas encore. Nous déciderons une fois rendus. En arrivant là-bas, j'écrirai à Nicolas Carter de venir nous rejoindre, et nous reformerons une famille avec eux et les autres qui sont un peu nos frères.

Mary décida de s'en remettre à Daniel ; il était si solide. Elle prit sa main et la posa sur son ventre.

— Dommage, dit-elle, notre enfant ne connaîtra pas ses grands-parents.

— Qui sait ? Peut-être qu'un jour il ira visiter le pays de ses ancêtres. Il n'est pas encore né et déjà il traverse les mers.

— Comment allons-nous le nommer ? Choisis un nom de garçon, je vais en choisir un de fille.

Daniel réfléchit pendant un bon moment.

— Peut-être John, dit-il. Ça t'irait, John Smith ?

— John ! répéta Mary, la voix chargée de tendresse. Et moi, comme nom de fille, je choisis Érika. Érika Smith.

Daniel entraîna sa femme vers l'escalier qui menait à la cale et murmura :

— Surtout, pas de bruit. Une fois en bas, je vais profiter du fait que tout le monde dort pour aller te retrouver dans ton lit.

— Nous sommes mariés et nous devons encore nous cacher pour nous aimer, murmura Mary en étirant un soupir.

— Nous avons le droit, maintenant que nous sommes mariés.

— Même mariés, ça ne se fait pas, Daniel, pas devant le monde.

— En bas, il fait noir comme chez le diable.

Daniel releva le menton délicat et déposa un baiser furtif sur la bouche ronde.

Daniel tenait la main de Mary dans l'escalier qui menait à la cale sombre. Tout le temps qu'ils descendaient, ils entendaient des rires et des petits cris joyeux venus du fond de la cale. Daniel chuchota :

— Tu les entends, Mary ? Ils nous prépareraient un tour pendable que je ne serais pas surpris.

Quand Mary posa le pied sur la première marche, les bruits s'éteignirent. Un silence de mort régnait dans la cale.

Les mariés, main dans la main, avancèrent à tâtons dans l'obscurité. Arrivé à son grabat, Daniel s'aperçut qu'on avait rapproché les lits pour n'en faire qu'un à deux places. Ces gens, condamnés à vivre entassés, entendaient les pensées de chacun et sentaient battre les cœurs. Ce soir, ils allaient au-devant des désirs des nouveaux mariés. Daniel sourit de contentement. Il tira la main de Mary et la renversa sur la paillasse.

***

Les jours suivants, dès que Daniel sortait son luth, Mary appuyait sa tête sur son épaule et fredonnait. L'élan était donné. Assis sur leurs lits, les Irlandais reprenaient les ballades gaéliques pour retrouver un peu de leur pays dans les chansons et meubler ainsi leur solitude.

Le paquebot voguait et, plus il voguait, plus la température se refroidissait. Les passagers passaient plus de temps dans la puanteur de la cale que sur le pont. Ils jouaient aux cartes, ou encore chantaient. Certains parlaient fort, d'autres se muraient dans leur silence, quelques-uns priaient ou pleuraient. Lentement, une solide amitié se tissait entre les exilés. Parmi eux, Daniel se comportait en maître et on lui obéissait en tout. Peut-être parce qu'il était un guerrier, très fort physiquement, et qu'il savait manier les hommes aussi bien que les fusils.

Mary remarqua un couple qui se tenait toujours non loin d'eux. Ils étaient les parents de la fillette de huit ans qui avait une belle voix et d'un petit garçon de quatre ans, un peu turbulent parce qu'il ne possédait rien pour s'amuser. Mary s'approcha et lui dit doucement, pour le calmer :

— Comment t'appelles-tu ?

— Braden, répondit l'enfant.

Mary demanda un bout de corde à la mère. Elle l'entrecroisa autour de ses mains et, après un jeu de mouvements rapides, elle dit à l'enfant :

— Assieds-toi là et regarde bien ce que je fais, Braden.

Le gamin, curieux, l'observait.

— Prends les deux cordes du bas, tiens-les bien et tire, on va faire la scie.

Braden prit les cordes. Mary et lui tiraient, chacun de leur côté, et le roulement faisait drôlement l'effet d'une scie. L'enfant était tout yeux.

— Maintenant, lui dit Mary, c'est à ton tour, Braden.

La mère de Braden était une Irlandaise venue de Cork. Elle se nommait Alyson et elle avait dix ans de plus que

Mary. Elle s'assoyait dans le coin le plus éclairé de la cale, sous la trappe qui donnait accès au pont du navire, et là, elle tricotait une dentelle pour se distraire. Mary la rejoignait de temps à autre. Elle aimait bien la compagnie de cette femme simple et intéressante. Avec elle, Mary pouvait causer pendant des heures, sans penser aux siens. Césair Malarky, son mari, jouait aux cartes avec Daniel. Au fil du temps, Alyson devint une amie précieuse pour Mary et celle-ci l'appréciait comme une sœur. La petite famille devait comme eux débarquer à New York.

CHAPITRE 6

La traversée fut un peu longue à cause des vents contraires et du brouillard.

Finalement, après près de deux mois de navigation en haute mer, le bateau se stabilisa et vogua doucement. Les immigrants se regardaient, surpris de ne plus entendre le bruit des vagues frapper la coque du navire. Soudain, un matelot appuyé au bastingage cria : « Terre ! »

À son cri, les voyageurs excités montèrent sur le pont, sans prendre le temps de se vêtir chaudement. Ils criaient leur joie d'être enfin en Amérique. Ils allaient bientôt débarquer sur une terre nouvelle.

Du pont, ils pouvaient distinguer dans le soir la découpure de la rive. Des paysages grandioses s'offraient à leur vue : des forêts de conifères, des sols cultivés, des coins habités, des clochers d'église. Un vol d'oies sauvages traversa le ciel vers le sud. Les oiseaux étaient présage de bonheur.

Les passagers excités se ruèrent sur le parapet. Ils allaient enfin pouvoir marcher sur la terre ferme.

Plus près, ils pouvaient admirer la beauté de la ville de New York tout illuminée. Les femmes, émerveillées, en avaient le souffle coupé. Le petit Braden ressentait une sorte de fascination à voir toutes ces lumières scintillantes, un spectacle magnifique. Il échappa un long cri d'admiration qui émut tous les voyageurs.

On était lundi, le 3 octobre 1831. Le *Scotland* déversait tous ses passagers dans le port de New York.

***

Le maître-coq ne quitta pas le navire. Le lendemain, il profiterait de l'escale pour approvisionner son bateau en eau douce et en denrées fraîches. Les gens de la place, les plus près du port, entretenaient des potagers et des vergers dans le but de vendre leurs fruits et légumes aux maîtres-coqs des navires.

***

Les quarante Irlandais, débarqués en terre étrangère, ressentaient un grand soulagement de pouvoir se dégourdir les jambes, d'étirer le cou, de humer l'air frais. Ils ne se quittaient pas d'une semelle.

Ces émigrés, le toupet de travers, la barbe et les cheveux longs, faisaient presque peur à voir. Ils étaient une attraction pour ne pas dire une répulsion pour les gens de la place. Les bras chargés de bagages, ils se dirigeaient à pied, dans le plus grand silence, vers la gare de Manhattan où les femmes finirent leur nuit allongées sur des bancs de bois, et les hommes, couchés au sol. Le matin, ils se réveillèrent au grincement des charrettes suivi du bruit infernal d'une locomotive qui entrait en gare. Rassemblés en masse, comme des fourmis, sur le quai de bois, ils attendaient impatiemment le départ du train en direction de Montréal, quand un homme les interpella :

– Hé, vous tous, là-bas, attendez ! Nous avons besoin de débardeurs au port, si certains d'entre vous souhaitent travailler, vous n'avez qu'à me suivre.

Le groupe au complet fit une pause. Ils n'étaient pas arrivés à destination que, déjà, on leur offrait un travail. La plupart n'étaient pas intéressés : une terre les attendait au bout de leur voyage. Les frères McGowan, ayant un besoin immédiat d'argent, discutèrent un moment entre eux. Puis, l'aîné s'adressa au groupe :

– Au départ de Cobh, nous avons juré à notre père de ne pas nous séparer. Nous allons donc rester ici tous les deux. Avec un peu d'argent, ce sera plus facile de nous installer sur une terre. Nous vous rejoindrons plus tard à Saint-Jacques.

Les McGowan serrèrent les mains de leurs compagnons de route.

Les visages s'allongèrent de dépit. Mary, touchée par la séparation du groupe qui vivait très serré, retenait ses émotions. « Va-t-on les semer en route, les uns après les autres ? » se dit-elle. Éloignés des leurs, tous s'accrochaient les uns aux autres et ressentaient la même déception.

Les frères se détachèrent du groupe et suivirent l'homme. Leurs compatriotes irlandais les regardaient repartir sans eux. C'était un deuil pour tous. Se reverraient-ils un jour ?

***

Le train New York-Montréal devait partir à minuit, ce qui donnait le temps aux immigrants de s'approvisionner en biscuits, en galettes et en brioches. Les Irlandais s'entassèrent dans le même wagon. Depuis le départ des McGowan, ils ressentaient encore plus le besoin de rester unis. Mais Daniel intervint :

— Il serait préférable de commencer tout de suite à nous mêler aux gens d'ici plutôt que de nous isoler. C'est avec eux que nous allons passer le reste de notre vie et nous mêler sera aussi un bon moyen d'apprendre la langue.

Sur ce conseil de Daniel, quelques Irlandais quittèrent le wagon et de nouveaux voyageurs comblèrent les places libres.

Le train mettrait une vingtaine d'heures pour se rendre à Montréal. Mary se ramassa en boule, les pieds sur la banquette, la tête appuyée sur les genoux de Daniel.

— Tu me réveilleras à Montréal, dit-elle, amusée.

Une demi-heure plus tard, tout le monde sommeillait sur sa banquette, la tête tombante sur l'épaule ou appuyée à la fenêtre. Quelques-uns ronflaient même.

Au petit matin, ils se redressèrent, fourbus, abrutis, comme après un travail éreintant. Le train filait toujours.

— Moi, coupa Byne, un beau grand jeune homme aux mains délicates, je suis prêt à accepter n'importe quel travail, pourvu que je ne me salisse pas trop les mains et que je ne sois pas trop éloigné de vous.

— Notaire ! répliqua Daniel enjoué. Mais non, tu pourrais renverser ton encrier et salir tes mains.

Tout le monde rit de sa réflexion.

— C'est ça, gang d'Irlandais, répliqua Byne, amusez-vous à mes dépens. Laissez-moi un peu de temps et vous verrez bien que je vais arriver à mes fins.

– «Gang d'Irlandais», répéta Daniel, l'air amusé. Écoutez-moi ça, les gars, Byne est en train de renier sa race. Il n'est pas arrivé au Canada qu'il ressent déjà un fervent patriotisme pour son pays d'adoption.

On suggéra à Byne plusieurs métiers : ferblantier, boulanger, plâtrier, chemineau.

– Moi, je rêve d'une ferme, ajouta Daniel.

– Et moi d'une femme, relança Kennedey.

– Je vais commencer par acheter un cheval et une voiture pour ménager les pas de Mary, vu son état, reprit Daniel.

Tous les yeux se tournèrent vers lui.

– Son état ? Ah oui ! Un bébé ? s'écria O'Neil. Il sera le premier Canadien irlandais de notre gang.

Tout le monde applaudit, comme si le petit être à naître allait être la mascotte des exilés. Mary, un peu gênée, rougit.

– Ce n'était pas nécessaire de leur annoncer la nouvelle si tôt, murmura-t-elle à l'oreille de son mari.

– Pourquoi pas ?

Sitôt dites, Mary regretta ses paroles. Daniel semblait si heureux d'annoncer sa paternité. Elle serra sa main.

– Parce que la maternité est une affaire de femme, et que ça me gêne d'être regardée.

Après des heures sans s'être alimentés, les exilés tombèrent de nouveau dans un sommeil un peu léthargique

***

Le train entra enfin en gare. Les voyageurs, confinés à leur banquette pendant vingt heures de roulement continu, descendirent fourbus d'avoir dormi en chien de fusil.

Sur le quai de bois, une foule de voyageurs débarquaient, la plupart des gens de haute classe : des femmes en chemisier blanc et jupe noire, d'autres en robe ample avec un chapeau à large bord, des hommes en habit et haut-de-forme, et des enfants en culottes bouffantes, grouillants comme des portées de chiots.

Le groupe d'Irlandais descendit en dernier. Tous s'en remettaient à Daniel comme décisionnaire, sans doute parce qu'on percevait chez cet homme des qualités de chef et qu'il parlait bien l'anglais.

— Nous allons nous diriger à pied vers L'Assomption, dit-il.

— Si on mangeait d'abord ? suggéra Alyson.

Daniel refusa.

— Le ciel est bas. Ce serait préférable de marcher avant la pluie. Et puis, nous serons plus à l'aise pour nous déplacer l'estomac vide.

Les immigrants, pliés en deux, ramassèrent leurs bagages, les juchèrent sur leur dos, comme des carcans, et reprirent leur route sans rouspéter. Soudain, Barbara O'Reilly se mit à pleurer à chaudes larmes, sans pouvoir s'arrêter et, comme si les pleurs étaient contagieux, Élisabeth Caroll se mit de la partie. Daniel demanda aux femmes ce qui se passait, mais celles-ci ne répondirent pas. On mit la faute sur le compte de l'ennui ou celui de l'épuisement. Daniel commanda au groupe de s'arrêter sur le bord du chemin. Les femmes retirèrent de leur sac les galettes achetées plus tôt et s'alimentèrent légèrement.

Tout au long du parcours, des habitants sortaient des maisons pour regarder défiler la colonne d'exilés. Ils envoyaient des bonjours de la main, et ces petites attentions faisaient chaud au cœur des Irlandais.

Après quelques milles sur les terres plates et les chemins cahoteux, les voyageurs se plaignirent de la faim, de la fatigue et de maux de pieds.

– Nous allons nous arrêter à la prochaine auberge, dit Daniel, et, après une bonne bouffe et une nuit de sommeil, demain, nous reprendrons le chemin frais et dispos.

La décision fut acclamée par des «ouf» de soulagement. Tous espéraient que la prochaine auberge ne soit pas trop éloignée.

***

Quand l'aubergiste, Anselme Larochelle, vit approcher le groupe d'étrangers, il appela sa femme, l'attira à l'écart et lui murmura:

– Voilà une belle occasion de nous remplir les poches. La manne nous tombe du ciel. Si ces gens demandent le gîte pour la nuit, essaie de trouver un lit pour chacun, même si nous devons pour ça installer des paillasses au sol. Pis, cré-moé que je me gênerai pas pour gonfler leurs factures. Je vais tout de suite majorer mes prix à la porte.

– Je vais avoir besoin d'aide pour les repas, lui dit sa femme. Va demander à ta sœur de venir me donner un coup de main. Dis-y qu'on la dédommagera avec nos restes de table.

***

Une dizaine de clients, déjà attablés dans la salle à manger, regardaient entrer les exilés.

Philip Beckett, posté sur le pas de la porte, pestait, les bras en l'air pour mieux attirer l'attention des siens.

– On m'a volé toutes mes économies dans le train, criait-il, la bouche tordue de douleur, je n'ai plus d'argent. Et moi qui comptais dessus pour m'acheter un bœuf et une voiture. Je suis un homme fini!

Un silence inquiétant se fit.

Certains voyous montaient dans les trains de nuit dans le seul but de détrousser les voyageurs.

Ce fut au tour de tous les immigrés d'inspecter soigneusement leurs bagages.

Adam O'Sullivan s'aperçut à son tour qu'on l'avait volé lui aussi.

– Ils ont tout pris; je n'ai même plus un penny pour manger.

Daniel se sentait un peu coupable d'avoir conseillé aux siens de se mêler aux gens du pays. Il fit tout son possible pour garder l'harmonie existante.

– Attendez un peu, vous deux. Calmez-vous et prenez une chaise. Maintenant que vous êtes presque rendus et que votre porte-monnaie est à sec, on va devoir se serrer les coudes. Aujourd'hui, vous êtes dans le besoin, demain, ce sera peut-être moi ou quelqu'un d'autre. On va discuter un peu de prix avec monsieur l'aubergiste.

Larochelle connaissait un peu l'anglais, mais il feignait de ne rien comprendre.

– Mes prix sont affichés à la porte, dit l'aubergiste, et ils ne changeront pas.

– Nous sommes trente-huit et nous sommes prêts à manger le même mets, ce qui serait moins dispendieux pour vous, donc aussi pour nous. Faites-moi un prix global pour tout le groupe.

– Je ne peux absolument pas faire mieux, dit Larochelle, mes prix sont déjà bas. Vu que vous êtes plusieurs, je dois payer de l'aide, et comme les serveuses sont occasionnelles, elles ne se gênent pas pour charger.

– Si c'est comme ça, nous allons reprendre notre route jusqu'à la prochaine auberge.

– La prochaine auberge est loin et le temps est à la pluie. Vous ne serez pas sitôt partis que vous allez le regretter.

Daniel l'ignora. Il fit un signe de la main pour inviter les siens à le suivre.

Chacun reprit ses bagages.

– Attendez, dit l'homme, qui ne voulait pas laisser passer la chance inespérée de faire des sous. Comme vous me faites pitié d'entreprendre une si longue route, pour vous, je vais couper mes prix du tiers, mais je ne ferai pas un sou avec vous et le souper sera modeste, du ragoût pour tout le monde et, comme dessert, du pain trempé dans le sirop d'érable.

Daniel demanda à ses compagnons de route s'ils étaient prêts à se partager la part de Beckett et d'O'Sullivan. Tous acceptèrent.

– Et pour le coucher ? demanda Daniel à l'aubergiste.

– Même arrangement pour le coucher, dit Larochelle.

Daniel invita les siens à se rasseoir.

– Comme O'Sullivan et moi n'avons plus d'argent, dit Beckett, avec la permission de monsieur l'aubergiste, nous serions prêts à coucher sur le balcon de l'auberge.

Larochelle offrit plutôt aux deux Irlandais de dormir dans l'écurie.

– Comme ça, vous serez à la chaleur, et s'il pleut, vous serez à l'abri. Après le souper, je vous préparerai un tas de foin comme lit et une couverture chaude.

Le souper fut très apprécié des voyageurs. Pour la première fois, les Irlandais savouraient le sirop d'érable.

L'aubergiste leur désigna les trois érables devant l'auberge.

– Le sirop vient de cet arbre. Tantôt, vous en verrez partout dans la région.

***

Le dessert avalé, Daniel sortit son luth et se mit à chanter des refrains de son pays. Aussitôt les exilés enchaînèrent. Des curieux de la place entraient, d'autres suivaient, jusqu'à ce que la salle à manger soit comble. Certains s'assoyaient même au sol. Ils commandaient des consommations. Larochelle, sa femme et sa sœur ne dérougissaient pas. Le tiroir-caisse se remplissait et l'aubergiste jubilait.

À dix heures, quand Daniel abandonna son instrument, les gens se retirèrent les uns après les autres.

***

La nuit venue, Adam O'Sullivan n'arrivait pas à dormir. Pourtant sa paillasse était confortable. La pensée de son argent volé le poursuivait. Dire que son père avait contribué à payer son voyage! S'il savait qu'il dormait dans une écurie, lui non plus ne fermerait pas l'œil de la nuit. Le garçon en était là dans ses pensées quand il entendit un léger bruit de porte et un craquement suivi de murmures.

Les chevaux, nerveux, hennissaient et frappaient le sol à coups de sabot.

Adam O'Sullivan se demanda qui étaient ces hommes qui entraient dans l'écurie en pleine nuit. Peut-être étaient-ce des clients de l'auberge qui prenaient la route très tôt? Comme O'Sullivan secouait le coude de Beckett, endormi à ses côtés, une grosse botte s'écrasa tout près de son visage. D'un mouvement rapide, O'Sullivan s'accrocha des deux bras à la jambe du malfaiteur et le fit basculer au sol. Il posa son genou sur le corps du bandit et le tint immobilisé. Puis il s'écria:

— Ils sont au moins deux, Philip. Où est l'autre?

Philip Beckett fouina dans tous les recoins. Le deuxième voleur avait quitté les lieux.

— Philip, s'écria O'Sullivan, viens m'aider à ligoter notre visiteur! C'est peut-être lui qui nous a volé notre butin dans le train. Ensuite, tu iras réveiller l'aubergiste pour qu'on lui présente notre ami.

Sitôt avisé, Larochelle accourut. Les vols de chevaux étaient fréquents dans les auberges. C'était l'endroit idéal pour les voleurs qui voulaient se procurer les meilleures bêtes, sans qu'il leur en coûte un sou. Larochelle attacha le brigand dans une stalle aussi solidement qu'un cheval, le temps de le remettre entre les mains des policiers.

— Ça en fera un de moins parmi nous, dit Larochelle.

— On dirait que j'attire les voleurs, fit remarquer O'Sullivan.

***

Le lendemain, les clients qui avaient failli se faire voler leurs chevaux offrirent le déjeuner à Beckett et à O'Sullivan en reconnaissance de leur bonne action. On jasait par gestes aux tables. Les Irlandais arrivaient, tant bien que mal, à se faire comprendre des gens de la place.

Les estomacs bien remplis, les exilés reprirent le chemin qui menait au village de Saint-Sulpice.

Un attelage venait derrière eux. Daniel se planta au beau milieu du chemin et fit au charretier de grands signes d'arrêter. Il demanda à l'homme de les conduire, Mary et lui, au prochain village. Puis, il se tourna vers le groupe.

– Gardez toujours le même chemin. Nous nous reverrons à Saint-Sulpice, devant l'église.

Ce fut dès lors comme si les exilés perdaient leur maître. Certains étaient mécontents ; on entendait des murmures.

– Et si nous perdons notre chemin ? demanda Alyson.

– Vous avez une langue, vous vous en servirez.

Les immigrants repartirent au pas, la tête basse, comme des coupables.

Sur le chemin, on pouvait voir une longue file d'étrangers en manteaux longs et chaussés de bottes de caoutchouc se déplacer d'une paroisse à l'autre.

À midi, les immigrés rejoignirent Daniel et Mary devant l'église de Saint-Sulpice, une église en construction.

Le paysage était de toute beauté. Le soleil filtrait entre le feuillage aux couleurs de l'automne.

Daniel s'arrêta chez un marchand pour demander où il pourrait se procurer une charrette et un cheval. L'homme s'offrit de les conduire chez un maquignon.

L'intérêt de Daniel se porta sur Chipette, une pouliche fringante, au poil noir et lustré. Daniel en fit le tour par deux fois pour bien l'examiner. Il passa sa main sur le chanfrein de la bête nerveuse qui dressa la tête. Daniel lui donna une tape sur la croupe.

– Elle fera l'affaire, dit-il.

Le maquignon lui recommanda ensuite un voiturier, un certain monsieur Pauzé, qui demeurait une rue plus bas.

Daniel suivit l'homme dans une dépendance où étaient rangées d'élégantes voitures, certaines hautes sur roues, d'autres sur patins, rouges, noires, vertes et or, toutes plus luxueuses les unes que les autres. Le regard de Mary s'arrêta sur une calèche dorée à capote mobile, agrémentée de deux portes basses : une voiture à rendre malade rien qu'à y penser. Elle monta s'y asseoir. Elle se plaisait à imaginer qu'elle était sienne.

– Un vrai landau royal à l'épreuve des intempéries. Cette voiture est la plus belle. Elle serait digne de madame Daniel Smith, dit Mary enjouée.

Malheureusement, ce n'était pas la splendeur que recherchait Daniel, mais l'utilité.

– Cette voiture ne serait pas pratique pour le travail de la ferme.

Le voiturier lui offrit une charrette à foin à plateforme, à quatre roues peintes en rouge, à un prix salé. Daniel voyait déjà Chipette attelée à cette charrette flambant neuve. Mais à la suite d'un marchandage serré, les hommes ne s'entendirent pas sur le prix. Il n'existait pas plus entêté que Daniel pour marchander. Sa dépense ne s'arrêtait pas là, il lui fallait obligatoirement harnacher sa bête. Il acheta un collier, une sellette, des traits et des guides.

Daniel s'informa chez l'un et chez l'autre des marchands s'il ne trouverait pas une charrette usagée qui serait moins dispendieuse qu'une neuve.

Il s'arrêta chez Goulet, un marchand de bric-à-brac qui possédait quelques voitures et de la ferraille éparpillée dans tous ses bâtiments.

Goulet lui offrit un tombereau à benne basculante, à un prix intéressant, mais Daniel refusa à cause de l'espace restreint. Même si ce tombereau pourrait lui être très utile par la suite sur sa ferme, ce n'était pas la voiture idéale pour transporter les voyageurs.

Goulet baissa son prix.

— Non, s'entêta Daniel, une charrette à foin ferait mieux l'affaire.

Césair Malarky s'avança.

— Moi, le tombereau m'intéresse, mais pas le prix que vous demandez.

— Ben, suivez-moé, dit l'homme, avec un signe de la main.

Le brocanteur conduisit les deux hommes dans une dépendance qui servait autrefois de séchoir à tabac. Le bâtiment abritait une vieille voiture à quatre roues de bois, surmontée d'une plateforme.

— Celle-là, dit le brocanteur, je la gardais pour la retaper. Les jantes de métal demandent à être changées et la peinture est à refaire, mais si vous la preniez telle que vue, je serais prêt à la laisser aller à bon prix.

Après un bon marchandage, Daniel l'acheta.

— Si vous preniez les deux voitures, je vous ferais un prix plus intéressant, dit l'homme.

Césair Malarky ne cessait d'examiner le tombereau. La tentation était forte.

Daniel s'approcha de Césair et les deux hommes discutèrent à voix basse un moment entre eux.

— Je vous l'offre à perte, mentit Goulet.

— L'offre est intéressante, mais je n'ai pas de cheval, dit Césair.

Daniel lui offrit de traîner le tombereau derrière sa voiture jusqu'à ce qu'il mette la main sur une bonne bête.

Césair acheta à son tour.

Daniel invita les femmes à monter dans la charrette. Il souleva le petit Braden au bout de ses bras et l'enfant vint se placer familièrement entre Mary et sa mère. Puis ce fut au tour de Margaret. La fillette se redressa de toute sa taille. Elle présenta son dos à Daniel qui la souleva doucement par les coudes et d'un élan la poussa sur la plateforme. Margaret, amusée, lui sourit de toutes ses dents. D'un bond, deux femmes, Barbara et Élizabeth, se juchèrent à l'arrière, les pieds pendant dans le vide. Puis quelques hommes s'ajoutèrent. D'autres, plus vaillants, suivirent à pied.

Daniel commanda Chipette et l'attelage se mit en branle, cahin-caha, sur le chemin de gravelle.

La température baissait. Les arbres conservaient leurs tons de rouge, de jaune et d'ocre, avec ici et là de belles taches d'un vert franc. Les Irlandais s'émerveillaient devant les paysages colorés de l'été indien.

L'attelage, suivi d'une colonne d'exilés, traversa le village de L'Assomption et un long chemin de campagne pour finalement aboutir à l'entrée du village de Saint-Jacques-de-l'Achigan où, croyaient-ils, se terminait leur périple. Les immigrés, épuisés par les longues routes, trouvaient encore la force de se réjouir. C'était l'euphorie. Certains hochaient la tête en signe de contentement, d'autres se frottaient les mains ou encore criaient de joie.

Les maisons se rapprochaient les unes des autres jusqu'à se côtoyer. Personne dans les rues ni dans les jardins, et pourtant, le village n'était pas mort, il reposait.

Dans la place, la nouvelle de l'arrivée des Irlandais avait fait le tour de la paroisse. Tout le monde était curieux de voir ces exilés, des êtres de poussière et de boue, déguenillés, venus d'outre-mer. Certains, même, allaient jusqu'à dire que le prêtre allait célébrer un mariage.

***

Mary sentit un engourdissement dans ses jambes. Elle descendit de la charrette et céda sa place à O'Neil qui souffrait d'ampoules aux pieds.

Le soleil baissait et les maisons jetaient de grandes ombres dans les rues. Derrière chaque fenêtre, un rideau se levait et, à travers la vitre, des têtes curieuses apparaissaient.

Les émigrés traversèrent le village et s'arrêtèrent au presbytère où ils étaient attendus depuis deux semaines. À la messe du dimanche, le curé avait annoncé du haut de la chaire l'arrivée prochaine d'un groupe d'Irlandais et avait fait appel à la charité chrétienne de ses paroissiens. Il avait dit : « Les pauvres sont les portiers du ciel. »

L'abbé Perreault conduisit les arrivants à la salle paroissiale. Ils étaient sales et sentaient tellement mauvais que le prêtre en avait la nausée. Il leur fit signe de s'asseoir. Puis il envoya son sacristain chercher un interprète, Nelson Richard. Il invita ensuite les immigrés à se confesser et à assister à une messe qui serait célébrée à leur intention le lendemain matin et où tous pourraient communier.

Daniel demanda à faire bénir son mariage.

Les paroissiens s'en donnaient à qui mieux mieux pour bien recevoir les étrangers. Tout avait été organisé à l'avance. Sur leur demande, Nelson Richard offrit à chacun des immigrés une famille qui le prendrait en charge pour laver son linge, lui offrir un bain et raser sa barbe. Le barbier Desrochers avait offert des coupes de cheveux gratuites à ceux qui le désiraient.

Pauline Leblanc, la femme d'Amédée, le forgeron de la place, offrit le gîte à Daniel et à Mary. Amédée sortit la cuve de bois et Pauline fit aérer la chambre d'invités. Sur le lit, elle jeta un joli voile de mariée un peu jauni, celui-là même qu'elle avait porté vingt ans plus tôt, le jour de son mariage.

À l'arrivée du jeune couple, madame Pauline s'offrit à laver leurs vêtements. Elle prêta à Mary une robe de nuit décente et rapporta la robe blanche et les sous-vêtements de la jeune femme à la cuisine. La robe blanche était d'une saleté repoussante! Madame Pauline reconnut des taches de doigts, de gras, de boue! Heureusement, les femmes du temps savaient y faire; selon elles, le premier devoir de la maîtresse de maison était la propreté. Madame Pauline versa un peu d'eau chaude dans la cuvette et y ajouta de l'ammoniaque, dont la propriété était de nettoyer.

Ce produit dégageait une odeur d'urine. Penchée au-dessus de cette puanteur, la femme frottait les taches rebelles. Elle devait en venir à bout; demain, toute la paroisse la tiendrait responsable de la propreté des nouveaux mariés et les échos favorables ou défavorables franchiraient les murs des maisons.

— Laissez, je vais le faire, dit Mary.

— Non, vous risqueriez d'étouffer; l'ammoniaque dégage un gaz qui pourrait vous être nocif.

Après s'être échinée à frotter, madame Pauline leva la robe à bout de bras pour mieux l'examiner sous la lampe à gaz. Quel contentement de voir qu'elle était venue à bout de toutes les salissures! Elle l'étendit sur une corde qui traversait la cuisine et chevauchait le poêle à bois. Elle s'attaqua ensuite au lavage des vêtements foncés. Il fallait absolument les sécher pendant la nuit et les repasser tôt le matin pour le mariage. Tard dans la soirée, madame Pauline confectionna un petit sachet en tissu blanc qu'elle remplit de lavande et qu'elle attacherait au ceinturon de la robe.

***

C'était la première fois en deux mois que Daniel et Mary dormaient confortablement dans un lit de plumes, doux comme de la ouate.

— Que les gens d'ici sont accueillants! s'exclama Mary. Il est minuit et madame Pauline s'affaire encore dans la cuisine. Nous lui devrons beaucoup de reconnaissance.

Le lendemain, à l'aurore, madame Pauline se leva sur la pointe des pieds. Elle repassa minutieusement les vêtements de ses invités et monta les déposer sur la rambarde de l'escalier. Au bruit de pas, Daniel se leva, regarda dormir Mary un moment et enfila son pantalon et sa chemise frais repassés. Il descendit à la cuisine, fit un salut bien bas à madame Pauline, puis fila à la forge offrir ses services à Amédée, mais ce dernier lui tourna les épaules et le poussa vers la maison. Daniel devait garder ses vêtements propres pour son mariage.

– Allez plutôt ramasser tout ce que vous trouverez de fleurs, peut-être des marguerites ou encore des roses, pour le bouquet de noces.

Soudée à son lit, Mary bâillait et s'étirait comme une chatte. « Si je m'écoutais, se dit-elle, je passerais la journée enveloppée dans les draps de flanelle, frais lavés. » Mais déjà des bruits discrets montaient jusqu'à sa chambre. En bas, madame Leblanc devait se démener pour que tout soit à point. Mary se leva lentement et, pieds nus, elle marcha jusqu'à la fenêtre. Elle ouvrit les contrevents sur un petit matin sans nuages. Aujourd'hui, le prêtre allait bénir son union devant toute la paroisse et elle ne devait pas se faire attendre.

CHAPITRE 7

Les deux clochers de l'église de Saint-Jacques s'en donnaient à cœur joie sous la voûte des cieux.

Dans la cour de l'église, les attelages des campagnes lointaines arrivaient les premiers et filaient à l'écurie. Les premiers fidèles commençaient à entrer.

De sa chambre, Mary entendait les cloches sonner spécialement pour elle et Daniel. Elles devaient sonner le bonheur. Son cœur battait à grands coups. Elle revêtit sa robe blanche qui sentait le frais repassé et elle sourit de contentement. Elle descendit avec son petit bouquet de marguerites dans la main et se posta devant la porte de la cuisine. Madame Pauline ajusta son voile et replaça ses cheveux. Comme elle était fière d'elle!

Lentement, l'église se remplissait. Soudain, le bruit des bottes se fit plus espacé.

À la grande surprise des paroissiens, les immigrés irlandais s'étaient transformés en de beaux grands jeunes hommes que les filles de la paroisse regardaient du coin de l'œil avec intérêt. Une fois reposés, propres et frais rasés, les garçons avaient rajeuni de dix ans en une nuit.

Mary avançait au bras d'Amédée Leblanc sur le tapis rouge que l'automne avait déroulé à ses pieds. Toute tremblante d'émotion, elle monta lentement les grandes marches qui menaient au parvis et entra dans l'église

Debout au milieu de la nef principale, Daniel regardait Mary s'avancer vers lui. Elle lui paraissait encore plus belle qu'il ne l'avait encore vue, belle d'une beauté féminine et angélique et, même si sa robe en mousseline avait perdu sa forme, elle était propre et dégageait une bonne odeur. Sous son voile de mariée, ses cheveux longs, brillants de propreté, retombaient en boucles folles sur ses épaules. Pas un mot, pas un bruit dans la grande église. Seulement une odeur de cierges que l'enfant de chœur avait allumés.

Daniel et Mary s'unirent devant Dieu.

Pour l'occasion, chaque fidèle portait au corsage un petit trèfle en papier vert, l'emblème de l'Irlande. Cette attention fit chaud au cœur des Irlandais.

Le prêtre célébra la messe avec un recueillement si intense qu'il semblait hors du monde.

***

Sur le parvis de l'église, les paroissiens serraient les mains. Des femmes offraient des cadeaux à la nouvelle mariée : des linges à vaisselle tissés au métier, des lainages tricotés de leurs mains, des casseroles, des ustensiles, etc. Mary remerciait par des sourires et quelques larmes de reconnaissance. Les colons de la place offrirent des cognées, des godendards et des coins en métal. Les plus à l'aise monétairement donnaient des enveloppes contenant un montant d'argent. Quand les cœurs généreux des campagnes se mêlaient d'aider, ils dépassaient les cœurs vides des gens des grandes villes.

Daniel serrait les mains des bienfaiteurs en guise de remerciements.

Alyson tira Margaret vers elle et lui dit :

— Va porter le bouquet de la mariée à l'église. Dépose-le sur l'autel et reviens vite.

***

Pendant que les fleurs fanaient sur l'autel, le curé et les deux vicaires recevaient les mariés au presbytère pour leur repas de noces.

Nelson Richard servait toujours d'interprète. Daniel profita de cet intermédiaire pour remercier le curé de son hospitalité. Il raconta ensuite son entretien avec le chanoine O'Corner qui lui avait parlé de distribution des terres. Il lui remit la lettre.

L'abbé Perreault lut et leva les yeux sur Daniel qui scrutait son regard.

— C'est Donat Lachapelle qui est mandaté pour distribuer les terres, dit le prêtre.

Les autres immigrés étaient groupés à la salle paroissiale où on avait apporté des sandwichs et des gâteaux pour tout le groupe.

Après les agapes au presbytère, les mariés rejoignirent leurs amis à la salle paroissiale. Ils furent reçus avec des applaudissements. Et la fête commença.

***

Le soir venu, les exilés retournèrent dans leur famille d'accueil.

Le lendemain, Donat Lachapelle invita tous les immigrants à se réunir de nouveau à la salle paroissiale.

L'heure venue, il n'en manquait pas un. Lachapelle fit signe aux hommes de s'approcher et, devant eux, il déroula un grand dépliant qui ressemblait à une mappemonde. Il l'approcha de la fenêtre et dit d'une voix rauque :

– Les clauses des contrats stipulent que les colons paieront une redevance annuelle en retour de leur lot, soit : dix deniers tournois et un demi-minot de froment sec pour chaque vingt arpents en superficie, et ce, à moins qu'il y ait mention contraire dans les contrats.

Les Irlandais échangeaient des regards amusés ; ces redevances n'étaient rien en regard de la valeur d'une terre.

Donat Lachapelle fit une pause pour laisser le temps à Nelson Richard de traduire. Puis, quand tout le monde sembla bien renseigné, il reprit la parole.

– Les lots comprennent presque tous trois arpents de front sur trente de profondeur, tenant compte des lacs et des montagnes. J'ai ici un plan d'urbanisation de la région, dit-il. Malheureusement, les terres disponibles sont au pied des montagnes, donc très loin du village. Par contre, vous y trouverez un avantage : la paroisse, traversée par la rivière L'Assomption, compte trente-huit lacs ; certaines terres sont situées près de ces eaux poissonneuses et jouissent de magnifiques paysages qu'on peut admirer de tous les côtés.

Les terres étaient attribuées à la pige, lot après lot, mais on favorisait les parents d'abord.

Donat Lachapelle frappa dans ses mains pour demander l'attention.

– Dès que vous aurez votre lot, vous aurez droit à une vache. Toutefois, vous devrez en faire la demande au gouvernement. Je pourrai vous guider au besoin.

Tout se déroulait selon un plan établi qui ne faisait pas l'unanimité. Le ton montait. Tous les immigrés voulaient des terres qui donnaient sur un lac qui les alimenterait en eau et ce n'était pas possible de satisfaire tout le monde. Alyson et Césair Malarky souhaitaient habiter sur la terre voisine de celle de Daniel Smith, mais ce privilège leur fut refusé parce que les Malarky n'avaient aucun lien de parenté avec les Smith.

Lachapelle, habitué aux discussions serrées et aux prises de bec, ne pouvait plaire à tout le monde. Il prit un ton tranchant.

– Les noms seront tirés au sort et, à tour de rôle, les gagnants choisiront un lot parmi ceux marqués en vert.

Tout se passa dans l'ordre. Daniel Smith nota son numéro de lot sur le calepin que lui avait donné sa petite sœur, Susana. Il sortit de la salle, enchanté : il était bel et bien propriétaire d'une terre, même s'il n'avait pas vu l'endroit où elle se situait. Il serra la main de Donat Lachapelle et le remercia chaleureusement.

Tôt le lendemain matin, les Smith quittaient leurs hôtes, les Leblanc.

– Nous nous reverrons aux offices religieux, leur expliqua Daniel par gestes.

– Vous viendrez nous montrer votre bébé, madame Mary, ajouta Pauline Leblanc.

Pauline voyait Mary frissonner dans son petit gilet qui ne boutonnait pas à cause de son ventre de quatre mois. Elle murmura quelques mots à l'oreille de son mari.

Daniel n'était pas monté dans sa charrette qu'Amédée Leblanc le rappelait.

— Ma femme et moi avons pensé vous faire cadeau d'une robe de carriole.

C'était une peau de bison à poil long et serré presque aussi grande qu'une couverture de lit.

— Avec les froids d'hiver, elle pourra vous être utile. Surtout à Noël. Nous vous attendrons après la messe de minuit, pour le réveillon.

La femme avait beau gesticuler en parlant, Mary n'y comprit rien. Elle resta souriante en dépit de la tristesse de la séparation.

Plusieurs familles s'approchaient avec d'abondantes provisions de bouche : des sacs de farine, du lard, de la mélasse, des cruchons d'eau et des instruments : haches, pioches, marteaux.

Un nommé Lafond offrit de fournir les œufs et le lait aux Smith, jusqu'à ce que ses vaches tarissent.

Déjà, des liens se tissaient serré.

Après les embrassades et les remerciements, Daniel prit soin d'identifier chaque don avant de le charger dans la voiture.

— Maintenant, dit-il, tout le monde à pied : la voiture est remplie de cadeaux.

Les Smith quittèrent les Leblanc sur une note joyeuse. On s'embrassait, on remerciait.

Les Leblanc, postés sur le seuil de leur porte, n'en finissaient plus de saluer.

— Ces gens ont l'air de nous aimer, dit Mary, un peu émue du départ. J'ai passé de beaux moments à jaser avec madame quand tu passais du temps à la forge.

— Monsieur Leblanc sait façonner toutes sortes d'outils. Il m'a invité à venir travailler avec lui au besoin. Quand nous serons installés, nous les inviterons dans notre nouvelle maison, dit Daniel.

— Ce sera quand?

— Ça prendra au moins un an à construire, dit Daniel. Il faut d'abord bûcher le bois et le laisser sécher.

— Un an, c'est long, ajouta Mary, amère.

Daniel tapota son genou en guise de consolation.

— Et tout ce temps, où habiterons-nous? demanda Mary.

— On verra, ne t'inquiète pas. Jusqu'ici, la Providence a eu bien soin de nous.

***

Juste avant leur départ, les immigrants se rassemblèrent en bloc et applaudirent leurs donateurs pendant un bon moment.

Le cortège s'ébranla de nouveau pour une longue route sur les chemins empierrés.

Le voyage avançait, mais on n'en voyait jamais la fin. Mary se plaignait de la fatigue et de la faim. On entendait à tour de rôle Murphy, Byne et Malarky, qui portait son enfant sur son dos, lâcher des «han!» pénibles. Daniel offrait de l'eau pour faire patienter les marcheurs et ils continuaient leur chemin. Il fallait se dépêcher avant que ne commence la saison des pluies. Le groupe, mécontent, suivait en marmonnant.

— J'ai froid, dit Mary.

Daniel arrêta son attelage. Il étendit la peau de bison sur les sacs de farine, y fit asseoir sa femme et ramena la fourrure sur elle.

On était à la brunante et la faim se faisait de plus en plus insistante. Les immigrants durent se séparer en petits groupes de trois ou quatre personnes pour aller frapper aux portes des paysans, quêter la nourriture et le gîte.

***

Philip Beckett et Adam O'Sullivan, deux grands garçons qui ne mesuraient pas moins de six pieds, s'approchèrent d'une humble chaumière, la maison des Bastien. Sur le perron, deux redoutables chiens grognaient sans bouger, mais les garçons ne les craignaient pas.

Beckett frappa deux coups.

À l'intérieur, une voix dit : « Ça cogne à la porte. Je me demande qui ça peut bien être à cette heure-ci. »

Une grosse femme, au visage écarlate à force de tournicoter autour du poêle, leur ouvrit. Un linge à vaisselle reposait sur son épaule.

C'était deux étrangers. Le plus grand, Adam, s'exprima par gestes pour demander un quignon de pain et un peu d'eau.

La maison était pleine d'enfants sages qui devaient avoir entre cinq et vingt ans. Les plus jeunes, assis dans l'escalier, examinaient les étrangers de la tête aux pieds. Dans un coin de la cuisine, une grande fille d'une beauté émouvante, cachée en pleine campagne, reprisait une talonnette. C'était une blonde aux yeux verts, aux lèvres charnues. Près du poêle qui chauffait à plein régime, un homme se berçait en fumant la pipe. Il leva les yeux sur les arrivants et, d'un coup de tête de côté, il leur désigna une chaise.

L'aînée observait les arrivants. Adam, le plus grand des deux, retenait particulièrement son attention. Le garçon, bien planté sur ses longues jambes, avait un sourire charmeur qui faisait oublier ses yeux globuleux et son nez plat.

Adam s'assit sur une chaise de paille, les pieds sur un tapis crocheté, tandis que Philip prit une berçante.

La dame, une femme dans la quarantaine, se mit en frais d'éplucher des patates, sans doute pour prendre un peu d'avance pour le lendemain, pensèrent les voyageurs. Mais non, elle déposa la casserole sur le feu vif.

— Laura, ordonna la femme à l'aînée des filles, démêle un gâteau au chocolat.

La femme disparut dans l'escalier qui menait sous les combles.

La fille se leva et déposa son reprisage sur sa chaise.

Adam n'avait d'intérêt que pour cette fille qui déposait sur la table la farine, le sucre et les œufs. Elle portait une mignonne petite robe paysanne jaune qui moulait ses formes et lui tombait à la cheville. Adam posa un regard insistant sur elle et comme ses yeux rencontraient les siens, il lui sourit aimablement. La jeune fille lui rendit un sourire qui creusait de jolies fossettes dans ses joues roses. Elle baissa les yeux sur sa pâte et la versa dans deux moules en fer-blanc. À ce moment, Adam se dit : « Cette Laura sera ma femme. »

En un tournemain, la jeune fille démêla un gâteau dont elle connaissait la recette par cœur et l'enfourna. Peu de temps suffit pour qu'une bonne odeur se répande dans toute la cuisine.

Adam ne pouvait détacher ses yeux de cette fille jusqu'à ce que sa mère descende l'escalier sur la pointe des pieds avec un contenant d'œufs. Elle en brisa six et en fit une omelette qu'elle laissa dormir sur le bout du poêle pendant qu'elle faisair rôtir quatre tranches de jambon. Elle savait y faire : à peine trente minutes et Laura remplissait les assiettes et les déposait sur la table. L'homme fit signe aux étrangers de s'approcher. Après un repas princier, alors que la nuit tombait sur la campagne, l'homme leur offrit le gîte.

— Y a un lit pour vous deux, si ça vous intéresse de passer la nuit, dit-il.

Mais les garçons ne comprenaient pas. L'homme fit signe aux Irlandais de le suivre au deuxième où il leur désigna un lit.

Les exilés ne se firent pas prier. Adam ne pouvait pas refuser de dormir sous le même toit que la belle Laura. En croisant la jeune fille, il lui sourit de nouveau.

Une mince cloison séparait la chambre des filles de celle des immigrants. Philip s'endormit dès que sa tête toucha l'oreiller douillet. Adam, tout ouïe, surveillait le moindre bruit de pas, le moindre soupir, qu'il interprétait à sa façon, comme si les sons de la pièce voisine pouvaient le rapprocher de Laura. Il entendit des petits pas réguliers. Il se dit que Laura devait se déplacer de sa commode à la penderie, et de là à son lit. Après un grincement de sommier, les bruits s'éteignirent. Laura pensait-elle à lui ? Une jolie fille comme elle devait avoir un amoureux. Malgré sa fatigue du voyage, un repas copieux et un lit moelleux,

Adam n'arrivait pas à trouver le sommeil : Laura était trop belle.

Le lendemain matin, en se penchant pour mettre ses chaussures, Adam aperçut une boîte sous le lit. Curieux, il regarda à l'intérieur. C'était là que madame entreposait ses œufs. Adam s'habilla vivement. La porte de la chambre des filles était ouverte et le lit, refait. Il passa la main sur sa tête pour rabattre ses cheveux en bataille. En bas, toute la maisonnée salua les étrangers d'un grand sourire. Après une toilette rapide à l'évier de cuisine, un coup de peigne et un bon rasage, on invita les garçons à déjeuner. Les assiettes se resserraient sur la table, comme les coudes. Inébranlable hospitalité paysanne.

Laura dressa la table pendant que sa mère démêlait une pâte à crêpes. Une fillette d'environ dix ans ajouta du beurre, des confitures, du sirop d'érable, de la mélasse, du lait, des cretons. Philip n'en croyait pas ses yeux. C'était l'abondance pour les immigrants qui avaient été privés pendant la traversée.

Le père récita une prière qui devait être le bénédicité. Il bénit le pain en dessinant dessus une grande croix avec son couteau.

Adam ne pouvait détacher ses yeux bleus de la belle Laura aux gestes gracieux. Celle-ci déposait des quartiers de bois dans le poêle et les déplaçait à l'aide d'un tisonnier, puis elle referma le lourd rond de fonte, enleva le petit cercle du centre et déposa la cafetière directement sur le feu.

Pendant que la femme dorait ses crêpes dans la graisse de rôti, Lucienne, une jeune fille au sourire contagieux, étendit sur le dessus du poêle huit tranches de pain qu'elle retourna sur les deux faces.

Les crêpes servies, les Irlandais mangèrent, les jambes allongées sous la table. Personne ne disait mot. Même les enfants respectaient le grand silence des appétits ouverts.

Au départ, les garçons, gavés, serrèrent les mains de leurs bienfaiteurs. Adam s'attarda plus longuement sur celle de Laura.

«Église», lui dit-il en espérant qu'elle comprenne le message et qu'il la revoie à la messe du dimanche. C'était le premier et le seul mot français qu'Adam connaissait.

Laura lui adressa un sourire. Avait-elle compris le message que l'Irlandais lui passait? Elle déposa un cruchon d'eau dans ses mains.

Adam quitta la maison en emportant le cœur de Laura.

Partout où les Irlandais s'arrêtaient, les portes des maisons s'ouvraient toutes grandes devant eux et les exilés étaient reçus à bras ouverts. On dressait les tables et on remplissait les assiettes, peu importait l'heure.

Les gens de la place pensaient à leurs ancêtres acadiens arrivés trois quarts de siècle plus tôt et, aujourd'hui, ils rendaient la pareille aux Irlandais avec la même générosité. Plus encore, un lien commun les unissait: Canadiens, Acadiens et Irlandais détestaient les Anglais.

À certains endroits, les hommes couchaient dans les granges, les femmes, dans les maisons. Le lendemain, les visiteurs repus serraient les mains et tous reprenaient la route, bien reposés.

Une fois sur le chemin, Philip dit à Adam:

— Tu n'as pas besoin de me dire que tu es amoureux. Ça se voit comme le nez au milieu d'un visage.

– Si seulement Laura peut avoir compris.

Philip s'efforçait de ne rien laisser paraître de ses sentiments; il préférait tout tourner à la rigolade. Pourtant, il
ne put se retenir d'ajouter :

– L'autre non plus n'est pas laide, avec son petit air
fripon. Ces filles, en pleine campagne, ne doivent pas voir
des garçons bien souvent ; elles avaient l'air tristes de nous
voir partir.

***

Les voyageurs arrivèrent enfin au pays des lacs et
des ours, là où les chemins prenaient fin. Les exilés
s'émerveillaient devant les paysages peints aux couleurs
criardes de l'automne. Les ruisseaux coulaient, les feuilles
mortes craquaient avec un bruit de pain sec, les oiseaux
chantaient. Les bruits, les sons, les souffles étaient tous
des marques de présences vivantes.

La voiture des Smith se faufila gauchement entre les
arbres sur un sol inégal, presque une jungle, jusqu'à ce
que des arbres empêchent la voiture d'avancer. Daniel
sauta au sol et aida Mary à descendre.

– Dans ce pays, dit-il, ce n'est pas le bois qui manque !
Ça pourrait se vendre.

Des odeurs d'écorce, de terreau et d'humidité montaient du sol.

– Dire qu'il y a des gens insensibles au charme des
bois ! s'exclama Daniel.

Et il ajouta :

– Je veux connaître le lieu où chacun de vous sera
installé.

— Promis! crièrent les hommes, emballés par la course aux lots qui allait commencer.

Les numéros de lots étaient cloués à des piquets. Il fallait être très attentif, les terres étaient passablement éloignées les unes des autres.

Avant le départ, les Irlandais se frappèrent mutuellement dans les mains. Daniel regarda les hommes se frayer un sentier. Une hachette à la main, ils abattaient de jeunes arbres et des branchages pour arriver à avancer de quelques pas. On eût dit un jeu de cache-cache. Ils s'éparpillaient sans trop s'éloigner les uns des autres pour ne pas se perdre en forêt. Soudain, ils entendirent Byne qui, les bras en l'air, criait comme un perdu :

— J'ai pilé sur un nid de guêpes!

Tout le monde s'éloigna.

Piqué au visage, au cou et aux mains, Donald Byne se soigna en appliquant de la terre sur les piqûres.

Hugh Caroll fut le premier à découvrir son lot qui se trouvait le plus près du départ. Fou de joie, le garçon se jeta à plat ventre par terre et embrassa le sol. Puis il se mit à crier de toutes ses forces :

— C'est ma terre, les gars! Ma terre à moi.

Ses compagnons se réjouissaient avec lui. Bientôt, ce serait leur tour.

Daniel trouva son lot sur le chemin du lac Marchand, une terre entre montagnes et vallons.

— Me voici enfin sur ma terre cent fois rêvée. C'est ici, Mary, que nous passerons le reste de notre vie.

— C'est loin du monde, ça, hein?

La terre avait un ventre énorme, presque chauve, seulement quelques jeunes arbres échevelés se dressaient sur le faîte. Le soleil dorait les flancs du coteau.

Daniel tira Mary par la main pour l'aider à monter jusqu'au sommet.

— Regarde, Mary, comme la vue est superbe. Là-bas, on voit la fumée s'échapper des cheminées des rangs perdus. Je vais construire notre maison, ici, tout au haut de cette colline. Elle sera suspendue comme un balcon au-dessus du paysage. Je vais enfin connaître les joies de la campagne, moi, un garçon de ville.

Mary saisit la main de Daniel égratignée par les broussailles. Elle pensait à tout ce qui allait venir.

— On fait quoi maintenant? dit-elle, se retrouvant au beau milieu d'une forêt vierge, sans rien d'autre que les dons des gens de la place pour subsister.

— Regarde, Mary, comme c'est beau! s'exclama Daniel. Une terre riche en bois. Tu vois la taille des arbres? Ce coin de pays ressemble à l'Irlande; c'est à s'y méprendre. Et tout ça nous appartient; nous sommes chez nous ici!

— Nous sommes chez nous, mais il n'y a que des arbres et des broussailles; nous n'avons rien, même pas une cabane où dormir.

— Ici, on a tout, Mary. On a la liberté et la paix. Dans ce coin de pays, la hache remplace le fusil.

Mary n'ajouta rien. Sa figure charmante devint complètement défaite.

— Patience, Mary, lui dit Daniel. Nous avons toute la vie devant nous; la maison viendra un peu plus tard.

— Quand, plus tard?

— Comme je n'aurai pas le temps de construire avant le printemps prochain, je vais creuser un trou dans la terre et nous y passerons notre premier hiver. Ça me donnera le temps de bûcher mon bois de charpente, de pêcher et de chasser le petit gibier.

— Un trou! s'exclama Mary, les yeux agrandis par l'étonnement. Comme les ours?

— Oui. Mais pour nous, ce ne sera pas pareil; ce sera seulement temporaire.

— Un trou, répéta Mary au bord des larmes. Si je m'attendais!

— Disons plutôt une petite maison en terre, dit Daniel avec un sourire qui ne pouvait tromper sur sa bonté.

Mary voyait bien que Daniel s'efforçait d'amortir le coup.

Elle comprit qu'elle n'avait pas le choix et qu'elle devrait attendre le bon vouloir de Daniel. Il aurait beau faire son gros possible, il ne pourrait pas construire sa maison avant l'été. Ses pensées volèrent aussitôt vers sa mère, mais celle-ci était si loin, de l'autre côté de l'océan. Mary se mit à pleurer. Daniel ne trouvait pas les mots pour la consoler. Il la serra contre lui.

— Demain, dit-il, je commencerai à creuser. Mais pour cette nuit, nous dormirons à la belle étoile.

— Dehors? s'écria Mary, plus affolée.

Aussitôt, ses anciennes peurs d'enfant surgirent avec les loups imaginaires tirés des légendes.

— Non, je ne dormirai pas dehors. J'ai trop peur des serpents et des bêtes sauvages, surtout dans ce pays où tout nous est étranger.

— Ne fais pas l'enfant, Mary. J'ai ma hache et mon fusil pour nous défendre. Et puis, c'est seulement pour une nuit.

— Seulement une nuit! répéta Mary, la voix remplie d'amertume. C'est sûr, on ne meurt qu'une fois.

Daniel n'avait pas une minute à perdre. Il se mit aussitôt à couper des branches d'épinette qui serviraient de paillasse.

Mary s'assit, le bout des fesses sur un arbre mort couché au sol et elle regarda Daniel travailler. Elle entendait les craquements de branches que l'écho charriait dans toutes les directions pour les lui ramener plus faibles. Elle aurait aimé que Daniel laisse tomber sa hache, qu'il la serre dans ses bras, qu'il la console de sa déception. Quand est-ce qu'ils pourraient se laisser aller à s'aimer sans retenue? Ils avaient quitté leur pays depuis deux mois et ils n'avaient réussi qu'à grappiller un bec par-ci, un bec par-là. Ils n'avaient pas encore commencé leur lune de miel; ils n'étaient jamais seuls.

Le soir, Mary s'endormit sous la robe de carriole pour se faire réveiller doucement au petit matin par un ensemble de gazouillements. La nuit, la forêt vivait. Les merles sifflaient, les chouettes hululaient, les hirondelles trissaient, et les rossignols, grives, fauvettes et pinsons unissaient leur voix et chantaient les nuits heureuses. Mary n'avait jamais entendu un si beau chœur de chant.

***

La terre d'Alyson et de Césair Malarky était située à un mille de distance de celle des Smith. Elle donnait sur un lac. Un lot que tout le monde enviait.

Le lendemain, Césair contacta Adam O'Sullivan dont la terre avoisinait celle de Daniel.

— Si ça t'intéresse, dit-il, je serais prêt à échanger mon lot contre le tien.

— Pourquoi tu veux l'échanger?

— Pour être voisin des Smith, répondit Césair. Maintenant que nos femmes se connaissent, elles se sentiraient moins seules.

— Non, ma terre est enregistrée à mon nom et je la garde.

— Il y a un lac sur la mienne, un lac et une décharge, ça vaut son prix; tu n'aurais pas à te creuser un puits. L'eau est recherchée de tout le monde.

— Je sais, mais n'insiste pas, c'est non!

***

Daniel marcha sa terre de long en large, mais comme c'était un endroit vallonné, il demanda la permission à son voisin, Adam O'Sullivan, de creuser son refuge sur son lot. Au pied de la montagne, l'endroit s'y prêterait bien et c'était à la limite des deux terres.

— Ce sera seulement pour un hiver, ajouta Daniel, ensuite, tu pourras t'en servir comme caveau à légumes.

O'Sullivan accepta sa proposition. Daniel avait tant fait pour lui quand les voleurs l'avaient dévalisé.

— Je peux t'aider si tu veux. Comme tu as une femme, tu es plus pressé que moi de t'installer.

Daniel attacha son cheval à un arbre et, avec Adam O'Sullivan, il s'attela à la tâche. Les deux hommes se mirent à creuser comme des forcenés, au pic et à la pelle, dans la pierre et la terre.

Pendant ce temps, près d'eux, Mary ramassait de menues branches mortes et les mettait en fagots qui serviraient à cuire ses repas. Pour le dîner, elle fit frire un peu de lard et des œufs, une générosité des gens de la place. Le reste du temps, elle s'assit près du terrier et attendit la fin du jour.

***

Après deux jours de sueur, le trou mesurait six pieds sur six, mais le plafond était un peu bas.

Il était cinq heures trente quand les hommes plantèrent leur pelle dans le sol. C'était l'heure où la noirceur tombait subitement sur la forêt sauvage.

— Pour ce soir, ça va aller, dit Daniel qui en avait assez. J'ai mal aux épaules et aux reins.

Mary le suivit et tout en marchant elle évitait les morceaux de bois humides et noirâtres à l'écorce décollée. Elle entra dans le terrier la tête penchée. Elle alluma une chandelle pour s'éclairer.

— Ça sent la cave, là-dedans.

— Tu veux dire la terre ?

Mary ne répondit pas.

Daniel transporta les vivres tout au fond du terrier, puis il boucha l'entrée de sapinage qui servirait de porte temporaire ; une porte qui serait toujours à refaire.

— Comme ça, dit-il, tu n'auras plus raison d'avoir peur.

— Notre trou est trop petit ; ça irait plutôt pour des nains.

– J'enlèverai quelques pelletées chaque jour pour l'agrandir.

Soudain, Mary échappa un cri de mort, l'index pointé vers le sol d'où sortait un ver qui se tortillait.

Daniel le ramassa à la pelle et le lança à l'extérieur.

– Tu vois, Mary, nous n'aurons pas à retourner la terre pour trouver des vers pour la pêche ; ces petites bêtes nous offrent leur vie.

– Où couchent Murphy, O'Neil et les Malarky ? demanda Mary. Dans des trous eux aussi ?

– Probablement sur leur lot, comme nous ou dans des cabanes rudimentaires, en attendant de construire leur maison. Adam et quelques autres se cherchent des familles déjà installées, mais elles sont rares dans ce coin de pays neuf.

– Et pourquoi pas nous ?

– Je préfère rester sur mon lieu de travail ; je perds moins de temps en déplacements. Comme ça, je peux abattre plus de besogne et nous aurons notre maison plus tôt.

– Hier, tu disais que nous avions toute la vie devant nous.

– Regarde, Mary, déjà nous avons plus que les autres, nous avons un coin à nous.

Mary pensait autrement. Toutefois, elle se contenta de murmurer : « Eux sont à l'abri des bêtes et des vers de terre. »

– Je vais attacher Chipette à un arbre, dit Daniel pour mettre fin à la discussion.

Le soir, après leurs ébats passionnés, Mary s'endormit dans les bras de Daniel qui lui faisaient oublier pendant quelques heures le réduit dans lequel ils vivaient. Mary, qui ne dormait que d'un œil, surveillait les bruits étranges pendant qu'à son côté, Daniel, épuisé par sa journée de travail au grand air, dormait comme un bienheureux.

Mary entendit un bruit de chaudron. Elle poussa Daniel du coude et murmura : « Il y a quelqu'un, Daniel. Écoute ! »

Rien ne faisait peur à Daniel, mais un porc-épic, ouf !

— Rentre ta tête sous la robe de carriole et ne bouge pas, dit-il. C'est un porc-épic, la nourriture doit l'attirer.

Après quelques minutes, la petite bête sortit d'elle-même.

— C'est fini, Mary, demain, je vais poser une porte en planches. Comme ça, nous aurons la paix.

Comme toutes les nuits, juste avant le lever du jour, le concert d'oiseaux reprit et, cette fois, Mary réveilla Daniel pour qu'il assiste au merveilleux récital nocturne.

***

Le lendemain, Mary, occupée à ramasser du bois mort, s'éloigna un peu de la grotte. En levant les yeux, elle aperçut des taches rouges à un arbre. Elle s'approcha et eut l'heureuse surprise de découvrir un pommier, le faîte chargé de belles pommes rouges. Tout excitée, elle courut avertir Daniel.

— Viens voir, s'écria-t-elle en frottant ses mains, un pommier avec des centaines de belles pommes rouges ! Un cadeau du ciel !

Seulement à penser à la pulpe ferme et juteuse, Daniel salivait.

Ils riaient, s'embrassaient, se prenaient les mains, se serraient l'un contre l'autre. Mary commençait à entrevoir ces lieux comme un paradis terrestre.

– Ça vient sans doute des pépins semés par les oiseaux ou peut-être par les chevreuils, supposa Daniel.

– En plus, sur notre terre, s'étonnait Mary. Mais dommage, les pommes sont trop hautes pour les cueillir.

– Les chevreuils doivent avoir mangé celles du bas et ils n'auront pu atteindre les plus hautes. Je serais prêt à parier qu'ils nous les réservaient. Attends un peu, je vais essayer de gauler l'arbre pour les faire tomber.

Daniel chercha une gaule dans le bois et revint sur le lieu béni.

– Pousse-toi un peu, si tu ne veux pas te faire assommer. Tu vois, Mary, nous n'avons pas à nous mettre martel en tête pour notre survie; la Providence est là qui veille sur nous. En plein bois, nous avons de la nourriture en abondance: des lièvres, des perdrix, des orignaux, des noix et, maintenant, des pommes. Quand je trouverai le temps, je fabriquerai une échelle et nous la laisserons appuyée à l'arbre. En attendant, les pommes vont nous servir de dîner.

– Oui. Des pommes et des noix.

Mary retroussa sa jupe et la remplit des délicieux fruits.

– Avec toutes ces pommes, je vais pouvoir faire des compotes et il en restera encore qui feront le bonheur de nos amis.

***

Puis, une nuit, il se mit à neiger sans discontinuer, des flocons blancs gros comme des œufs d'oiseaux.

Au lever, Mary étira le cou à travers les branchages qui servaient de porte. Oh, surprise! Dehors, le sol et les arbres étaient d'un blanc aveuglant sous le soleil.

Elle échappa un cri d'admiration:

– Viens voir, Daniel, comme c'est magnifique!

Mary aurait voulu imprégner l'image de ce décor incomparable dans son esprit. Malheureusement, le spectacle ne dura pas. À la tombée du jour, la neige avait fondu, laissant la forêt nue sous un ciel gris, sauf quelques minces taches blanches oubliées ici et là, sur les pentes du côté nord. L'atmosphère, redevenue humide, imprégnait les corps et les vêtements. Mary grelottait, claquait des dents.

Dans la grotte qui lui servait de refuge, Mary comptait les jours qui n'en finissaient plus. Après avoir offert sa journée au bon Dieu, elle ramassait des noix, des glands et des pommes pour s'en faire une provision qu'elle déposait dans deux boîtes de tôle placées dans un coin de son refuge. Ensuite, elle attendait l'heure du dîner qui lui ramènerait Daniel. Parfois, elle chantait pour ne pas parler seule. Elle faisait des petits sommes entrecoupés, enroulée bien serré dans la robe de carriole qu'elle rabattait sur son nez. L'après-midi, en attendant le retour de Daniel occupé à bûcher son bois de charpente, elle cuisait soit un lièvre, soit une perdrix sur un feu allumé à l'extérieur. Elle fabriquait du pain qui ressemblait plutôt à des galettes dures à se briser les dents. Mais jamais Daniel ne se plaignait.

– Viens voir, Mary, lui dit-il, fier de son travail, le solage de roches est enfin terminé. Transporter des roches, c'est dur à la fin!

— Ça c'est une bonne nouvelle.

— Demain, nous allons commencer le plancher. Ensuite, nous monterons les murs en pièce sur pièce, soit en sapin ou en épinette. Et je vais calfeutrer avec la mousse des bois pour que le froid n'entre pas dans notre maison.

— Le plancher terminé, nous pourrions sortir de notre trou et nous installer dans la cave.

— Et marcher à quatre pattes ? La cave ne mesure que quatre pieds de haut.

Mary suivit Daniel dans le sentier tortueux, tracé par le passage fréquent de leurs pas. Elle devait serrer ses bras contre elle et pencher la tête à tout moment pour éviter que les arbustes fouettent son visage. Une fois au haut de la colline, elle caressa le solage de la main.

— Dès que les murs seront fermés, j'y transporterai nos réserves et je m'y installerai.

— Ce ne sera pas avant l'été. Peut-être même à l'automne.

Mary comptait les jours qui passaient à pas de tortue.

***

Le matin suivant, il pleuvait à verse. Daniel profita de la mauvaise température pour aiguiser sa scie et sa hache. Il sifflait des airs de son pays et Mary chantait, ce qui lui donnait un avant-goût de ce que serait l'atmosphère de sa maison. Son affilage terminé, Daniel déposa ses outils le long du mur de terre.

— Allons prendre une bonne douche sous la pluie, proposa Daniel, qui lui lança le savon.

— La pluie est trop froide ; je vais attraper mon coup de mort.

— Mais non. Je vais allumer un feu à l'entrée de notre refuge pour nous réchauffer sitôt notre toilette terminée.

Ils se déshabillèrent et s'élancèrent sous la pluie froide.

— Comme Adam et Ève au paradis terrestre, dit Daniel tout guilleret.

Il se mit à frictionner le dos de Mary pour la réchauffer. Heureusement, son corps s'habitua à la température de l'eau. Mary savonna ses cheveux. Le bain terminé, elle les sécha à la serviette et se rhabilla en vitesse.

Elle s'assit à la chaleur du feu pétillant et une fois bien réchauffée, elle proposa à Daniel :

— Maintenant, je suis prête pour une sortie. J'aimerais bien aller rendre visite à Alyson.

— C'est tentant, mais il pleut à boire debout.

— Dis donc oui ! Seul le mauvais temps nous permet de sortir. Attelle la pouliche à la voiture. Nous nous abriterons sous la bâche.

Daniel accéda à sa demande. Lui aussi avait bien envie de revoir Césair qui lui donnerait sans doute des nouvelles des autres.

— Avant, je vais faire un petit somme.

Mary s'endormit à son côté.

Le temps passait et les Smith dormaient à poings fermés. À leur réveil, les ténèbres couvraient la forêt. Mary, déçue d'avoir manqué sa sortie, prépara le souper.

— Je m'en veux d'avoir tant dormi. Pour une fois que tu prenais congé.

— Ce n'est que partie remise, Mary. Avec le début des pluies, les occasions ne manqueront pas.

– J'aurais bien aimé avoir Alyson comme voisine. Ça me ferait du bien de jaser entre femmes.

– Adam en a décidé autrement, dit Daniel. Nous, on n'y peut rien, c'est lui le maître de sa terre et ce n'est pas moi qui vais m'en plaindre, son aide est si précieuse.

CHAPITRE 8

Après des semaines en forêt, Mary se familiarisait avec la nature.

Elle reconnaissait les sons, l'écho des coups de hache venant des terres avoisinantes, le hurlement des loups, le hululement des chouettes. Un sentiment de paix enveloppait les grands bois.

Un jour qui devait être un dimanche, Mary entendit jacasser au loin des voix indistinctes.

«Une volée d'outardes», se dit-elle.

Au moindre bruit insolite, Mary courait à l'extérieur. «Ici, il passe plus de voyageurs dans les airs que sur la terre», pensa-t-elle.

À sa grande surprise, les sons se rapprochaient. Elle entendit un bruit de branches brisées, puis elle vit bouger des silhouettes entre les arbres. Plus près, elle reconnut les Malarky chaussés de raquettes : Alyson, Césair et leurs enfants, Margaret et Braden. Ils avaient des cristaux blancs accrochés à leurs cils. Mary éprouva une grande joie à revoir la petite famille. Alyson était comme une proche parente pour elle.

— Daniel ! cria Mary à pleins poumons. Viens voir, nous avons de la belle visite !

Mary se jeta tout émue dans les bras d'Alyson. Au bord des larmes, elle ne cessait de répéter :

— Je suis contente, si vous saviez comme je suis contente ! Seule dans mon coin, je pensais souvent à vous autres.

Daniel leva Braden au bout de ses bras, le déposa et fit pirouetter Margaret qui éclata de rire. La fillette aimait bien Daniel ; tout le monde l'estimait. Elle le regarda serrer la main de Césair et d'Alyson puis, imitant les adultes, elle présenta la sienne que Daniel serra en souriant.

Daniel proposa à Césair d'aller faire la tournée de ses pièges à lièvres. Il sortit son fusil et le chargea tout en s'informant.

— Dis-moi donc ce que vous devenez tous.

Mary, ne voulant rien manquer, suivait deux conversations à la fois.

— Nous demeurons chez les Lewis, des Irlandais venus de Rawdon, dit Césair. Ils ont trois enfants. Monsieur Lewis fait le commerce du bois et je travaille pour lui. Ça compense la pension de ma famille.

— Regardez ce que madame Lewis m'a donné pour vous, dit Alyson, du riz, des pois et des fèves.

— Ah oui ! Vous la remercierez pour moi, s'exclama Mary ravie. Je vais pouvoir faire des soupes avec du bouillon de perdrix. Les gens d'ici sont bons et généreux ! En retour, je vais lui envoyer des pommes.

— Des pommes ! s'étonna Alyson.

— Oui, nous avons trouvé un pommier tout près d'ici.

— Chanceux !

— Voyez-vous les autres, de temps en temps ? s'informa Daniel.

— Oui. Byne traîne une mauvaise grippe, dit Césair, et il y a Murphy qui s'ennuie à mourir ; il parle même de s'en retourner en Irlande.

— Ah non ! Pas ça. J'espère qu'il va manquer d'argent. Il ne faudrait pas qu'il encourage les nôtres à le suivre et que les départs deviennent contagieux.

— Pourtant, dit Césair, on raconte que là où il habite, la fille de la maison lui fait les yeux doux. Ça va peut-être le retenir. Tiens, comme Adam et Laura.

— Que veux-tu dire, Adam et Laura ?

— On dit qu'Adam O'Sullivan est en amour avec Laura Bastien, la fille des gens chez qui lui et Philip ont passé une nuit à leur arrivée ici. D'après Philip, cette Laura est belle comme un ange. Tu dois être au courant de tout ça, toi qui côtoies Adam à cœur de jour.

— Non, dit Daniel, Adam doit avoir ses petits secrets. Il ne m'a rien dit de tel. Maintenant que je sais, je vais pouvoir le taquiner.

— À part ça, tout le monde coupe des arbres pour sa maison, ajouta Césair. Tu sais, je rencontre pas les nôtres tous les jours.

— Et toi, ta maison ?

— Moi, je remets ça, répondit Césair. Pour le moment, j'ai un autre projet en tête, mais si tu gardes le secret, je vais te dire lequel. Je ne veux pas en parler tout de suite pour ne pas qu'on se moque de moi si ça échoue. J'aimerais me construire un moulin à scie. J'utiliserais la décharge du lac, mais, avant, je dois m'assurer que l'eau y coule à l'année.

— C'est une bonne idée. C'est nous qui en profiterions ; le village est si éloigné.

Daniel donna un coup de tête de côté pour inviter Césair à le suivre dans la forêt.

Pendant que les hommes s'éloignaient à grands pas, Mary invita Alyson à entrer.

— Venez donc vous asseoir en dedans, Alyson, nous serons plus confortables, à l'abri du vent, pour jaser.

Près du seuil de la grotte, là où Mary vidait ses brûlantes eaux sales, un peu de glace boueuse apparaissait entourée d'une frange grise. Mary poussa Alyson du bras.

— Prenez garde, dit-elle.

Alyson se laissa conduire dans la caverne.

— Regardez, fit observer Mary, Daniel a creusé un trou au centre de la pièce pour qu'on puisse s'asseoir les pieds pendants.

— Vous avez un bon abri ; c'est presque une maison.

Cette remarque arracha un sourire à Mary.

— Presque une maison ? Vous n'êtes pas venue jusqu'ici pour vous moquer de moi, Alyson ? Daniel nomme ça une grotte ; moi, j'appelle ça un trou pour ne pas dire une fosse, comme celles des cimetières.

— Taisez-vous, Mary, vous allez vous attirer le malheur.

— J'ai toujours froid. Si je n'avais pas la robe de carriole de madame Leblanc, je serais morte et enterrée.

Mary alluma la chandelle, et la chaleur qui s'en dégageait forma une mince couche de glace au plafond. Ce glacis gardait la température de la pièce stable, mais ce n'était pas suffisant pour chauffer l'endroit.

— Vous savez, continua Mary, quand on a connu le confort en Irlande… je ne peux pas m'empêcher de penser à la chaleur d'un bon lit moelleux. Je crains surtout pour la venue du bébé. Je ne voudrais pas qu'il prenne froid. Mais assez de me plaindre. J'ai choisi de suivre mon mari et je dois assumer mon choix. Daniel dit que c'est seulement pour un hiver et que l'important, c'est qu'on soit ensemble, lui et moi. Mais j'ai tellement hâte d'avoir ma maison ! Si l'hiver est long, je me demande si je vais pouvoir tenir le coup.

— Moi, je vous trouve chanceuse de ne pas demeurer chez des étrangers et de toujours craindre de déranger. Ah, j'ai rien à redire, les Lewis sont du bon monde : jamais un mot plus haut que l'autre. Mais je me sens quand même une nuisance, surtout avec Braden qui est souvent turbulent. Ça lui arrive même de se battre avec Thomas, leur fils. J'ai beau lui expliquer, l'occuper, le punir, ça ne le dompte pas.

— Les enfants sont parfois durs entre eux. Mais vous n'avez pas à être mal à l'aise vu que votre mari aide à la ferme. Son travail compense le gîte.

— Moi, j'aide madame à ses conserves, à ses confitures et j'apprends à filer le lin au rouet.

— Chanceuse ! dit Mary. Chez des Irlandais, vous pouvez jaser à l'aise en gaélique. Vous ne connaissez pas les inconvénients de la langue.

— Vous avez raison, mais par contre, ça m'empêche d'apprendre le français.

Après un court silence, Mary ajouta, l'air morose :

— Je m'ennuie des miens, de mon pays.

— Moi aussi, mais avons-nous le choix ? Le pire est le premier hiver. Maintenant, nous devons regarder en avant en nous disant que la situation va changer en mieux. Dès que vous aurez votre maison et votre enfant, vous aurez assez à vous occuper, vous ne penserez plus de la même façon. Et puis, je suis là, moi, et j'ai besoin de vous. Tenez, dit Alyson, je vais vous apprendre à tricoter; comme ça, vous ne verrez pas le temps passer. Vous pourrez faire de beaux lainages pour votre bébé.

— C'est gentil de votre part, mais je ne peux pas, j'ai toujours les mains gelées.

— D'abord, dit Alyson, je vais tricoter un gilet et un bonnet pour votre bébé. J'ai rapporté de la laine blanche d'Irlande dans mes bagages, elle servira à votre layette.

— Vous feriez peut-être mieux d'attendre, Alyson. La semaine passée, j'ai reçu une lettre de maman. Elle va me poster un colis, des ensembles pour enfant et des petits objets qui pourront m'être utiles. Par la suite, nous pourrons faire un choix de vêtements. Et qui sait si elle ne m'enverra pas des balles de laine? J'attends toujours le courrier avec impatience.

— Votre mère a-t-elle donné des nouvelles fraîches d'Irlande?

— Rien de spécial. Maman est bien contente d'apprendre qu'elle sera grand-mère, malgré cet océan qui nous sépare. Je me suis bien gardée de lui dire que je vis dans un trou en terre que tour à tour les animaux de la forêt visitent. Ça la ferait mourir d'inquiétude et ça lui ferait détester Daniel. J'ai donc dû lui mentir pour la ménager.

— Je comprends, approuva Alyson. On veut tellement tout le confort possible pour nos enfants.

— Le temps des fêtes s'en vient, ça va peut-être nous faire oublier la rigueur de l'hiver.

— Margaret prépare déjà ses cadeaux de Noël. Je lui ai montré à tricoter ses mailles à l'endroit et à l'envers. Elle vient de monter des bas sur quatre aiguilles: ce sera le cadeau de Noël de monsieur Lewis. Comme de raison, je suis là pour la guider. Margaret apprend facilement.

— Margaret a toujours été en avance sur son âge, lui fit remarquer Mary.

— Braden, lui, dessine des cartes de souhaits. Un vrai gribouillis, mais ça l'occupe un peu.

— Chez nous, ajouta Mary, maman démarrait ses préparatifs au petit Noël, comme elle disait, ça se trouvait le 12 décembre et ça ne lâchait pas jusqu'au 26. Elle accrochait une couronne de houx à la porte et ornait un sapin. Vous verriez ça, vous, Alyson, une couronne de houx à l'entrée de notre trou? dit Mary, la bouche railleuse.

— Pourquoi pas? Ce serait mieux que rien et ici, ce n'est pas le houx et les touffes de gui qui manquent.

Soudain, le visage d'Alyson s'assombrit.

— Chez moi, dit-elle, après le décès de ma mère, les fêtes de Noël étaient des jours comme les autres, et peut-être pires parce que tout le monde fêtait, sauf nous. Vous dire comme ces festivités m'ont manqué! Nous n'avons jamais eu de cadeaux ni de repas de dinde. Quand j'aurai ma maison, je reprendrai toutes ces traditions et je vous inviterai, Mary.

Mary revenait à ses souvenirs, heureuse de revivre ces moments agréables.

— La nuit de Noël, maman servait le célèbre plum-pudding et, durant la dégustation, nous allumions une bougie à chaque fenêtre en l'honneur de Marie et de Joseph. Et le 26, la fête continuait: nous chantions des cantiques dans les rues.

— Chez moi, c'était bien différent, ajouta Alyson. Nous savions que les autres enfants avaient des cadeaux quand nous, nous n'avions rien. Je me souviens que la veille de Noël, mon père s'en allait au pub. Il disait qu'il allait voir un match de hurling et il revenait soûl. Il n'a jamais accepté le départ de ma mère. Mais ce temps triste est fini. Cette année, je veux m'offrir de vraies fêtes familiales avec tous nos amis irlandais. Je veux entendre le rire joyeux de mes enfants quand ils déballeront leurs cadeaux.

— Malheureusement, je ne serai pas là pour fêter avec vous, dit Mary, les Leblanc nous ont invités à leur réveillon de Noël.

— Refusez, Mary. Votre place est avec les nôtres.

— Les Leblanc seraient déçus si nous refusions. Je ne voudrais pas perdre leur amitié.

— Les Leblanc comprendront si vous leur expliquez que ce serait préférable de fêter avec vos amis irlandais. Si tout le monde se désiste, viendra un moment où les nôtres seront en petit nombre ou encore se retrouveront seuls et tristes le soir de Noël.

— Je vais en parler à Daniel.

— Si la municipalité nous prêtait la salle paroissiale pour un jour ou deux, comme à notre arrivée, nous pourrions fêter entre Irlandais et reprendre les chansons de notre pays pour ne pas les oublier.

Des voix s'approchaient. Mary reconnut celle de Daniel.

— Avez-vous fait une bonne tournée?

— Non, je n'ai trouvé que des ossements dans les pièges. Les loups doivent s'être régalés de mes prises.

Au départ, Mary distribua des pommes.

— Apportez-en aux Lewis. Bourrez vos poches.

***

Le curé de Saint-Jacques, ayant eu vent de la belle voix de Margaret Malarky, demanda à la rencontrer après la messe du dimanche. Il invita la fillette à passer à son office et lui demanda de chanter *Adeste Fideles* pour avoir un aperçu de sa voix.

Margaret, glacée, hésita un peu.

— C'est que je ne le sais pas au complet.

— Rien ne vous empêche de suivre sur une feuille Vous aurez une partition sous les yeux, dit le prêtre.

Sa mère lui parla à voix basse.

— Chante, Margaret. C'est un grand honneur que te fait monsieur le curé, dit-elle, et ce serait un affront de refuser.

La fillette s'exécuta d'une voix mal assurée.

— *Adeste Fideles laeti triumphantes…*

.—Chantez plus fort, lui dit le curé, de sa voix grave.

— Je vais chanter avec elle, dit sa mère, pour lui donner la note.

Alyson chanta le début et laissa Margaret continuer seule.

— *Venite, venite in Bethtlehem. Natum videte Regem angélorum. Venite adorémus (ter) Dominum…*

On eût dit une voix d'ange, venue du ciel.

— Ça va, dit le prêtre, la nuit de Noël, mademoiselle Morin va vous accompagner à l'orgue.

C'était tout un honneur pour Césair et Alyson, des exilés nouvellement arrivés au pays.

CHAPITRE 9

La veille de Noël, vers dix heures du soir, une centaine d'Irlandais se rassemblèrent à la salle paroissiale. À leur arrivée, les tables étaient déjà chargées de tourtières, de ragoûts, de pâtés à la dinde, de tartes de toutes sortes, de gâteaux aux fruits. Le dimanche précédent, le curé avait demandé en chaire, à chaque famille, de faire le don, soit d'une tourtière, d'un pâté ou d'une gâterie de leur choix aux immigrants. Il avait dit : « Ce que vous donnerez à ces démunis, c'est à Dieu que vous le donnerez. »

Dans ce pays où un sou demeure un sou, les gens donnaient généreusement les produits de leur ferme et ils ne comptaient pas leur temps. Certaines femmes avaient même ajouté des bas de Noël tricotés de leurs mains et des petites boîtes surprises pour les enfants dont certaines cachaient des petits animaux en tissu et des poupées de chiffon.

***

Dix minutes avant la messe de minuit, la salle paroissiale se vida d'un coup. Tout le monde se rendit à l'église.

À minuit tapant, au fond de la grande nef, au-dessus du portail principal, le son voilé de l'orgue se maria à la voix claire et pure de Margaret pour le *Adeste Fideles*.

La voix céleste faisait se retourner les têtes.

***

Après la messe de Noël, Mary et Daniel passèrent faire une brève visite aux Leblanc. Une toute petite couronne rouge égayait la porte d'entrée.

À l'intérieur, le poêle exhalait un souffle chaud de fines odeurs de dinde et d'aromates. Daniel prit une grande respiration pour s'en remplir les narines.

– Que ça sent bon chez vous !

Madame Leblanc ne comprenait rien, mais le bonheur qu'elle lisait sur le visage de Mary était sa récompense. Mary l'embrassa sur les deux joues.

Cette fois, leur fille Justine était présente. C'était une grande et jolie brunette qui enseignait dans le Grand Rang de Saint-Jacques. Elle avait le même âge que Mary. Après les présentations d'usage, madame Pauline fit cadeau à Mary d'une boîte enrubannée.

– Ouvrez-la, dit la femme en avançant son présent.

Mary l'ouvrit et découvrit une robe et une mante de baptême en tricot blanc que madame Leblanc avait tricotées spécialement pour son enfant. Mary colla les doux vêtements contre sa joue et ferma les yeux.

– C'est trop, dit la jeune femme émue. Ce serait plutôt à moi de vous donner un cadeau ; je vous dois tant de reconnaissance. Un jour, si la terre peut rapporter, je vous remettrai la pareille.

Elle replaça les vêtements de bébé dans leur boîte avec mille précautions, puis elle regarda la femme avec une adoration dans le regard.

— Vous êtes comme une mère pour moi, dit-elle.

Daniel invita les Leblanc à venir fêter avec les Irlandais à la salle paroissiale.

— Nous irons vous rejoindre après le réveillon, promit Amédée qui accompagnait ses mots de grands gestes pour se faire comprendre. Et ma fille Justine nous accompagnera. Peut-être dénichera-t-elle un bon parti parmi vos amis irlandais.

La boutade fit rougir Justine.

Les Smith quittèrent les Leblanc sur cette note joyeuse.

Le réveillon rassemblait une centaine d'immigrés récemment établis au pays. On distribua les cadeaux. Les enfants criaient de joie. L'émotion était si forte que quelques exilés en demeuraient muets.

Le repas terminé, les anciennes familles irlandaises s'ajoutèrent aux nouvelles arrivées jusqu'à ce que la salle soit comble de gens de tous âges. Tout au fond de la grande pièce, le plancher surélevé de deux marches au-dessus du sol formait une estrade. Un groupe de cinq musiciens, dont Donald Byne à l'accordéon et un dénommé McCarty à la guitare, prirent place sur la petite tribune et accordèrent leurs instruments.

Daniel se rendit auprès de Mary qui causait avec les Leblanc. Il prit la main de Justine et l'entraîna en se faufilant entre les groupes serrés jusque sur l'estrade où se tenait Donald Byne. Il mit la main de Justine dans celle de Donald Byne en disant :

– Mademoiselle Justine, je vous présente le plus beau des Irlandais, Donald Byne.

Donald se leva d'un bond.

– Enchanté, mademoiselle, dit-il en voyant la jeune fille bien roulée et bien mise.

Donald la trouvait radieuse. Il lui approcha une chaise tout près de la sienne.

– J'aurais choisi moi-même que je n'aurais pas trouvé mieux, dit-il.

Justine rougit ; elle rougissait à propos de tout et de rien quand elle était gênée, en colère ou émue. Malgré son embarras à se faire comprendre, elle se surprenait de voir le garçon si empressé. Elle le trouvait vraiment beau ; un léger mouvement de sa bouche et de ses yeux exprimait l'amusement.

– Vous chantez, Justine ? dit-il en fredonnant quelques mots dans l'intention de se faire comprendre.

Malheureusement, la jeune fille ne saisit pas les propos, et Donald dut avoir recours à une Irlandaise déjà établie pour faciliter le lien entre eux.

– J'aime chanter, dit Justine, mais seulement pour m'amuser. J'ai une voix bien ordinaire.

– Vous ne pouvez pas tout avoir.

Justine se demanda ce qu'il voulait insinuer par « tout avoir ».

– Et vous, vous chantez ? dit-elle à son tour.

– Comme vous, pour me distraire.

Sur ce, l'interprète les laissa à eux-mêmes.

Justine jetait à l'occasion un regard furtif sur son bel Irlandais. Daniel avait raison : Donald Byne était beau garçon. Grand blond, de belle prestance, et au sourire enjôleur.

La musique enterrait les voix. Justine ne se sentait pas à sa place sur l'estrade. Comme elle se levait, Donald tira sa manche et donna deux petites tapes sur la chaise.

— Restez près de moi.

Il lui fit comprendre par gestes qu'il cédait sa place aux chanteurs et qu'il reviendrait bientôt, pour ensuite se mêler à la foule.

— Je préfère vous attendre au bas de l'estrade, dit Justine en s'échappant.

Pendant qu'on démontait les tables, on demanda aux amateurs de chanter. La petite famille des Malarky ne se fit pas prier. Ils entamèrent: *Cry of the Banshee*, une chanson de démons et de sorciers que tous les Irlandais connaissaient et qu'ils reprirent en chœur.

Ensuite, on pria Justine de chanter. Comme de raison, elle refusa. Elle monta de nouveau sur l'estrade.

— Je vais plutôt faire chanter quelques-unes de mes élèves qui jouissent d'une plus belle voix que la mienne. Germaine, Antoinette, Réjeanne, Denise, Gisèle, venez me retrouver sur l'estrade.

Justine fit placer les fillettes en demi-cercle.

— Elles vont chanter pour vous *Les Anges dans nos campagnes*.

L'assistance reprit le refrain en chœur: « *Gloria in Excel cis Deo* ».

On s'amusait ferme. Donald Byne ne quitta pas Justine Leblanc du temps que dura la fête.

Daniel voulait voir tout le monde heureux. Adam O'Sullivan était seul. Il s'approcha de lui.

— Je te prête Chipette. Va la chercher.

— Aller chercher qui?

— Ta Laura… Bastien, si je ne me trompe pas.

— Qui t'a raconté ça?

— Va!

— Et si elle a quelqu'un dans sa vie?

— Tu le sauras pas à rester là, à attendre. Va! Et ne fais pas suer ma bête.

Adam sortit. Le village, sous le clair de lune, avait l'air auguste et beau. Toutes les cheminées crachaient une fumée blanche. À chaque porte, une petite couronne de gui soulignait le temps des fêtes.

Le garçon passa deux fois devant la maison des Bastien avant de se décider à frapper. Puis, il osa finalement enfiler la cour, en essayant de se convaincre que si Laura refusait, la terre continuerait de tourner.

À travers la vitre, il vit la jeune fille, une casserole à la main. Adam avança son bras qui tremblait et frappa trois petits coups au carreau.

Laura déposa son chaudron sur le poêle et lui ouvrit. Quelle surprise ce fut pour elle, de revoir Adam O'Sullivan, l'Irlandais à qui ils avaient offert l'hospitalité. Elle présenta une chaise au visiteur. Mais celui-ci resta debout pour pouvoir disparaître au plus vite s'il essuyait un refus.

— Mademoiselle Laura, accepteriez-vous de m'accompagner à notre veillée de Noël, à la salle paroissiale? dit-il en gesticulant comme un sourd-muet.

Laura s'approcha tout près de sa mère et lui murmura quelques mots à l'oreille.

Pendant que monsieur Bastien versait une grande rasade à Adam, Laura s'approcha. À son sourire figé sur ses lèvres, Adam comprit qu'il avait gagné son cœur.

– J'ai obtenu la permission, dit Laura en accompagnant ses mots d'une inclination de la tête.

De la main, elle désigna sa sœur et pesa sur ses mots afin d'amener Adam à se familiariser avec le français.

– Lucienne va nous accompagner.

Lucienne accepta son rôle de chaperon, sans prendre le temps de réfléchir. Elle avait déjà jeté son dévolu sur Philip. À seize ans, l'amour enflamme le cœur. Elle espérait très fort qu'il serait de la fête. Toutefois, elle s'efforçait de ne laisser rien paraître de ses sentiments.

– Venez, dit Adam, la salle est déjà bondée de monde.

Laura et Lucienne échangèrent un regard interrogateur.

Laura monta l'escalier avec sa sœur sur les talons. Elles arrivèrent en haut tout essoufflées d'excitation. Cinq minutes plus tard, les filles descendaient en trottinant, légères comme des plumes. De retour à la cuisine, elles s'approchèrent de l'Irlandais rivé à la poignée de porte. Elles étaient à peine sorties quand, en dedans, tout le monde se leva en même temps, revêtit son manteau et sortit à leur suite.

Adam commanda sa pouliche au trot. Un froid mordant s'infiltrait dans les vêtements. Le garçon remonta la robe de carriole et serra un peu trop fort Laura contre lui. Prisonnière de ses bras, la jeune fille se sentait à la merci d'Adam. Elle le repoussa. Elle voulait lui faire sentir qu'elle était quelqu'un. Lui, conscient du trouble qu'il causait, s'éloigna légèrement en essayant de s'excuser, mais comme l'effort était trop énorme, il se tut, ce qui établit un silence entre eux. Mais pour peu ; il se mit à chanter. Adam était un boute-en-train que rien n'arrêtait ; partout où il passait, on faisait cercle autour de lui.

***

Le regard de Daniel se promenait de sa montre à la porte et vice versa, jusqu'au retour d'Adam et de Laura Bastien. « Enfin ! » pensa Daniel, satisfait de collaborer au bonheur d'Adam.

Derrière Laura se trouvait une belle adolescente qui devait servir de chaperon. Adam adressa un clin d'œil à Daniel et s'avança en tirant Laura de la main pour les présentations. À voir le nouveau couple, l'harmonie semblait parfaite. Tous deux se souriaient et on eût tôt fait de les traiter d'amoureux. Déjà, pour Adam et Laura, ces instants de bonheur auguraient d'un avenir possible.

Philip s'approcha de Lucienne. Pendant un moment, leur regard se croisa, lui, le sourire aux lèvres, et elle, une bouche aux fossettes moqueuses. Leurs sentiments se rallumaient.

Philip prit sa main et se faufila en trottinant entre les gens. Lucienne se laissait entraîner comme une petite fille jusqu'aux chaises libres. Philip prit son manteau et lui désigna un siège.

Deux minutes plus tard, toute la famille Bastien entrait, sans que personne ne s'y attende.

Philip possédait un corps souple qui le faisait paraître comme en perpétuel mouvement. Il jucha familièrement son pied sur le coin de la chaise de la jeune fille, touchant ainsi sa cuisse. Il appuya son coude sur son genou et, ainsi penché au-dessus de Lucienne, il se mit à jacasser. La fille ne comprenait rien de ce que Philip baragouinait, pourtant, elle aurait tant aimé comprendre la langue de son pays. Philip avait l'air tellement drôle que Lucienne ne le quittait pas des yeux. Les tourtereaux passèrent la nuit à essayer de comprendre par des gestes et par des mots la langue de l'autre. À chaque fiasco, ils éclataient de rire, comme des enfants.

La pendule jetait ses heures à la volée.

Le temps courait trop vite en bonne compagnie. On aurait voulu le retenir, mais rien ne pouvait l'arrêter.

À l'aube, chacun se rhabilla, le cœur content. Les amoureux quittèrent la salle les derniers.

Au retour, l'attelage s'arrêta chez les Bastien. Dans la voiture, Daniel et Mary attendaient Adam et Philip qui reconduisaient Laura et Lucienne à leur porte.

– Faites ça vite, leur cria Daniel, il fait un froid à pierre fendre !

Mary remonta la robe de carriole sous son menton et chuchota :

– As-tu vu ça, Daniel ? Philip a embrassé Lucienne sur la bouche. Ça promet !

– Si les garçons peuvent fréquenter les petites Canadiennes, ça les retiendra peut-être au pays.

Soudain, Daniel cria :

– Les gars, venez-vous-en. Ne restez pas là à vous faire geler !

Mary remonta la robe de poil et se blottit contre Daniel.

Au retour, Daniel laissa la bride sur le cou de Chipette et tout le monde s'endormit, bercé par les irrégularités du chemin.

***

La nuit suivante, de leur caverne, les Smith entendirent des hurlements et des hennissements. Daniel se leva en vitesse et étira le cou à l'extérieur. Une vision d'horreur le glaça jusqu'aux os : une meute de loups s'attaquait à sa jument attachée à un arbre. Daniel sortit son fusil et tira un coup en l'air. Les loups détalèrent aussitôt, mais la bête, mordue à une patte, saignait. Tout le reste de la nuit, Daniel dut combattre le sommeil pour surveiller le retour des loups.

***

Le lendemain, Mary regardait son mari qui défaisait l'entrée de sapinage.

— Que fais-tu là ? dit-elle. Nous allons geler tout rond.

— Je rentre la jument avec nous, lui expliqua Daniel, encore un peu et elle se faisait dévorer par les loups. Ici dedans, en plus d'être protégée des bêtes sauvages, elle réchauffera notre abri. Comme le bœuf et l'âne de la crèche, ajouta-t-il, souriant.

— Il n'y a pas de place ici dedans. En plus, ça va sentir le fumier à plein nez, rétorqua Mary en grimaçant.

— Tu t'y feras. De toute façon, nous n'avons pas le choix. Je n'ai pas acheté un cheval pour nourrir les loups, mais pour charrier mon bois et servir à mes déplacements. Tu sais, encore deux semaines et je commencerai à équarrir mes arbres à la hache.

Mary voyait bien que Daniel détournait la conversation.

Malheureusement, Chipette ne pouvait entrer dans la caverne, le plafond était trop bas. Daniel, déçu, referma l'entrée de sapinage.

– Les loups vont revenir, ils ne renonceront pas à leur proie comme ça. Cette nuit encore, je vais monter la garde, et demain, je vais agrandir notre terrier.

Mary pliait comme toujours, mais jamais son amour ne faiblissait. Elle avait choisi de suivre Daniel au bout du monde et elle tiendrait le coup. Il faut dire que, malgré ses entêtements, elle avait une faculté d'adaptation qui répondait assez facilement aux situations nouvelles.

***

Le lendemain, Daniel creusa au pic et à la pelle, mais s'attaquer à la terre gelée n'était pas facile. Après quelques efforts éreintants il appuya ses outils à un arbre. Il tenta de faire entrer Chipette, mais la bête refusait d'avancer. Les oreilles dans le crin, les babines tremblantes retroussées, Chipette, dans une rigidité de fer, n'avançait pas d'un pouce. Mary, appuyée dos à un érable, regardait la scène. Daniel fit une autre tentative.

– Mary, prends un peu d'avoine dans ta main, place-toi au centre du terrier et essaie d'attirer Chipette vers toi.

Daniel laissa Chipette se détendre un peu et la commanda de nouveau, mais toujours sans résultat.

– Tu vois, lui dit Mary, même les bêtes refusent d'entrer dans ce trou de malheur.

Bien décidé à faire obéir sa pouliche, Daniel brisa une branche souple et s'en fit un fouet. Comme il allait fouailler sa bête, il entendit un éclat de rire dans son dos.

C'était son voisin, Adam O'Sullivan. Le garçon, les bras croisés, l'observait depuis un moment.

— Arrête ça, dit-il. T'arriveras à rien de bon en malmenant ta bête ; tu vas juste réussir à la rendre nerveuse. Enlève-toi de là. Je vais m'en occuper.

O'Sullivan fit tourner la pouliche et la commanda :

— Harrié, harrié donc !

Chipette recula docilement dans le terrier.

Daniel resta béat. Il raconta à Adam la visite des loups.

— Chipette a été mordue à une patte.

— Tu vas devoir la panser, lui dit Adam, pour que sa plaie ne s'infecte pas, sinon, tu vas la perdre.

— Mary, dit Daniel, essaie de me trouver une guenille pour bander la patte de Chipette.

— Je n'ai rien qui peut servir de pansement.

— Tu n'aurais pas une bande de tissu dans ta valise ?

— Non.

— Ni un vêtement que tu pourrais tailler ?

— Je ne vois pas. J'ai une jaquette, mais je vais en avoir besoin à la naissance du petit.

— Va la chercher ; il faut absolument envelopper la plaie. Ça coûtera moins cher d'acheter une jaquette neuve qu'un cheval.

Mary obéit à contrecœur, elle ne se décidait pas à se départir de sa robe de nuit, elle qui avait apporté très peu de vêtements de Cobh. Daniel lui avait bien promis de lui en acheter une neuve, mais elle n'avait qu'à se rappeler la couverture de laine que sa mère lui avait payée et conseillé d'acheter à New York. Daniel avait toujours repoussé l'achat par manque de temps, sans méchanceté bien sûr, mais depuis, l'occasion ne s'était pas encore présentée.

Mary sortit sa robe de nuit de sa malle et mesura une lisière d'environ quinze centimètres qu'elle déchira, contre son gré, au bas du vêtement. Ainsi, elle pourrait s'en servir de nouveau après l'avoir ourlée. C'est avec tristesse qu'elle tendit le morceau de tissu à Daniel.

Adam aida Daniel à panser la pouliche, puis il lui proposa :

— Si tu veux, je peux t'aider à construire un petit abri, dit-il, quelque chose de rudimentaire en attendant une écurie. À deux, ce sera l'affaire d'une journée et ta pouliche sera protégée des bêtes sauvages. Mais pour ça, il te faudra prendre un peu de bois de ta maison.

— Je ne pensais jamais avoir tant besoin de toi, Adam. Finalement, tu as bien fait de refuser d'échanger ta terre contre celle de Césair.

— Ne te réjouis pas trop, le prévint Adam. Je te laisse t'installer et ensuite ce sera à ton tour de me rendre la pareille.

Adam O'Sullivan était seul, il vivait chez un cultivateur qui comprenait peu sa langue. Sa seule distraction était de fréquenter Laura, mais les fêtes terminées, les jeunes filles de la campagne allaient s'engager comme bonnes à Montréal et rapportaient leurs gains à la maison paternelle. Adam passait donc tout son temps à s'occuper des Smith. Le petit couple attendait un enfant et c'était pressant pour eux de s'installer. Adam voyait venir le jour où ce serait lui qui profiterait des bontés des Smith en demeurant chez eux. Alors, ce serait le temps de bâtir sa maison. Adam attendait ce moment pour demander Laura en mariage.

***

Un attelage passait sur le sentier. C'était tout un événement. Mary et Daniel se précipitèrent à l'extérieur.

Byne cria : « Wô ! » et son attelage s'arrêta net.

— Avez-vous des commissions ? cria Byne. Je m'en vais à Saint-Jacques.

Il sortit un papier qui servait à noter les commandes de tout un chacun.

— Je n'ai presque plus de farine, dit Mary.

Daniel en commanda cinquante livres et il paya d'avance. Byne demanda ensuite si quelqu'un avait des lettres à poster. Mary s'empressa de lui remettre une lettre adressée à sa mère.

— Des nouvelles des autres ? s'informa Daniel.

— Je suis pressé ; je n'ai pas le temps de jaser. Je m'arrêterai au retour s'il n'est pas trop tard.

Byne continua son chemin. Toute la journée, Mary attendit impatiemment son retour. Avec un peu de chance, peut-être que Byne lui rapporterait une lettre d'outre-mer.

CHAPITRE 10

On était le 31 janvier 1832.

La nuit était noire et froide. Mary laissa échapper une plainte, se retourna et se rendormit. Au bout de vingt minutes, elle sentit une nouvelle contraction aux reins, puis une autre. Les douleurs se suivaient à un rythme lent, mais régulier. La jeune femme s'assit sur son tas de sapinage qui lui servait de paillasse et secoua Daniel.

— Ça y est, dit-elle, envahie par une grande inquiétude, me voilà rendue au bout de mon temps.

Daniel se leva en vitesse et alluma le fanal.

— J'attelle Chipette, dit-il, et je vais aller chercher la sage-femme.

— Non, ne pars pas, Daniel, je t'en supplie. J'ai peur d'accoucher seule et de perdre mon bébé.

— Ne t'énerve pas, tout va bien aller.

Daniel sauta dans son pantalon et boutonna sa braguette quand il s'aperçut qu'il l'avait mis à l'envers. « Tout pour me retarder », pensa-t-il.

Mary, sur le point d'accoucher, se sentait plus seule que jamais, au fond des bois, loin du monde, loin de sa mère. À chaque contraction, elle se penchait, portait les mains à ses flancs et faisait un effort suprême pour se redresser.

– Amène-moi avec toi, Daniel, je ne veux pas rester seule ici, j'ai peur des loups.

– Je vais te laisser mon fusil.

Cette fois, Mary, désemparée, s'imposa.

– Tu m'emmènes, Daniel Smith, ou je vais te suivre à pied.

Quand Mary nommait son mari par son nom de famille, c'était qu'elle n'était pas d'humeur à rire.

– Ça va, dit-il, ça va. Habille-toi.

Daniel revêtit sa longue veste et sa tuque, chaussa ses bottes et sortit sur la neige dure.

– Attends-moi ici, je ne serai pas long.

Mary, de plus en plus nerveuse, tremblait et claquait des dents. De par ses contractions répétées, elle prenait conscience que le temps courait plus vite qu'elle ne l'aurait voulu. Et ce n'était qu'un début : plus les minutes passaient, plus les crampes se rapprochaient. Elle enfila son manteau, enroula un châle autour de sa tête, glissa ses mains dans ses mitaines et sortit attendre Daniel à l'extérieur par le pire froid d'hiver. Il faisait nuit noire dans la forêt épaisse. Mary grelottait, collée à un arbre, dos au vent, les mains rentrées dans ses manches. Elle piétinait pour empêcher ses pieds de geler. À tout bout de champ, elle sortait les mains de leur cachette pour resserrer le col et les pans de son manteau que son énorme ventre tenait ouverts et, le cou engoncé dans ses épaules, tout son corps tremblait de froid et de nervosité.

Rien ne bougeait dans la forêt si ce n'était quelques craquements de branches causés par le froid et Daniel, plus loin, qui commandait sa bête.

Daniel trouva Mary adossée à un arbre, le manteau ouvert. Il couvrit Chipette de la robe de carriole puis il passa un bras autour des épaules de Mary.

Daniel cacha son énervement derrière des mots tendres :

– Viens, ma belle Mary, on va faire une petite promenade à cheval tous les deux.

Il aida sa femme à monter sur Chipette en amazone et sauta à califourchon derrière elle. Il secoua les rênes et commanda sa bête au trot sur le long sentier qui menait au village. Mary sentait l'haleine tiède de Daniel sur son cou. Ils avaient dix milles à parcourir, vent de face, pour se rendre chez la sage-femme.

Daniel essayait de garder son calme, mais à chaque douleur, Mary, la voix tremblotante, lui demandait d'arrêter sa monture le temps d'une contraction et d'une autre. Daniel n'écoutait rien, il filait sans tenir compte de son mal. Ce n'était pas par méchanceté : les douleurs étaient tellement rapprochées que, selon lui, la naissance n'allait pas tarder. Et toujours ce froid de campagne qui leur brûlait la peau. À mi-chemin, Daniel décida de s'arrêter à la prochaine maison en vue.

Il colla sa bête au perron, aida Mary à mettre pied à terre et la conduisit à la porte en la soutenant du bras.

En pleine nuit, il se mit à frapper à coups de poing à la porte d'inconnus, en criant à s'époumoner :

– Ouvrez ! Vite ! Ouvrez !

Il recula en vitesse pour s'assurer que la maison était habitée. Sur le toit, la cheminée fumait.

Daniel cogna plus fort et cria : «À l'aide ! S'il vous plaît ! Aidez-nous !» Pas de réponse.

Soudain, une faible lumière se fit à l'intérieur. Puis un homme en combinaison de nuit ouvrit la porte toute grande devant eux. Il tenait une lampe à l'huile à la main.

— Ma femme est sur le point d'accoucher, dit Daniel, et elle n'a pas le temps de se rendre plus loin.

Par leur parler étranger, l'homme devina que les visiteurs nocturnes pouvaient être des Irlandais qui faisaient partie du dernier contingent arrivé de l'automne.

— Entrez! dit l'homme.

Et il recula d'un pas pour laisser passer le couple.

La maison était chaude en dépit du vent qui hurlait aux fenêtres.

En voyant la jeune femme enceinte grimacer et se plier en deux, l'homme déposa sa lampe sur une corniche qui faisait saillie au mur et lui approcha une berçante.

La lumière jetait une douceur dans la grande cuisine. Une femme de bonne stature, enveloppée dans une jaquette blanche, sortit à son tour de la chambre qui faisait dos au poêle.

— Mon Dieu! dit la femme, interdite, en apercevant la jeune femme qui tremblait de tous ses membres.

Elle tapota son poignet pour la rassurer.

— Ne vous inquiétez pas, ma petite dame, on va s'occuper de vous.

Mary ressentit aussitôt un grand soulagement d'être reçue chez des gens aussi attentionnés à son endroit. Elle se sentait maintenant en confiance; sans doute parce qu'elle n'était plus seule.

La femme ouvrit la porte avant du poêle et déposa deux quartiers de bois sur la braise.

Pendant que Daniel aidait Mary à enlever son manteau et à retirer ses bottes, une autre crampe plia la jeune femme en deux. Elle laissa échapper une longue plainte.

La femme fila à sa chambre et revint avec une couverture de laine qu'elle passa au dos de Mary et ramena devant elle.

La contraction passée, Mary leva les yeux. Une petite fille se pointait en haut de l'escalier et, comme gênée de se trouver en présence d'une étrangère, elle disparut aussitôt au bout du passage. Sa mère monta fermer sa porte de chambre et lui dit : « Dors, on va soigner le bobo de madame. »

Une fois dans l'escalier, la femme ferma la trappe sur elle.

Mary s'en voulait d'avoir réveillé toute la maisonnée.

Puis vint une autre contraction, cette fois accompagnée d'un hurlement qui emplit la maison.

La dame dit à son mari :

— Je ne connais rien aux accouchements, mais y faudra bien que l'enfant sorte de là. Va chercher madame Préville et dis-lui de s'amener au plus vite.

L'homme fit signe à Daniel de le suivre. Celui-ci le talonna, un peu inquiet, mais à la fois soulagé de quitter la maison et de ne plus entendre les hurlements de Mary.

Le bon Samaritain attela sa jument à un boghei chaussé de patins hauts et les deux hommes montèrent à bord. En route, Daniel apprit que son hôte se nommait Gilles Desrosiers et que lui et sa Marie-Louise avaient une mignonne fillette de huit ans, Louise.

Madame Préville demeurait à dix milles des Desrosiers. Deux heures plus tard, l'attelage ramenait l'accoucheuse et les deux hommes.

Les femmes s'enfermèrent dans la chambre.

De la cuisine, on n'entendit plus que les cris terrifiants de Mary.

— Mon Dieu que c'est long! dit-elle, épuisée.

Plus l'heure de l'accouchement approchait, plus Mary avait peur.

Après six heures de souffrances, un tout petit garçon, issu d'un grand amour, voyait le jour. Mary pleurait de joie et d'épuisement.

On invita le père à entrer dans la chambre.

Daniel, ému jusqu'à l'âme, ne pouvait détacher sa vue de ce petit être tout neuf.

Mary se pâmait d'admiration devant son bébé.

— Le crois-tu, Daniel? Il n'y a pas de mots qui puissent traduire cette joie infinie que je ressens à donner la vie. C'est le plus beau jour de ma vie. Un petit enfant tout neuf, fait de nous deux.

Daniel embrassa Mary, prit son fils dans ses bras et l'appuya sur sa poitrine. L'émotion étranglait sa voix.

— Maintenant, dit-il, rentrons à la maison.

Comme il allait aider Mary à se lever, la femme s'interposa entre eux et expliqua par gestes que la maman devait rester alitée et qu'il lui faudrait revenir la chercher dans dix jours.

Ce fut un immense soulagement pour Daniel qui ne connaissait rien aux maternités. Il considérait ces dix jours de relevailles comme un cadeau pour Mary qui allait être servie en reine.

La dame conseilla ensuite à Daniel d'aller tout de suite au presbytère de Saint-Jacques demander le baptême pour son enfant.

— Il faudra aussi demander à Césair et à Alyson d'être compère et commère, ajouta Mary.

***

Au petit matin, Daniel partit chercher les parrain et marraine, Césair et Alyson. Pour se rendre chez les Desrosiers, Daniel devait parcourir dix milles, cinq s'il prenait un raccourci. Alyson monta en amazone sur Chipette. Daniel et Césair passaient devant la bête et abattaient les branches basses et les arbustes pour ouvrir un sentier. Il faisait un froid de loup. Sitôt rendus chez les Desrosiers, Alyson descendit de selle, les pieds gelés.

Le groupe se colla au poêle pour emmagasiner un peu de chaleur, avant de prendre le chemin qui menait au village.

— Prenez ma voiture, leur offrit Gilles Desrosiers, elle sera plus confortable que votre chignole ; il vous reste encore plus de vingt milles pour vous rendre à l'église de Saint-Jacques.

Comme merci, Daniel serra la main de Gilles. Puis il sortit atteler sa pouliche à la charrette.

Dans la cuisine, Marie-Louise déposa une bûche sur les braises. Elle sortit des tasses de l'armoire et les leva à la hauteur des yeux. Les arrivants semblaient comprendre le langage des gestes.

Après quelques mois passés au pays, Alyson, qui demeurait dans une famille irlandaise établie au pays depuis quelques années, se débrouillait de mieux en mieux en français.

— Vous avez bien le temps de boire un café chaud pendant que monsieur Daniel va atteler, dit-elle. Ça va vous réchauffer les intérieurs.

Le café servi, Marie-Louise prépara deux biberons de lait de vache coupés d'un peu d'eau et les remit à Alyson pour nourrir le bébé pendant le long trajet.

L'enfant était couché sur le lit, tout près de sa mère qui avait peine à s'en séparer.

Mary embrassa son bébé et le passa aux mains de la marraine. Alyson regardait tendrement l'enfant dans sa robe et sa cape en tricot blanc.

— Votre petit John est beau comme un ange, dit-elle.

— J'espère qu'il ne prendra pas froid, ajouta Mary.

Sitôt ces paroles dites, sa lèvre inférieure se mit à trembler.

— Inquiétez-vous pas, je vais en prendre bien soin, promit Alyson.

Alyson l'enroula dans de bonnes couvertures et promit à Mary :

— Je vais le tenir caché sous la robe de carriole.

Le petit groupe se rendit à l'église au son joyeux des grelots.

Madame Leblanc, la porteuse, les attendait à la sacristie.

Le curé baptisa l'enfant sous les noms de John, Frédéric, Joseph. Il portait le nom de John, mais madame Leblanc, ainsi que Marie-Louise Desrosiers, le prénommait Jean, ce qui faisait sourire Daniel.

***

Au retour, Chipette s'élança sur le chemin de la maison, sans besoin d'être guidée. La noirceur tombait sur la campagne et, chez les Desrosiers, Marie-Louise faisait les cent pas de la porte à la fenêtre. Elle s'inquiétait; Daniel, Césair et Alyson n'étaient pas rentrés. Mary résistait au sommeil. Selon elle, il aurait été plus facile au curé de se déplacer et de baptiser chaque enfant dans sa famille. Mais non, les prêtres préféraient introduire les nouveau-nés très tôt dans la maison de Dieu.

Au bruit de pas précipités sur le perron, Mary s'écria:

— Ce sont eux!

Alyson entra la première avec son précieux trésor dans les bras.

— Enfin, vous voilà! s'exclama Marie-Louise. On va pouvoir respirer.

— Notre John a fait ça comme un grand, dit Alyson, il n'a pas pleuré de la journée, il n'a même pas laissé échapper un cri lors du baptême. Mais là, prenez-le quelqu'un que j'enlève mon manteau.

Marie-Louise s'avança, prit l'enfant des bras d'Alyson et l'embrassa sur le front.

— Il tient sans doute de ses parents le goût des voyages, dit Marie-Louise qui, tout en parlant, glissait une main sous les couvertures. Il est encore tout chaud. Je vais changer sa couche et le rendre à sa maman.

La table, couverte d'une nappe blanche, était dressée comme pour la grande visite.

Gilles Desrosiers quitta sa chaise et recueillit les manteaux.

– À table tout le monde! dit-il en gesticulant. À l'heure qu'il est, vous devez avoir l'estomac creux.

Le repas de baptême se déroula dans la plus grande simplicité, mais pour les Smith, c'était le summum. Les Desrosiers ne leur devaient rien. Daniel et Mary avaient échoué chez ces gens par pur hasard et ceux-ci les avaient reçus à bras ouverts, sans ménager leurs efforts et leur dévouement, comme si Mary était leur propre fille. Il fallait voir combien Marie-Louise s'était éprise du bébé, comme si c'était le sien.

**

Daniel passa à la chambre dire un bref bonjour à Mary qui avait eu peine à se séparer de son enfant pendant si longtemps.

La naissance avait épuisé Mary. Elle se demandait comment elle arriverait, dans sa caverne, à se débrouiller avec un si petit bébé lors des plus gros froids d'hiver quand, ici, le poêle chauffait à plein régime et gardait la maison chaude. Elle se sentait tellement confortable dans le lit de plumes moelleux, avec son bébé près d'elle.

– Pauvre Daniel, dit-elle, comment vas-tu t'arranger pour tes repas?

Daniel la rassura en tapotant sa main.

– Ne t'inquiète pas, je ne mourrai pas de faim.

– J'aimerais que tu viennes me faire une petite visite de temps en temps.

– Promis! Je viendrai le soir. Repose-toi bien.

Il faisait nuit noire quand Daniel reprit le chemin de sa caverne, le cœur rempli de cette joie inexplicable qui accompagne la naissance d'un enfant. Il ne sentait pas le froid lui engourdir le visage. Sur le chemin du retour, il sifflait.

***

Le sixième jour, Mary ressentit une soif intense. Elle tremblait, claquait des dents et disait qu'elle faisait de la fièvre. On la soigna aux herbes, mais les décoctions n'arrivaient pas à faire baisser sa température.

Chaque matin après sa toilette, Mary demandait son enfant, mais on refusait de le lui rendre par crainte de contagion. Mary, privée du besoin maternel de nourrir son enfant et de le tenir dans ses bras, remontait la couverture sur son visage et pleurait en silence. Ses larmes épuisées, elle redevenait souriante avec son entourage.

Mary refusait toute nourriture. Daniel la voyait dépérir. Le lit semblait vide tant sous la courtepointe le corps était amaigri. Seul un faible souffle révélait une présence.

Le neuvième jour, la fièvre devint si forte que la maman se mit à divaguer tout haut de choses qui n'avaient pas de sens. On dut demander le médecin.

À son arrivée, le docteur Chartrand enfila sa blouse blanche et fila directement à la chambre. Il trouva la jeune femme dans un état lamentable : sa température était anormalement élevée et son pouls, irrégulier. La malade était très agitée.

Le médecin ferma doucement la porte derrière lui et revint à la cuisine parler au mari.

— La petite maman a une fièvre puerpérale, dit-il, une infection due à un streptocoque qui se déclare quelquefois à la suite d'un accouchement. On ne connaît malheureusement pas le remède. Je ne vous cacherai pas que sa vie est en danger. Préparez-vous au pire ; votre femme n'en a plus pour longtemps.

— Il n'existe pas un onguent ou une pilule qui pourrait guérir son infection ?

— Malheureusement pas.

Daniel était atterré. Lui qui pensait qu'un simple médicament aurait suffi. Mary n'avait que vingt-deux ans, elle ne pouvait pas mourir ; elle n'avait pas l'âge. Que deviendrait-il sans elle ? Et le petit John, sans sa mère pour s'en occuper ? « Non, se dit Daniel, Mary ne mourra pas. Parfois, les médecins se trompent. »

Il entra dans la chambre, qui sentait mauvais à cause de l'infection. Il s'assit sur le côté du lit et prit la main de Mary, brûlante de fièvre. Même s'il refusait de le croire, Daniel était bien conscient que l'état de Mary empirait.

— Prends tout le temps qu'il faut pour te reposer, Mary, et ne t'inquiète surtout pas pour le petit ; ici, il est bien entouré, bien soigné.

Daniel parlait seul ; Mary semblait dormir. Il lui tourna le dos et, les coudes sur les genoux, la tête dans les mains, il resta là, à réfléchir à ce que serait sa vie sans Mary. Puis il s'en voulut de s'apitoyer sur son sort alors qu'il avait toute la vie devant lui, tandis que, à ses côtés, Mary terminait la sienne. Comme il regrettait de l'avoir amenée vivre dans un « trou », comme disait Mary, pour en fin de compte terminer sa vie loin des siens. Elle ne verrait jamais sa maison, ni son enfant grandir.

Daniel négligeait son travail pour rester le plus longtemps possible auprès de sa femme. Chaque jour, il se rendait chez les Desrosiers prendre des nouvelles fraîches de Mary. Il la tenait dans ses bras et lui parlait de la vie de ferme qui les attendait sur le chemin du lac Marchand.

– Au printemps, nous planterons des patates entre les racines des arbres.

Il l'embrassait, mais pas comme il l'avait si souvent rêvé; ses gestes étaient plus tendres que passionnels, et au moment où il la crut endormie, il déposa sa tête en douceur sur son oreiller.

Daniel profita du sommeil de Mary pour se pencher au-dessus du berceau et siffler doucement un long trait. Chaque fois, l'enfant cessait tout mouvement et ses yeux bleus suivaient le son. «Comme ma petite sœur Susana, dans le temps», se dit Daniel. Il savait que le petit John reconnaissait son père. Quand les Desrosiers se rendaient à l'étable pour leur train, il le berçait à grands coups d'arceaux grinçants.

***

Un jour, en rentrant de l'étable, madame Marie-Louise aperçut à travers la vitre Daniel qui tenait le bébé dans sa main grande ouverte et qui le levait à bout de bras dans les airs. Le bébé, les bras étendus, tenait difficilement sa tête levée. Daniel lui disait: «On va faire l'avion, mon John.» Et le bébé dans sa grosse main, Daniel faisait de grands cercles au-dessus de sa tête. Marie-Louise, témoin de son geste, poussa un cri et se précipita en trombe dans la cuisine. Elle prit l'enfant des mains de Daniel et colla délicatement sa petite tête contre sa joue.

— Ne faites pas ça, monsieur Daniel, Jean est trop petit pour ce jeu. Vous allez le rendre nerveux.

Daniel resta abasourdi.

— Votre enfant est un nourrisson et les nourrissons sont craintifs. Ils ont besoin de se blottir tout contre leurs parents, de sentir leur chaleur pour leur accorder leur confiance.

Marie-Louise semblait lui en vouloir, mais pourquoi? Avait-il bien compris? Sa mère ne lui avait jamais fait un reproche, pourtant, il faisait la même chose avec sa petite sœur.

La femme déposa de nouveau le bébé dans les bras de son père.

Daniel regrettait son geste. Il colla son fils tout contre son cœur et le promena lentement de long en large dans la cuisine. Il le bécotait en lui disant: «Un bec pour papa, un bec pour maman et un bec pour John.» Ensuite, il s'assit sur la berçante et lui chanta des berceuses jusqu'à ce que le petit s'endorme dans ses bras.

***

Au souper, Marie-Louise ajoutait régulièrement un couvert à sa table, spécialement pour Daniel.

Après le repas, celui-ci passait à la chambre faire manger Mary, mais elle repoussait toute nourriture. Daniel déposait l'assiette sur le pied du lit et tenait la main de Mary. Elle avait peine à garder les yeux ouverts tant le mal l'affaiblissait. Daniel lui parlait sans savoir si elle l'écoutait, puis il la serrait contre lui et s'en retournait sur son lot. C'était le moment le plus difficile pour Daniel qui se retrouvait seul avec ses pensées. La vie le malmenait. Avec la maladie de Mary, il perdait l'espoir, l'énergie et l'intérêt de leur début. «Mary diminue de jour en jour, se dit-il après son départ. Qu'arrivera-t-il de mon pauvre petit, sans sa mère pour s'en occuper?»

CHAPITRE 11

Vingt jours après la naissance de John, Daniel, assis en silence, au chevet du lit, sentit Mary plus agitée, comme si une lutte s'engageait dans son âme. Il la prit dans ses bras et appuya sa tête enfiévrée au creux de son épaule. Après quelques minutes, elle sembla se calmer. Comme il déposait un baiser sur son front, les yeux de Mary se fermèrent et son âme s'envola vers le ciel. Daniel déposa doucement sa tête sur l'oreiller, prit sa main glacée dans la sienne et la couvrit de baisers et de larmes.

C'était fini. Lui qui pensait qu'elle recouvrerait la santé. Le médecin l'avait prévenu, mais il avait gardé espoir jusqu'à la fin, et la fin venue, il se sentait perdu.

Sous le coup de la grande épreuve, il passa à la cuisine demander à Marie-Louise d'allumer un cierge béni. Celle-ci se mit à pleurer comme une mère qui a perdu sa fille.

***

On exposa la dépouille dans le salon des Desrosiers.

Le décès d'une jeune mère était un triste événement qui touchait toute la communauté, principalement les Irlandais qui vivaient serrés, au fond de leur campagne.

Tous avaient le cœur en peine. Ils défilaient lentement devant la tombe de Mary qui semblait dormir et ils serraient la main de Daniel. Quand vint le tour des Malarky, Daniel tomba dans les bras de Césair.

— Mary est partie pour ne plus revenir, dit-il, la bouche tordue de douleur. Elle ne verra pas le printemps, ni notre maison. J'en veux au bon Dieu de me l'avoir volée. J'ai besoin d'elle plus que Lui.

Césair ne connaissait pas les mots de consolation. Il se contenta de l'écouter.

Margaret Malarky, qui n'avait que neuf ans, était tout émue. Elle recula, un peu gênée d'être témoin de la peine de Daniel. C'était la première fois qu'elle voyait un homme pleurer. Dans sa tête de fillette, elle pensa : « Cet homme doit être très sensible. » Elle le trouvait bon.

— Que ferez-vous de l'enfant ? demanda Alyson.

Daniel répondit, la voix étranglée par des sanglots retenus :

— Je ne pourrai malheureusement pas m'en occuper ; un enfant, ça demande du temps et j'ai tellement à faire pour m'installer.

— Je pourrais, moi, dit Alyson, je suis sa marraine.

— Oui, maman, insista Margaret en frappant ses mains l'une contre l'autre. Oui, oui !

— Mais vous demeurez chez des étrangers et vous êtes déjà quatre. C'est bien aimable à vous, mais madame Desrosiers m'a offert de le garder. Elle l'adore. Elle voulait même l'adopter. Naturellement, j'ai refusé net. Un enfant, ça ne se donne pas. John est à moi et il le restera toujours. Il est tout ce qui me reste du passage de Mary dans ma vie.

Daniel trouvait un certain avantage à laisser son enfant aux Desrosiers. C'était la maison où John était né et madame Marie-Louise avait la main. Et plus encore, Daniel se sentait bien à l'aise d'aller y visiter son fils chaque jour.

***

Ce matin-là, on entendit la voix lugubre du glas qui pleurait un deuil.

Comme la terre était gelée, on déposa le corps de Mary dans le charnier du cimetière. Sa dépouille serait enterrée au dégel du printemps.

Restait à Daniel la pénible tâche d'aviser les Thompson du décès de leur fille Mary. Le veuf dut s'y prendre à trois reprises, pour s'abandonner chaque fois au désespoir.

Finalement, il se décida :

Chers beaux-parents,

Il m'est très difficile de vous écrire aujourd'hui. Si mon écriture est mauvaise, veuillez ne pas en tenir compte ; c'est que je ne peux contrôler ma main qui tremble.

Il y a trois semaines, Mary vous écrivait pour vous annoncer la naissance de notre fils, John. Malheureusement, aujourd'hui, les nouvelles sont tristes. Je ne sais trop comment vous annoncer ce qui est inimaginable sans vous causer une grande souffrance.

Après avoir dépassé les bornes de la vie humaine à chercher le bonheur au bout du monde, votre fille Mary est décédée d'une infection, à la suite de la naissance de notre enfant. Je peux vous assurer que nous avons, les Desrosiers et moi, été aux petits soins pour elle. Mary est morte dans mes bras. Je crois qu'elle n'a pas vu venir sa fin, sinon elle aurait laissé un message pour vous, ses parents.

Vous ne pouvez imaginer à quel point j'aimais votre fille, aussi, j'éprouve un grand ressentiment de ce départ.

Sa dépouille repose depuis ce matin dans le charnier du cimetière de Saint-Jacques. Si j'ai attendu deux jours pour vous écrire, c'est que j'en étais incapable. La seule pensée de vivre sans elle m'est horrible.

Même en manque de sa mère, notre fils se porte bien. Il prend un peu de poids. Soyez assurés que je veille étroitement sur lui. Il est sous les soins de madame Desrosiers, la dame chez qui Mary a accouché. Elle adore John. Elle m'a demandé de le lui donner en adoption. J'ai refusé, naturellement. Je vais le bercer tous les jours.

Mes sympathies à vous, chers beaux-parents, et à Caterina.
Je partage votre douleur.
Daniel

Daniel sécha sa lettre avec un buvard et la glissa dans l'enveloppe.

CHAPITRE 12

C'était la débâcle. Les glaces flottaient librement sur les lacs et les chemins de terre détrempés se défaisaient.

Daniel remisa sa voiture d'hiver pour celle d'été. Il roulerait désormais plutôt que de glisser.

Il revenait de chez les Desrosiers. Le fond du ciel était barbouillé de nuages gris ardoise. Chipette n'avait que quelques milles à marcher dans les ornières boueuses pour ramener Daniel dans sa caverne où il se retrouvait chaque soir, seul avec ses pensées tristes qui toutes rejoignaient Mary.

Il mena Chipette à la petite écurie située à quelques pas seulement de son terrier. Il détestait se retrouver seul chez lui à penser à Mary, à ruminer sa peine, même s'il savait que c'était inutile, que rien ne lui ramènerait sa femme. Comme il aurait eu besoin des siens dans ces moments douloureux, d'une oreille pour écouter tout ce qu'il gardait en dedans. Il s'assit sur une souche et resta là, à pleurer amèrement jusqu'à ce que le ciel pleure avec lui. Comme il entrait se mettre à l'abri de la pluie, il entendit crier : «Wôôô!» «Qui, se dit-il, peut bien se promener sous la pluie en pleine nuit?» Il s'attarda un moment à l'entrée de sapinage. Les visites lui procuraient chaque fois un soulagement à sa douleur, une distraction passagère.

C'était Adam, son voisin, qui courait chercher refuge dans sa grotte.

— Il mouille en verrat, dit-il.

— Je ne comprends pas ce que tu dis.

— C'est ce qu'on dit par ici quand la pluie est forte.

— Qu'est-ce qui t'amène ? As-tu des nouvelles des nôtres ?

— Non, je reviens de chez Laura. J'arrête en passant, voir comment tu vas. Je m'inquiétais pour toi.

— Pour moi ? C'est bien aimable de ta part. C'est toujours agréable de voir du monde.

Adam, transi, frissonnait.

— Je me demande ce qui te retient dans ton terrier. Trouve-toi donc une famille chez qui loger. Peut-être les Desrosiers ; leur maison est grande pour une famille de trois. Il y aura plus de vie et de chaleur dans une maison que dans ce trou humide.

— Je n'ai plus le cœur à rien depuis que Mary n'est plus là, se plaignit Daniel. La vie est une saloperie.

— Mais non. Tu traverses une mauvaise passe. Dis-toi que c'est temporaire, qu'un jour le soleil brillera de nouveau. Veux-tu que je te cherche un bon foyer où habiter ?

— Non. Madame Marie-Louise m'a offert de demeurer chez elle et j'ai refusé.

— Pourquoi ?

— J'aime bien mon indépendance, faire ce que je veux, quand je veux et comme je veux.

— T'aurais pas dû refuser, Daniel, même si ce n'est que temporaire. C'est mauvais pour toi de passer tes soirées seul. Ça fait bien trois mois que tu rumines la mort de Mary, comme si ça pouvait te la ramener. Ce n'est pas comme ça que tu vas arriver à t'en sortir. Laisse les morts avec les morts, et les vivants avec les vivants.

Daniel n'ajouta rien ; Adam ne pourrait comprendre.

– On dit que de pleins navires d'Irlandais sont attendus à Québec, dit Adam. Je me demandais si tu étais au courant.

– Non ! Qui t'a dit ça ?

– Les nouvelles arrivent par les curés.

– C'est plutôt curieux ; personne ne m'en a fait allusion dans les lettres.

– Comme les navires doivent venir de chez nous, ils nous amèneront peut-être de la parenté ou des connaissances.

***

Depuis que Mary n'était plus, chaque soir Daniel se rendait chez les Desrosiers passer un peu de temps avec son fils, ce qui lui permettait d'alléger sa peine pendant une heure ou deux. Ces moments créaient une solide amitié entre lui et les Desrosiers, tout en lui permettant de se familiariser avec la langue du pays.

Depuis quelques semaines, le petit John pleurait sans cesse. Marie-Louise disait que l'enfant perçait des dents. Alyson disait : « Donnez-lui à manger, le lait ne suffit pas. » Pourtant, quand Daniel approchait, l'enfant cessait net de pleurer pour écouter, comme s'il reconnaissait le pas de son père. Daniel le soulevait dans ses bras et une immense tendresse illuminait son regard.

***

L'été arrivé, Daniel continua de dépérir.

Byne, Kenneth et Malarky, venus lui rendre visite, constatèrent que son moral était au plus bas. Daniel, qui aimait blaguer, ne riait plus, parlait peu et maigrissait. Son travail était resté au point mort depuis le départ de Mary. Le jeune veuf avait perdu tout intérêt pour sa terre et sa maison, ce qui était plutôt étonnant, lui qui avait la réputation d'être un travailleur acharné et joyeux. Seul son fils le tenait en vie.

— Tu te laisses aller, lui fit remarquer Césair Malarky. Secoue-toi un peu.

— À quoi bon vivre à présent, sans Mary?

— Tu as ton enfant.

— Un enfant sans une mère pour s'en occuper.

— Tu auras beau faire, Mary ne reviendra pas. Et que deviendra ton fils si tu vas rejoindre sa mère? Il serait seul au monde! Tu devrais penser à refaire ta vie. Tu es encore jeune et en santé. Et puis, à ne rien faire d'autre que ruminer et te laisser abattre, ta maison n'avance pas.

— Une maison pour vivre seul, marmonna Daniel, ça ne m'intéresse pas.

— Trouve-toi une femme.

Daniel ne voulait pas d'une femme; il aurait voulu la sienne, Mary Thompson, aucune autre. Il faisait le sourd. Personne, même ses amis, ne pouvait deviner la souffrance qu'il vivait intérieurement. Il leur aurait fallu traverser la même épreuve pour comprendre.

***

Ses amis se donnèrent le mot pour l'aider. Ils demandèrent la permission au curé de faire une corvée trois dimanches d'affilée pour monter sa maison. Comme la charité chrétienne était en cause, le prêtre accéda à leur demande.

Le premier dimanche, une dizaine d'hommes s'amenèrent avec scies et marteaux. Obligatoirement, Daniel participait. On le commandait, on lui demandait des clous, des outils, des bardeaux, et cette occupation le soumettait à un entraînement obligé. Ce fut l'élan dont le veuf avait besoin pour réagir.

La maison prit forme rapidement. Elle était rectangulaire avec un toit pentu recouvert de bardeaux de cèdre. Après trois semaines, Daniel put y vivre sans confort, mais elle était de beaucoup préférable à son terrier. Il avait un toit solide sur la tête et du feu dans son foyer. Lentement, il monta le squelette des quatre chambres à coucher.

– Cette semaine, lui proposa Adam, si tu allais au moulin faire scier tes épinettes en petites planches en «V», je t'aiderais à plafonner tes chambres et à fermer tes murs intérieurs.

Daniel se laissait pousser par les décisions des autres. Il commença par fermer la chambre de John. Il retrouvait peu à peu un intérêt, une énergie nouvelle.

Il mit tout l'été à terminer sa maison. Il posa même à la fenêtre de la chambre de John des contrevents en planches qui bloquaient la lumière et permettraient à l'enfant, lors de ses visites chez lui, de dormir plus tard, le matin. Daniel avait pris soin de tailler dans chaque battant un trèfle, qui était l'emblème des Irlandais. Cette bonne initiative lui valut des éloges de la part de ses amis. Finalement, Daniel répéta le trèfle à tous ses contrevents, ce qui ajouta un agrément à sa maison. À l'occasion, il aidait ses voisins, ce qui était un juste retour des choses, et ceux-ci l'invitaient à leur table.

Les nouveaux colons avaient droit à une vache laitière, mais avant, il fallait un coin pour la loger. Toujours avec l'aide de O'Sullivan, Daniel s'attaqua à la construction d'une étable.

— Tu pourras loger ta vache ici en attendant que tu sois installé.

— Si c'est comme ça, demain, nous irons formuler notre demande. Ça presse si on veut en avoir une deuxième au printemps. Lachapelle a promis de nous aider.

— Et si nos bêtes arrivent avant la fin de ma construction ?

— Tu demanderas à Desrosiers de les loger pour quelques semaines. Je suis sûr qu'il ne te refusera pas ce service.

— Encore quémander ! soupira Daniel.

Le fait de trimer dur engourdissait sa douleur. Le soir venu, fidèle à son habitude, Daniel se rendait régulièrement chez les Desrosiers pour passer un peu de temps avec son fils.

À la fin de la journée, il se couchait tellement fatigué qu'il s'endormait dès que sa tête touchait l'oreiller. Il ne lui restait plus de temps pour s'apitoyer sur son sort.

***

Le soleil de septembre tapait encore de tous ses feux.

Plus rien n'arrêtait Daniel qui engourdissait sa peine dans le travail.

Il commençait à creuser un puits qui amènerait l'eau à la grange quand il entendit des voix. Il se retourna et vit deux hommes barbus aux cheveux longs. Il reconnut les frères Baptist et Mark McGowan, les deux jeunes Irlandais qui faisaient partie des quarante exilés lors de la traversée et qui s'étaient engagés au port de New York. À peine les avait-il reconnus que les garçons se jetaient dans ses bras.

— Vous deux, enfin ! Ça doit faire bien proche un an que nous nous sommes perdus de vue. Dernièrement, on parlait de vous. On se demandait si, un jour, vous donneriez signe de vie.

— Nous devions trimer dur au port, raconta Baptist. Tous les matins, au lever, nous nous demandions ce que nous faisions là, à écouter gueuler et sacrer des gros fiers-à-bras à longueur de journée. Alors nous nous sommes dit : « Si c'est possible d'obtenir des lots qui seraient un bien en propre, pourquoi ne pas en profiter ; nous pourrions travailler à notre compte. » Comme nous sommes des frères, nous avons droit à des terres voisines. On nous a dit que c'était un privilège pour les gens de même famille. C'est papa qui va être content ; il craignait tellement que nous nous perdions de vue.

— Le chemin a été long, reprit Mark ; nous n'en voyions pas le bout. Il faut dire que nous n'étions pas pressés, nous avons couché deux nuits pendant le trajet.

— Vous n'avez pas pensé à vous acheter un cheval ou un bœuf et une voiture ?

— Bien sûr, mais comme nous ne connaissons rien aux bêtes, nous avons décidé d'attendre.

— Moi, je suis crevé, se plaignit Mark, et j'ai des ampoules aux pieds, grosses comme des œufs.

Daniel sourit.

— Par ici, on appelle ça des orteils, Mark.

Daniel invita les McGowan à entrer. Les garçons se pressèrent d'enlever leurs chaussures déformées par les chemins impraticables.

— Ça va être beau chez toi, dit Mark, et ça sent bon, le bois neuf.

Daniel, fier de sa construction, se contenta de dire :

— Pour un gars qui, auparavant, n'avait jamais tenu un marteau dans ses mains !

— Comme nous, Daniel. Il y a un commencement à tout.

— Je ne vous cacherai pas que j'ai eu beaucoup d'aide des amis, d'Adam O'Sullivan surtout. Nous avons dû nous presser de construire mon étable avant les premières neiges. Si nous réussissons à passer la saison froide sans manger notre vache, le printemps prochain, nous aurons droit à une deuxième.

— J'aurais besoin de laver mes vêtements, dit Mark.

— Oui, ça se sent, mon gars. Il y a le lac Marchand sur le même chemin, vous pourrez en profiter pour vous saucer, même si l'eau est un peu froide. C'est par là, expliqua Daniel en pointant le doigt. Plus loin, vous allez apercevoir le lac. Quand vous laisserez le chemin, suivez le sentier en terre battue. Tout au bout, vous verrez une petite plage, où une chaloupe rouge est attachée à un arbre. Vous ne pourrez pas le manquer.

Daniel leur présenta un morceau de savon du pays, un don de Marie-Louise Desrosiers.

— Vous me le rapporterez, c'est le seul que je possède.

— Qu'est-ce qui se passe de neuf depuis le temps qu'on s'est perdus de vue ?

— L'hiver a été pas mal dur, dit Daniel, Mary est décédée au mois de février.

Daniel avait peine à parler tant les émotions refluaient en lui.

— Ce n'est pas vrai? Pas la belle madame Mary? Morte de quoi?

— Des suites de la naissance de notre fils. Hé oui, elle m'a laissé un fils, John. Ici, tout le monde le nomme Jean. Il est beau comme sa mère.

Daniel changea de sujet; les McGowan étaient trop jeunes pour les affliger avec la mort alors que ceux-ci étaient à l'âge des amours, de la santé, de la vie.

— Adam O'Sullivan possède la terre voisine de la mienne, dit Daniel. Depuis quelques jours, il demeure ici, le temps de construire sa maison.

— Sullivan, ce serait pas le gars au nez plat?

— En effet! La petite famille Malarky est installée à un mille d'ici. Quand je dis « installée », c'est exagéré. Ils sont propriétaires d'une terre, mais ils n'ont pas de maison. Il y a aussi Élizabeth et Hugh Caroll, ces deux-là sont encore comme des oiseaux sur la branche. Hugh a bûché tout son bois de charpente. Je me demande ce qu'il attend pour bâtir sa maison. Il veut peut-être le vendre, ou bien il mijoterait un autre projet, comme Malarky qui parle de fonder un commerce. Je ne vous dirai pas lequel; c'est un secret. En attendant, sa famille loge chez un colon, un Irlandais de souche, un certain Lewis, supposément le temps de monter sa maison. Dès que Césair a un peu de temps libre, il aide Lewis sur sa ferme. Au printemps, sa femme Alyson a semé du blé sur sa terre, comme ça, à la volée, entre les arbres. Elle voulait s'assurer que ses grains pousseraient bien. Comme c'est une terre neuve, ils ont bien poussé.

— Ça bouge pas mal par ici à ce que j'entends.

— On dit que Murphy aurait une blonde. Je ne sais pas si la nouvelle est fondée ; Murphy est tellement menteur. Ce serait une fille de par ici. Comme il ne comprend pas le français, je suppose qu'ils se parlent avec les mains.

La réflexion de Daniel fit éclater de rire les frères McGowan.

— Je veux dire par gestes, se rétracta Daniel.

— C'était à prévoir, dit Mark. Les mariages entre étrangers vont commencer. Il n'y aurait pas un cœur à prendre dans les alentours ? Si les filles sont belles, je serais intéressé.

— Je ne pense pas. On dit que les filles vont s'engager comme bonne dans des familles de la ville pour aider leurs parents financièrement. Tu serais peut-être plus chanceux au village, mais comme tu vois, le village est très loin. Ici, c'est le bout de la paroisse, comme on dit, le fond des bois. Ce sont toutes des jeunes familles. Mais tu ne ferais pas mieux de te construire une maison avant de penser aux filles ?

— Rien ne m'empêche de faire les deux à la fois.

Daniel pensait autrement, mais il n'insista pas ; il n'était pas son père pour lui dicter sa conduite.

CHAPITRE 13

Le temps des fêtes approchait. Marie-Louise Desrosiers accrochait des cocottes et des petites maisons en carton à son sapin de Noël.

Chaque année, à tour de rôle, ses douze frères et sœurs recevaient la famille. Ces fricots étiraient le temps des fêtes jusqu'aux jours gras.

Marie-Louise Desrosiers prévoyait recevoir soixante-deux convives pour le jour des Rois. Elle inviterait Daniel à se joindre à eux ; le veuf devait se sentir très seul, vu que cette année il fêterait son premier Noël sans sa femme. Tous les siens le connaissaient ; depuis le séjour de Mary chez elle, il faisait un peu partie de la famille. Depuis un an, il venait chaque jour rendre visite à son fils John et, régulièrement, les Desrosiers l'invitaient à partager leur souper.

Daniel tenta poliment de refuser l'invitation de Marie-Louise, alléguant le fait qu'il ne voulait pas ambitionner sur sa générosité et qu'il ne se sentirait pas à l'aise de s'immiscer dans le cercle familial des Desrosiers.

— Le jour du fricot, dit-il, je viendrai chercher John pour vous laisser à vos préparatifs.

Mais Marie-Louise, qui lui préparait une intrigue galante, insista tellement que, par politesse, Daniel se sentit gêné de refuser son invitation.

***

Au souper des Rois, Marie-Louise lui avait réservé intentionnellement une place à la table près de Laurette Desrosiers, sa belle-sœur. La pauvre fille de vingt-cinq ans n'avait pas encore trouvé à se caser. Cette Laurette était une grande gigue, un peu empêtrée.

En apercevant sa voisine de table, Daniel eut tout de suite l'impression que Marie-Louise jouait le rôle d'entremetteuse. Il n'était pas intéressé par cette fille, pas plus qu'il n'avait le goût de festoyer, mais il devait rester poli ; il devait tant aux Desrosiers. Ceux-ci lui avaient tendu une main secourable à l'accouchement de Mary, et ce, pendant sa maladie et jusqu'aux funérailles, sans jamais rien attendre en retour. Ces gens étaient devenus presque une famille pour lui. Mais de là à fréquenter cette Laurette… Daniel aurait aimé se voir loin. Aux fêtes, il se sentait plus seul encore devant le bonheur des couples. Le visage de Mary lui revenait pendant que les invités se taquinaient. Sa blessure saignait encore. Il restait assis, le petit John sur ses genoux. Il le laissait piger à pleines mains dans son assiette. Daniel léchait les petits doigts qui éparpillaient sa nourriture un peu partout. John en avait jusque dans ses belles boucles blondes. Daniel demanda une débarbouillette qu'il passa dans les cheveux de l'enfant.

Laurette se sentait mal à l'aise devant la famille qui surveillait ses moindres gestes et paroles. Elle parlait peu et Daniel ne l'encourageait pas à s'épancher. Cependant, il restait poli, il lui passait les plats et lui disait des banalités tout en évitant son regard. Les autres parlaient, plaisantaient, riaient, mais Daniel s'ennuyait.

Le souper se déroula assez bien jusqu'à ce que les femmes desservent les tables. Sur l'appui de chaque fenêtre, on avait posé des bougies pour avertir que les gens de la maison étaient là, toujours prêts à ouvrir leur porte. Une de ces bougies rouges se déplaça au passage des enfants et mit le feu aux rideaux puis au sapin de Noël placé tout près. L'arbre devenu sec s'enflamma brusquement, propageant une clarté fulgurante, comme un éclair qui emplit toute la pièce.

Trois fillettes, dont Louise, la fille de la maison, se trouvaient coincées tout au fond du salon où on avait monté des tables d'appoint pour l'occasion. Effrayées, les deux premières criaient à fendre l'âme, tandis que Louise, frappée de stupeur, restait comme paralysée. Pendant que les hommes s'occupaient à lancer des seaux d'eau sur les flammes, Daniel passa son fils aux bras de Laurette.

– Sortez-le vite d'ici, dit-il.

Le petit John pleurait et tendait les bras vers son père. Laurette n'arrivait pas à le calmer.

Daniel enjamba les chaises en vitesse, souleva Louise dans ses bras et la transporta à la cuisine d'été où l'air était respirable. La fillette cherchait son souffle. Daniel avait l'impression qu'elle allait suffoquer. Il la déposa dans les bras de son père et sortit en vitesse chercher le médecin.

À son retour, le feu était éteint et la petite Louise avait rendu l'âme.

Le médecin attesta le décès.

— L'enfant a eu trop peur, son cœur n'a pas tenu le coup.

— Pauvre petite, dit Daniel, elle est restée paralysée devant les flammes.

— Si elle avait crié comme l'ont fait les deux autres, dit le médecin, ses cris l'auraient probablement sauvée.

Daniel reprit son fils des bras de Laurette. Le petit John, le visage inondé de larmes, pleurait à gros sanglots. Sa figure était toute boursouflée. Daniel le moucha et le consola.

Les parents de Louise étaient atterrés. La belle fête des Rois que Marie-Louise avait mis tout son cœur à préparer avait tourné au drame. Celle-ci hurlait, comme une femme en couches, et le père, des larmes plein les yeux, tenait la main froide de sa fille unique. La fillette n'avait que neuf ans.

✳✳✳

Grâce aux visites fréquentes rendues aux Desrosiers, Daniel commençait à se familiariser avec le français.

Il proposa à Marie-Louise de laisser son fils à Alyson, pour lui laisser vivre son deuil en paix.

— Avec tout le va-et-vient des funérailles, et les réparations causées par l'incendie, vous aurez beaucoup à faire. Ça vous soulagera un peu.

— Non. Jean est chez lui ici. Un déplacement pourrait déranger ses habitudes de vie. Ailleurs, il pourrait se réveiller la nuit et se sentir perdu. Non, au besoin, je demanderai l'aide de Laurette.

« L'aide de Laurette! » pensa Daniel. Cette fille n'avait même pas su calmer son fils le temps qu'il aille chercher le médecin au village, et Marie-Louise lui proposait de le laisser sous sa surveillance.

***

Le lendemain, Daniel passa chez les Desrosiers prendre son fils.

– Donnez-moi son habit de neige, je vais le sortir et le ramener ce soir.

Daniel était invité chez les Malarky. Dès son arrivée, Margaret lui prit l'enfant des bras. La fillette s'occupait de John comme l'aurait fait une bonne mère; elle lui enleva son habit de neige en le cajolant, en lui faisant répéter des mots.

Tout en préparant le repas, Alyson profita du fait que Margaret était distraite pour raconter:

– Quand le petit John est ici, il n'y a pas moyen de le bécoter; Margaret ne laisse personne s'en approcher. Elle qui n'a jamais fait de cas de sa poupée. Dans le temps, je me disais qu'elle ne ferait pas une mère affectueuse, mais maintenant, à la voir agir, je pense tout le contraire.

– C'est une fille sage et réfléchie pour son âge, reprit Daniel. Margaret doit être ce qu'on appelle une vieille âme.

Daniel avait raison, Margaret regardait les gens au fond des yeux, comme si elle y découvrait leur âme.

***

À l'âge de deux ans, John courait dans la maison et ne mouillait plus sa culotte, ce qui permettait à Daniel de l'amener plus souvent passer du temps chez lui ou chez Césair.

Pour Daniel, c'était toujours la solitude. Ses amis lui cherchaient une compagne. Ils prétendaient qu'un homme ne pouvait vivre seul, que ça prenait une femme pour préparer les repas, entretenir la maison et s'occuper des enfants.

Césair Malarky était maintenant propriétaire d'un moulin à scie. Comme il ne suffisait pas à remplir ses commandes, il engagea Murphy.

Ce dimanche-là, Malarky passa prendre Daniel pour la messe. Il avait attelé son cheval à une belle voiture d'été à deux sièges, haute sur roues. Sur la banquette avant se tenaient sa femme et Braden. Daniel s'installa sur le siège arrière près de Margaret et celle-ci, confiante, appuya la tête sur son épaule et sommeilla pendant tout le trajet. Daniel ne bougea pas pour ne pas la déranger. À l'église, Margaret s'assit à ses côtés. Cette confiance que lui accordait la fillette éveillait chez lui un sentiment paternel.

Après la messe, le vicaire attendit Daniel dans la sacristie.

— On parle de vous dans la place, dit le prêtre. Tous vos amis s'inquiètent à votre sujet. On dit que vous vous ennuyez beaucoup depuis le décès de votre épouse.

— Je crois que c'est normal.

— Bien sûr, mais maintenant que votre deuil est terminé, avez-vous songé à vous remarier? On dit qu'il n'est pas bon que l'homme soit seul.

— Sincèrement, monsieur le vicaire, non! Le mariage n'est pas une préoccupation pour moi. Du moins, pas pour le moment.

– Je pourrais vous présenter une jeune fille pieuse et en santé, une demoiselle Ducharme. Son père est un cultivateur de la place. C'est une bonne personne, dit le prêtre, tout ce qu'il y a de plus honnête, mais elle manque un peu de confiance en elle. Ça lui prendrait un homme solide comme vous sur qui s'appuyer.

«Encore une Laurette Desrosiers», supposa Daniel. Aucune femme ne pourrait remplacer Mary dans son cœur. Il refusa.

– Je ne suis pas prêt à m'engager de nouveau, dit-il.

– Quand vous serez prêt, dit le prêtre, faites-le-moi savoir.

– Si vous tenez absolument à caser cette demoiselle, il y a deux des nôtres qui seraient peut-être intéressés. Ce sont les frères McGowan. Les garçons viennent d'arriver au pays et ils sont à la recherche de filles à marier.

– Vous les inviterez de ma part à participer à la kermesse qui aura lieu au mois d'août. Ces festivités sont souvent propices à des rencontres. Chaque année, des couples se forment.

– Je leur ferai savoir.

Sur ce, Daniel serra la main du curé et se retira.

CHAPITRE 14

Ce matin-là, Alyson initiait sa fille à son rôle de maîtresse de maison. Elle lui apprenait à tuer une poule et à conserver les plumes pour bourrer les oreillers.

— À ton âge, dit-elle, comme maman était décédée, c'était moi, l'aînée de la famille, qui tenais maison, mais pas le portefeuille qui, je suppose, devait être très plat. Nous étions pauvres. Papa, qui était un grand buveur, n'a plus travaillé après le départ de maman qui l'a laissé, découragé, avec cinq enfants. J'ai dû apprendre très jeune à me débrouiller, à cuisiner avec très peu de moyens. Mes frères et sœurs levaient le nez sur le peu de nourriture que j'apprêtais : de la galette de sarrasin et des crêpes à répétition. Moi, je ne disais rien pour ne pas éterniser les chamailleries. Je te dis que nous en avons mangé, de la sauce, de la blanche et de la brune, avec des patates ! Je n'ai pas connu ce que c'était de m'amuser avec mes sœurs. C'était le travail, toujours le travail.

— Pauvre maman, dit Margaret.

— Puis j'ai rencontré ton père. J'ai refusé de l'épouser ; il m'aurait fallu abandonner mes frères et sœurs. J'ai continué ma vie d'enfer pendant encore sept ans avant de marier ton père.

— Vous avez eu la vie dure.

– Oui, ma fille! Dans le temps, je ne me posais pas de questions ; je subissais mon sort sans rien dire. J'ai fait mon devoir et je ne regrette rien. Aujourd'hui, je connais le bonheur et je sais l'apprécier.

Margaret essuya ses mains sur son tablier et embrassa sa mère.

– Braden et moi, nous sommes chanceux d'avoir notre mère, dit-elle, mais John, lui, non.

– Celui-là, au moins, son père s'en occupe bien.

Margaret resta quelques minutes sans parler. Elle fixait sa mère.

– T'es donc bien sérieuse, ma fille! À quoi penses-tu donc?

– J'aime Daniel.

– Daniel qui?

– Daniel Smith.

Alyson était sidérée. Margaret ne disait plus « monsieur Daniel ».

Alyson regarda sa fille d'un œil différent. Elle s'était bien rendu compte cette dernière année que le corps de Margaret avait pris une tournure élégante, avec de jolies formes, pleines, généreuses, parfaites, mais sans plus. Alyson voyait toujours en sa fille une âme d'enfant. Maintenant, il n'avait fallu que deux petits mots pour lui causer une grande inquiétude. Alyson craignait que ces amourettes d'adolescente ne soient le présage d'un amour à sens unique et peut-être d'une peine d'amour.

– Tu n'y penses pas? Daniel a trente-deux ans et toi, treize. Il pourrait être ton père.

– Trente-deux ans, dit-elle, c'est pas cent ans. L'autre jour, je l'ai entendu dire que j'étais une vieille âme.

Alyson laissa son travail de côté et s'assit sur le petit escalier extérieur. Elle arrachait le duvet des poules qui lui collait aux mains.

— Viens t'asseoir près de moi, qu'on prenne le temps de respirer un peu.

— Et qu'est-ce qu'on fait des plumes ?

— Laisse-les sécher au soleil. Si j'étais toi, lui conseilla sa mère, je me laisserais vieillir un peu avant de penser au mariage. Prends le temps de bien choisir avant de t'attacher.

— C'est ça aussi, je prends mon temps, répondit Margaret.

— Tu sais, la vie est longue quand les couples ne sont pas heureux. Les mariages sont souvent orageux, chargés de violence, de brutalité, d'injustice.

— Je l'aime, maman.

— Tu t'entêtes pour rien ; Daniel ne veut pas d'une autre femme dans sa vie. Il a été très clair là-dessus. Combien de fois ton père lui a suggéré de se remarier pour donner une mère au petit et tenir sa maison. Le curé aussi lui en a parlé et combien d'autres. Daniel a toujours refusé.

— C'est que tout le monde était trop pressé de le marier. Daniel devait mourir à son premier amour avant de s'engager de nouveau.

Sa mère l'écoutait raisonner en adulte malgré ses treize ans. Et toujours ses « Daniel par-ci, Daniel par-là ». Que de familiarités !

Margaret connaissait bien Daniel ; depuis des années, elle l'analysait. Elle allait quitter le petit escalier quand sa mère la retint par la manche de sa robe.

– Attends un peu, Margaret, lui dit-elle. Je crois que tu es en train de te préparer un gros chagrin. J'ai juste un conseil à te donner, ne parle pas de tes sentiments à Daniel, il se moquerait de toi et, ensuite, tu souffrirais de son rejet.

– Bon! Allons, dit Margaret, notre travail a déjà trop traîné.

***

À quatre ans, John passait la majeure partie de l'hiver avec son père qu'il suivait sur les talons, autant à l'étable qu'aux commissions.

Tôt le matin, Daniel alla chercher Margaret pour surveiller John pendant qu'il s'absenterait pour aider Adam à terminer sa maison.

John, tout content, se jeta dans les bras de Margaret et se pendit à son cou jusqu'au départ de son père, comme s'il craignait que celui-ci change d'idée.

Au retour, quand Daniel rentra chez lui, il trouva une cuisine en ordre, la place balayée, le repas préparé et Margaret qui amusait John avec des dames qu'elle lui faisait monter en cheminées, en prenant soin de séparer les noires des rouges. L'enfant connaissait déjà ses couleurs.

– Tu peux rester à souper avec nous, si tu veux, l'invita Daniel.

– Oui, comme ça, je vais pouvoir laver la vaisselle et remettre la cuisine en ordre.

– Et moi, pendant ce temps, je vais écrire à mes parents.

– On dit que près de deux mille Irlandais doivent bientôt s'embarquer pour le Canada. Des bateaux pleins de gens dans la misère accosteront à Québec dans les semaines qui viennent.

Daniel dévisagea Margaret, un sourire étonné, figé sur ses lèvres. Où cette petite jeune prenait-elle tous ces renseignements ?

— Tu sais ça, toi, à douze ans ?

— Pas douze. Treize ! C'est madame Lewis qui l'a appris par courrier. Des bateaux doivent partir de Cobh sous peu. Je me demande s'ils ramèneront des voisins ou de la parenté.

Daniel pensa tout de suite à son cousin, Nicolas Carter, qui n'avait pas pu faire la traversée avec lui sur le *Scotland*, faute d'argent.

— Je vais écrire aux miens et je te reviens là-dessus, promit Daniel.

— Les bateaux risquent d'arriver avant que vous receviez une réponse.

Daniel trouvait que Margaret raisonnait en adulte.

— Dis donc, toi, n'as-tu vraiment que treize ans ?

— Oui, mais on dit que j'en parais quinze.

Daniel sourit. À son âge, Margaret avait déjà des mouvements souples, gracieux, sensuels.

Avant de conduire John à son lit, Margaret l'initia à lacer ses cordons de bottines. Comme les mains de l'enfant manquaient de dextérité, Margaret dut abandonner.

— Finalement, John, ce n'était pas une bonne idée, dit-elle. Plus tard, tu auras tout ton temps.

Et Margaret prit l'enfant dans ses bras et se roula par terre avec lui, à gauche et à droite. Tous deux riaient aux éclats. Margaret était tout échevelée et son roulement sur elle-même laissait voir son jupon, ce qui ne passa pas inaperçu de Daniel qui vit ses jambes blanches et ses cuisses fermes. Personne n'eût rien pu deviner de ce qui se passait en lui. Il ressentit une de ces émotions, comme un tremblement de terre! Quand Margaret tentait de se relever, John la tirait vers lui et elle recommençait son roulé-boulé. À bout de souffle, elle se releva, la figure rouge comme une pivoine, et s'écria:

— Hep! Au lit, John.

Elle monta border John, après quoi, elle dit à Daniel:

— Bon! Moi, je vous laisse, je m'en retourne à la maison.

— Tu ne vas pas marcher un mille à pied? Tu vas arriver chez toi à la grande noirceur.

— Je n'ai pas le choix.

— Je ne peux pas te laisser partir comme ça; je vais aller te reconduire chez tes parents. Pendant que je vais atteler Chipette, va chercher John en haut et apporte-lui une petite couverture.

— Une couverture?

— C'est que le soir, c'est toujours plus frais.

— Pauvre petit! Je vais devoir le réveiller.

— Il se rendormira dans la voiture.

Margaret, qui craignait la noirceur et les bêtes sauvages, ne se fit pas prier.

Daniel prit son fils sur ses genoux et ramena la couverture sur lui. Margaret s'assit à son côté. Daniel sentait la chaleur de son épaule. Il ne bougea plus. C'eût été le froid, la chaleur, tout ce qui était sa chair l'excitait. Il rêvait de la prendre dans ses bras, mais elle était si jeune.

— As-tu un petit ami? demanda Daniel. Je veux dire un amoureux?

— Oui.

– Je le connais ?

– Oui.

– C'est qui ?

– Je ne peux pas en parler, ma mère me le défend. Elle me trouve trop jeune pour m'amouracher ; ça fait que je garde le secret dans mon cœur.

– À te regarder aller, je suis sûr que tu vas faire une bonne mère de famille. Tu es débrouillarde, sérieuse et propre.

– Tout le monde me dit ça. Le travail de maison me plaît bien.

Daniel lâcha une rêne et lui donna une tape amicale sur la main.

– Je t'aime bien, dit-il.

Margaret, cédant à l'élan mystérieux de son cœur, appuya sa tête sur l'épaule de Daniel qui aperçut une douceur de rêve au fond de ses yeux. Elle avait une manie d'appuyer la tête sur son épaule qui lui rappelait Mary dans le temps. Il entendait sa respiration. Allait-il se laisser gagner par la jeune et charmante Margaret ? Elle avait la stature d'une jeune fille, mais elle n'avait pas l'âge. Était-il en train de devenir fou ?

Arrivée chez elle, Margaret sauta de voiture. Elle disparut comme le rêve, pour revenir le lendemain, comme la réalité.

***

Ce soir-là, au retour, la lune brillait dans la nuit noire. Le temps fraîchissait.

Daniel allongea le petit John sur le siège de la voiture avec mille précautions pour ne pas le réveiller. Il détela sa jument, puis reprit son fils dans ses bras. Il entra dans sa maison vide et silencieuse. Le babillage et l'entrain de Margaret lui manquaient. Tout lui parlait d'elle chez lui, le plancher reluisant, les vitres scintillantes, la cuisine rangée. C'était tout juste s'il n'entendait pas ses chansonnettes résonner de haut en bas de sa maison. Et John l'adorait.

Un changement s'opérait en Daniel. Il se sentait comme un petit poisson qui veut remonter le courant contre la force d'une rivière. C'était la première fois qu'il entrait chez lui sans penser à Mary.

Il monta son fils à sa chambre et descendit l'escalier en trottinant. En passant devant le poêle, il mit une bûche sur le feu et, malgré l'heure tardive, il sortit une tablette, une plume et écrivit à sa mère.

Chère maman,

Comment allez-vous ? Et papa ? J'espère que son travail au port ne le fatigue pas trop. Parlez-moi davantage de Susana dans vos lettres. John a maintenant l'âge qu'elle avait à mon départ. Si je ne me trompe, elle est rendue à huit ans. Je me demande si je la reconnaîtrais ; mon départ date d'un bon cinq ans et les enfants changent beaucoup à cet âge. Et les autres ? Peter, Patrick et Oliver ? Est-ce qu'Elisa a un ami de cœur ?

Ici, tout le monde s'évertue à me trouver une femme, ce qui fait rire le vieux garçon que je suis devenu.

Daniel s'arrêta, la plume levée, à penser à Margaret qui faisait presque partie de sa vie. Il hésitait à en parler à sa mère, la seule à qui il aurait aimé se confier. Elle qui, depuis la fin de son deuil, lui conseillait de refaire sa vie. Mais non, elle le trouverait fou, et avec raison, si elle savait que Margaret n'avait que treize ans. Il trempa sa plume dans l'encrier et la laissa courir sur le papier.

Je suis toujours seul avec mon John. Si vous le voyiez, maman, comme il est beau et intelligent! Je l'ai fait prendre en photo. Dès que je la recevrai, je vous l'enverrai. Vous me direz à qui il ressemble.

J'aimerais que vous me donniez des nouvelles des Thompson et de Nicolas Carter. Je viens d'apprendre que deux mille Irlandais, des gens dans la misère, vont quitter leur pays pour le Canada. Depuis que je sais, je vis sur des charbons ardents. Deux mille, ce qui veut dire une dizaine de navires. Je me réjouis à la seule pensée que la famille de Nicolas ou quelques-uns des miens puissent être du nombre. Répondez-moi vite. Je pourrais en accueillir dans ma grande maison.

Bons baisers à tout le monde et particulièrement à papa et à vous, chère maman.

Votre fils, Daniel

Daniel plia les petites feuilles et les déposa sur la table avec l'intention de les poster le lendemain.

CHAPITRE 15

Alyson frappa chez Daniel.

– Oui, entrez donc! s'écria la petite voix claire de John.

Sur le perron, Alyson et Margaret riaient d'entendre le petit John répondre en employant les mêmes mots et le même ton que son père. Margaret entra la première et, aussitôt, John s'élança dans ses bras.

– Où est ton papa? demanda Margaret.

John pointa un petit index vers le plafond.

Margaret laissa tomber son gilet sur une chaise et invita sa mère à en faire autant quand Daniel apparut en haut de l'escalier avec des draps plein les bras.

– Vous êtes bien matineuses aujourd'hui; un peu plus et vous me surpreniez au lit. Prenez une chaise le temps que j'arrive, dit-il. Je ramassais les draps à laver dans la chambre de John.

Daniel n'était pas descendu que déjà Margaret s'occupait de préparer du thé. Elle essuya la table du déjeuner à l'aide d'un torchon humide, puis sortit les tasses comme si elle était la maîtresse des lieux. Elle savait où se trouvait chaque chose.

Alyson reprit ses esprits quand Daniel s'informa:

– Césair n'est pas venu avec vous?

— Il a été retenu à la scierie ; un homme engagé s'est blessé. Il va venir nous retrouver tantôt.

— Ces derniers temps, dit Daniel, on raconte que deux mille de nos compatriotes vont quitter l'Irlande pour venir s'installer au Canada. Je ne sais pas si cette nouvelle est bien fondée, mais elle m'empêche de dormir la nuit.

— Justement, Césair voulait en jaser avec vous. Tenez, il arrive.

Comme Césair entrait, Margaret prit la théière sur le bout du poêle et versa le thé dans les tasses.

— Pendant que vous jasez, je vais laver les draps.

Tout en écoutant les hommes causer, Alyson observait sa fille du coin de l'œil. Margaret avait encore grandi ; à cet âge, la croissance vous joue de ces tours ! L'échine courbée sur la cuvette d'eau chaude, bien installée sur deux chaises, l'adolescente savonnait le linge de lit. Elle s'éreintait à lessiver ; quelques gouttes de sueur apparaissaient à la racine de ses cheveux. Elle pressait les draps de coton entre ses mains pour les essorer sans les tordre. Sa fille accomplissait toutes les actions ordinaires d'une manière extraordinaire parce qu'elle les accomplissait avec amour. Puis la confidence de Margaret lui revint : « Je l'aime. »

Daniel la regardait s'affairer du poêle à la cuve le regard amusé. Margaret portait toujours la même robe qui lui collait au corps parce que le vêtement ne grandissait pas avec elle. Déjà à treize ans, l'adolescente transpirait la sensualité. Le corps penché sur la cuvette de rinçage, elle ajoutait du bleu à lessive pour blanchir le linge.

— Tu travailles trop, lui dit Daniel, viens t'asseoir, les draps peuvent attendre.

— Même de loin, ça ne m'empêche pas de causer.

Depuis quelques semaines, la venue des navires irlandais était sur toutes les langues. Pour les compatriotes, c'était l'excitation. Toutefois, personne ne semblait au courant du moment où les navires accosteraient.

— J'ai bien envie de me rendre à Québec pour les attendre, dit Daniel.

— Ils vont peut-être te ramener une belle petite Irlandaise de là-bas, dit Césair. Qui sait ?

— Je n'en veux pas, rétorqua Daniel, j'en ai déjà une.

Margaret, les mains dans l'eau froide et le cœur dans l'eau bouillante, demeura pétrifiée, jalouse. Elle n'avait jamais vu de fille avec Daniel et elle se demandait bien qui était celle qui allait la déloger de chez lui, elle qui s'était rendue maîtresse des lieux. Ses yeux allaient de Daniel à son père.

— Ah oui ! s'exclama Césair, curieux. Et tu nous cachais ça ? Je la connais ?

— Oui, c'est votre fille Margaret, dit simplement Daniel.

Un silence se fit. Margaret, le souffle coupé, essuya ses mains mouillées sur son tablier, se posta derrière la chaise de Daniel et posa tranquillement les mains sur ses épaules. Sans se retourner, Daniel mit les siennes par-dessus. Il sentit le pouls de Margaret s'accélérer sous ses doigts. Une courte phrase et la vie de Margaret passait de l'enfance au paradis. Elle allait enfin vivre en plein jour ce dont elle rêvait la nuit.

— Margaret est un peu jeune, objecta Césair.

Césair n'avait pas remarqué les changements chez Margaret : sa croissance brusque de fille d'une extrême minceur, son cou fin, ses bras et ses jambes qui n'en finissaient plus d'allonger. Il la trouvait belle avec ses grands yeux toujours baissés sur son ouvrage.

— Je savais que vous diriez ça, papa.

— Margaret est plus mature que tu ne le penses, ajouta Daniel. Et c'est elle qui fait cuire le meilleur petit lard. Si elle accepte de m'épouser, nous ferons des noces.

— C'est à elle de décider de sa vie. Comme je la connais, dit Césair, malgré son âge, Margaret est une fille réfléchie. Elle n'agira pas à la légère. Elle sait ce qu'elle veut.

— C'est oui! dit Margaret sur un ton égal.

Margaret connaissait bien Daniel pour l'avoir observé et analysé pendant des années. Depuis quelque temps, il était redevenu un homme nouveau, plus joyeux. Comme avant la mort de Mary, alors qu'il savait tourner les drames à la légère.

Césair regardait sa fille avec des yeux nouveaux.

— Je veux que tu prennes un certain temps pour bien réfléchir avant de t'engager pour la vie.

— Ça fait longtemps que tout est réfléchi.

— Et moi, ajouta Daniel, je ne suis pas pressé.

— Ça, c'est toute une surprise! dit Césair. Si je m'attendais; Daniel Smith deviendrait mon gendre. Et dire que je n'ai jamais rien vu venir.

— Moi, je savais que Margaret couvait quelque chose, dit Alyson, mais je croyais que ce n'était pas sérieux, que ça allait lui passer.

— Je dois finir ma lessive, dit Margaret, ravie de la tournure des événements.

***

Après la messe du dimanche, Alyson et Margaret entrèrent au magasin Desrochers, pour choisir un patron de robe et cinq verges de voile de coton vert. Le choix de Margaret s'arrêta sur un chapeau en paille de milan à large bord, de couleur écrue, qu'elle agrémenterait d'un ruban vert.

***

À partir de ce jour, Alyson, qui avait une bonne main pour exécuter des travaux de couture, mit toute son application à confectionner la toilette de mariage de Margaret.

***

En ce beau matin du début de juin, les cloches sonnaient neuf heures; elles appelaient les paroissiens à un mariage irlandais.

Margaret paraissait encore plus mince dans sa robe au corsage croisé qui démarquait sa taille fine pour retomber sur ses petits souliers de beu, un vêtement qui obéirait à ses changements de taille et qui serait pratique par la suite pour les grossesses possibles.

Daniel, très droit dans son habit du dimanche, n'accusait pas son âge. Il regardait sa promise s'avancer vers lui, les yeux brillants comme des étoiles. Ce matin, Margaret passait de l'enfance à la maturité, et le bonheur se lisait sur son visage.

La noce rassemblait toutes les familles irlandaises, ainsi que les Desrosiers qui avaient soigné Mary et gardé le petit John, les Leblanc et quelques voisins. Adam et Laura ainsi que Philip et Lucienne étaient du cortège.

Pour l'occasion, la municipalité avait mis la salle paroissiale à la disposition des Malarky.

La veille, chez les parents de la future mariée, les femmes s'étaient rassemblées autour de la table et avaient roulé des boulettes de viande pour un ragoût de pattes de cochon. Marie-Louise avait préparé des tourtières au lièvre. Pauline, la femme du forgeron, avait confectionné un immense gâteau qu'elle avait recouvert d'un glaçage blanc comme neige. Chacun y avait mis du sien. Marie-Louise avait offert de garder John pour toute la semaine, alléguant que les nouveaux mariés auraient besoin d'intimité.

Pendant toute la journée, les chansons et les danses ne dérougirent pas. Margaret, qui était de toutes les danses, se sentait épuisée.

— Mes souliers me font souffrir.

— Enlève-les, lui suggéra Daniel.

Elle obéit. Daniel la serra contre lui et elle posa ses pieds menus sur les siens pour quelques pas. Au bout d'un moment, Daniel la souleva dans les airs et tout devint gracieux.

À minuit, Daniel enleva la mariée et quitta la salle en douce, par la petite porte arrière, pour ne pas être suivi des fêtards. Il souleva Margaret dans ses bras et la déposa dans la voiture. Derrière eux, la musique s'échappait des fenêtres ouvertes. Margaret se coucha en rond de chien, sur la banquette de la voiture, la tête sur les genoux de Daniel pour le long voyage de Saint-Jacques jusqu'à chez eux.

En entrant dans sa nouvelle maison, comme Margaret déposait son chapeau sur la table, Daniel la souleva de nouveau dans ses bras et la déposa sur le grand lit qui les attendait.

Daniel usait de délicatesse envers Margaret. Il la voyait encore fillette et il n'avait qu'à penser qu'elle était encore à l'âge des rêves pour modérer ses ardeurs.

Le matin, Daniel dut se lever pour soigner ses bêtes. Margaret enfouit le nez dans son oreiller pour sentir un reste de présence. Elle ne se décidait pas à se lever. Il le fallait pourtant; aujourd'hui, ils devaient retourner à la salle où la noce allait s'étirer encore pendant deux jours. Il fallait bien manger les restes!

CHAPITRE 16

On jasait dans la paroisse. On était scandalisé. Les femmes, jalouses de voir une petite jeune fille de treize ans, fragile comme de la porcelaine, avec un mari de l'âge de leur homme, se comparaient à Margaret. L'une disait de la nouvelle mariée :

— À treize ans, à l'âge de courir, de rigoler, de s'amuser, cette petite va-t-elle aimer cette vie-là, calme et réglée ?

Et l'autre répondait :

— Il y a de fortes chances que non. Moi, si j'étais sa mère, y a longtemps que j'aurais tiré sur les guides. À moins qu'elle soit enceinte.

Margaret restait indifférente aux ragots des commères.

***

Margaret s'appliquait à enjoliver sa cuisine de fleurs sauvages qu'elle allait cueillir avec John sur le bord du chemin : des marguerites, des pissenlits, qui ensoleillaient les jours gris, ou encore des branches de pommiers ou de cerisiers en fleurs, prémices de l'été. Elle déposait le bouquet de marguerites au centre de la table, les pissenlits sur l'appui de la fenêtre et les branches de cerisiers en fleurs dans le coude de l'escalier. Elle savait ajouter de la beauté aux plus simples choses. Au retour de la cueillette, elle et John emplissaient la maison de leurs chansons. John les savait toutes.

Les gens s'attendaient à voir se désagréger ce couple de presque vingt ans de différence d'âge. Ils disaient dans le dos de Margaret : « C'est une enfant. Encore un peu de temps et elle retournera chez ses parents. » D'autres ajoutaient : « Vous verrez quand elle aura trois petits aux couches que sa maison ne sera pas toujours rangée. »

Puis, l'amour, chaque jour renouvelé, inépuisable, ne tarda pas à faire son œuvre.

Ce soir d'automne, alors que John dormait et que Margaret se retrouvait seule avec Daniel dans l'intimité et le confort de leur maison, elle regardait son mari tenir sa pipe dans sa main droite et tirer doucement pour laisser échapper un filet de fumée qu'il rattrapait par le nez.

— Je suis choyée, dit-elle à Daniel. Nous avons tout ce dont nous avons besoin : une bonne maison, un enfant, et moi, un mari adorable.

Tout en parlant, elle s'approcha de Daniel, s'assit sur ses genoux et passa ses bras autour de son cou.

— À cause de toi, je suis devenue une dame, dit-elle.

— Non, c'est à cause de toi, Margaret ; tu es une petite femme modèle, la plus sage que je connaisse. Tu sais si bien mettre du bonheur dans la maison avec ta joie et ta bonne humeur.

— Comme la femme doit se dévouer à sa famille, autant le faire dans la joie, dit-elle. Tout ce que je veux, c'est le bonheur des miens. Au fond, Daniel, j'ai attrapé tes qualités, comme on attrape une maladie contagieuse.

— Tu vas même jusqu'à laver la voiture et étriller le cheval.

— Aujourd'hui, j'ai le temps, mais quand les enfants naîtront, je céderai ce travail à John.

Margaret prit la main de Daniel et la posa délicatement sur son ventre en faisant «oui» de la tête.

Daniel resta bouche bée. Il pensait à la naissance de John qui avait emporté Mary et il craignait que le drame se répète.

— Tu ne dis rien, dit-elle. Tu sembles déçu.

Daniel ne voulait pas l'inquiéter avec ses prémonitions. Il l'embrassa tendrement.

— Oui, je suis content, Margaret, mais je suis un peu surpris que ça nous arrive si vite. Tu n'as que treize ans.

— Peu importe mon âge. Un enfant, c'est du bonheur.

— Il est prévu pour quand?

— Avril ou mai.

— Ça tombe bien, Adam est rendu dans sa maison, comme ça, nous allons pouvoir passer plus de temps seuls, tous les trois.

***

Margaret prenait le temps de se reposer. Chaque après-midi, elle faisait un court somme, et Daniel considérait ce repos comme étant nécessaire à sa jeune femme pour recouvrer ses forces.

Dans ses temps libres, elle confectionnait des vêtements de bébé et le soir, alors que la pendule battait pour son plaisir, elle se libérait de son travail pour causer avec Daniel jusqu'à l'heure du coucher.

Les époux avaient fait de leur amour un sentiment unique et irremplaçable. Ainsi, pour eux, un instant de bonheur pouvait contenir l'éternité.

CHAPITRE 17

Le 28 avril 1838, tôt le matin, Margaret ressentit ses premières douleurs. Elle dressait la table pour le déjeuner quand Daniel la vit se plier en deux. Il savait que sa grossesse était à terme. Il l'observait discrètement. Elle s'arrêtait, s'assoyait et reprenait son élan, puis elle se penchait de nouveau, les mains sur ses reins.

– Je pense que ça ne file pas trop, hein! Je vais aller chercher ta mère.

– Non, va plutôt chercher la sage-femme.

– J'amène John.

Comme la sage-femme demeurait à dix milles de chez lui, Daniel sauta en selle, se rendit d'abord chez sa belle-mère lui demander son assistance.

Quand il sut Margaret entre bonnes mains, il attela Chipette à la voiture et fila chercher la sage-femme.

***

En entrant dans la maison en ordre, Alyson surprit Margaret pliée en deux devant une pâte à gâteau.

– Dis-moi donc ce que tu fais?

– Je prépare un gâteau; il faudra un dessert pour le baptême.

Sa mère lui ordonna sévèrement de se tenir tranquille et la conduisit à la chambre.

— Repose-toi. Garde tes forces pour ce qui s'en vient.

— Et mon gâteau de baptême ?

— Laisse faire le gâteau ; je vais m'en occuper plus tard. Pense seulement à toi et à l'enfant qui va naître. Je reviens dans la minute avec un bol d'eau pour ta toilette. Commence à te déshabiller.

***

Daniel fit descendre la sage-femme de la voiture et fila à l'étable où il s'occupa de sortir le fumier. Tout pour ne pas entendre crier Margaret. Il se rappelait la naissance de John et les cris insupportables de Mary qui lui arrachaient le cœur.

Margaret grimaçait, mais elle accoucha sans cris, sans difficulté.

Quand Daniel revint à la maison, une petite fille était née. Une adorable blondinette à la figure ronde, avec une petite bouche avancée, comme prête à faire la moue.

Daniel embrassa Margaret sur la bouche et sa fille sur le front.

— Tout le portrait de John à sa naissance, dit Daniel ému.

Margaret, que l'accouchement rapide n'avait pas épuisée, était au septième ciel. Elle s'assit carrée dans le lit. Alyson ne reconnaissait pas sa fille, elle habituellement si tranquille. Elle dut la semoncer de nouveau pour la calmer.

– Quelle imprudence! Allonge-toi, Margaret. Tu sais que tu dois rester dix jours au lit? Je vais les passer avec toi et je vais te surveiller. Ces dix jours sont très importants pour te remettre en bonne forme.

La petite Cathy était une enfant tranquille; elle ne se réveillait que pour ses boires.

Le lendemain, on porta l'enfant à l'église et on la baptisa sous les prénoms de Marie, Cathy, Laura. Les parrain et marraine étaient Adam O'Sullivan et sa promise, Laura Bastien.

CHAPITRE 18

Un soir tranquille de juillet, assis chacun dans une berçante, Daniel et Margaret berçaient John et Cathy. Ils chantaient des refrains de leur pays quand ils entendirent des coups frappés à la porte.

– Oui, entrez donc! s'écria Daniel.

C'était Adam O'Sullivan. Il n'était pas entré qu'il se penchait sur sa filleule. Il chatouilla son menton.

– Elle doit bien avoir trois mois, dit-il.

– Exactement! répondit Daniel. Si tu n'as rien qui presse, prends donc une chaise qu'on jase un peu.

Adam tourna une chaise et s'y assit à califourchon.

– Tu le berces encore, celui-là? Ses pieds touchent à terre.

– J'allais justement le mettre au lit.

– J'arrive de chez Laura. En passant devant votre porte, j'ai vu la lampe allumée et je me suis dit: «Arrête donc chez les Smith leur donner des nouvelles.»

Adam était tout sourire.

– Quelles nouvelles? Envoie, dis! Fais-nous pas pâtir.

– Laura et moi allons nous marier à l'automne! Tu es le premier à qui j'en parle.

– Je l'espère bien: nous sommes voisins et nous avons toujours été comme des frères. Eh bien! Une si belle nouvelle, il faut fêter ça. Bouge pas de là, mon grand, je débouche la bouteille de rhum.

— Comme ça, dit Margaret, encore quelques mois et j'aurai une voisine tout près. J'ai bien hâte.

Daniel offrit un verre à Adam et s'en versa un.

— Vous ne trinquez pas avec nous, Margaret ?

— Non, intervint Daniel, Margaret ne peut pas à cause de son état.

Adam ne renchérit pas ; il ne connaissait rien aux affaires de bonne femme. Il avala lentement une gorgée de rhum, puis retira une enveloppe de sa poche et la tendit à Daniel.

— Tiens, j'ai apporté ta *malle*. Ce n'est pas que je veux écornifler, mais j'ai vu, par le timbre, que ça venait d'Irlande. J'aimerais bien avoir des nouvelles de notre vieux pays.

L'arrivée du courrier était un de ces grands moments où le cœur battait à grande vitesse. Daniel se leva si promptement que sa chaise tomba par terre. Il arracha la lettre des mains d'Adam.

— Moi qui attendais une réponse depuis si longtemps, dit Daniel, tout excité. Bien sûr que je vais te donner des nouvelles fraîches de là-bas si j'en ai. Laisse-moi lire d'abord.

Avec le temps, les nouvelles voyageaient, traversaient les mers pour se rendre jusqu'au fond des campagnes et s'éparpiller de maison en maison. Tout le monde savait, particulièrement les Irlandais de souche, que l'Irlande subissait une grande pauvreté. C'était l'exode. Deux mille immigrants irlandais quittaient leur pays en direction du Canada, un voyage qui devait durer huit semaines.

***

Daniel retira de l'enveloppe des coupures de journaux que, sur sa demande, Nicolas avait ajoutées à sa missive. Il les déposa sur la table avec l'intention de les lire quand il serait seul. Puis il parcourut la lettre en silence quand, tout à coup, l'excitation le gagna. Il se leva comme mû par un ressort et fit un tour complet sur lui-même. Sa bouche et ses yeux riaient. Margaret et Adam riaient aussi de le voir lâcher son fou, sans en connaître la cause.

– Ça y est! s'écria Daniel. Nicolas Carter et sa famille s'embarquent pour le Canada!

Sitôt sa pensée dite, Daniel ne put plus parler tant l'émotion l'étranglait. À voir son visage congestionné, Margaret ne savait pas si son mari pleurait ou s'il riait. C'était sans doute les deux à la fois.

Adam se leva et versa du rhum dans les verres.

– Une si belle nouvelle vaut bien une autre rasade, mon Daniel! Bois, ça va te ramener.

– Avec le temps que met le courrier pour se rendre ici, dit Daniel, les Carter doivent être sur le point d'arriver, s'ils ne sont pas déjà rendus.

– Ce n'est rien de sûr, dit Adam. S'ils sont deux mille, ça prendra près d'une dizaine de navires, si je compte bien.

– On raconte que les traversées sont difficiles, que plusieurs personnes décèdent du choléra. Tous les navires doivent obligatoirement s'arrêter à la station de Grosse-Île, à Québec, pour la décontamination qui dure quarante jours. Je vais aller au-devant d'eux, à Québec.

— Et s'ils font partie de ceux qui s'embarqueront les derniers? dit Margaret. Tu ne pourras pas demeurer éternellement à Québec. Ici, tu as tes animaux à t'occuper. Et puis les Carter ont promis de t'écrire dès qu'ils arriveront au pays.

Au fond, tout ce que Margaret cherchait était d'empêcher Daniel de côtoyer des compatriotes atteints de choléra et ainsi éviter que les épidémies se propagent jusque chez elle, comme c'était le cas pour la ville de Québec qui comptait plus de trois mille morts.

— Et si plutôt tu meublais les trois chambres vides? dit-elle. Nous aurons besoin de quatre lits pour les recevoir. Je vais demander à maman si elle n'aurait pas une poche de plumes de volaille qui dormirait dans son grenier. Je m'en servirais pour bourrer des oreillers.

— Moi aussi, ajouta Adam, je vais devoir penser à tout ça avec mon mariage qui approche. Je n'ai presque rien dans ma maison.

— Par ici, on dit que la fille apporte un trousseau et un set de chambre en se mariant, dit Daniel. C'est une forme de dot.

— Les parents de Laura m'accordent la main de leur fille, je me sentirais mal à l'aise de leur en demander davantage.

— Patientez, monsieur Adam, dit Margaret, vous allez recevoir presque tout ce dont vous aurez besoin en cadeaux de noces.

Adam O'Sullivan se leva.

— Bon! Moi, je me sauve; je ne voudrais pas abuser de votre hospitalité. Toi, Daniel, tu me tiendras au courant des nouveaux développements concernant les prochaines arrivées.

Daniel reconduisit Adam à la porte et fila à sa chambre. Il s'allongea dans son lit, les bras en dessous de la tête, et resta immobile, les yeux ouverts, à penser à son cousin Nicolas, à imaginer leurs retrouvailles. Margaret, langoureuse, se colla contre son mari, mais Daniel se contenta de l'enlacer. Elle voyait bien que l'excitation de revoir son cousin ne laissait pas de place à la passion.

– Dors, Margaret, lui dit Daniel. Il va bientôt être minuit et demain nous irons faire la tournée des amis pour leur annoncer la venue prochaine des navires irlandais.

Daniel avait beau insister, lui non plus n'arrivait pas à dormir, ni cette nuit-là ni les autres.

***

Le mariage d'Adam était pour la semaine suivante et Margaret, enceinte de cinq mois, n'entrait plus dans la belle robe verte que sa mère lui avait confectionnée pour son mariage. Comme il restait un peu de tissu, elle décida de lui donner un peu d'ampleur au corsage et à la taille. Elle commença par découdre le buste. Puis elle forma des plis sous les seins. Margaret était une petite femme débrouillarde qui savait parvenir à ses fins ; elle réussit les retouches.

***

C'était une petite noce de campagne. La mariée était si belle qu'Adam ne cessait de la regarder.

Le repas était servi chez les Bastien. Ce jour-là, les bateaux irlandais commencèrent à accoster et la nouvelle, sur toutes les lèvres, monopolisait l'intérêt des invités. Les accordéons avaient beau jouer, les danseurs les ignoraient. Ceux-ci, fébriles, parlaient en même temps. Chacun espérait la venue d'un parent, d'un voisin. On levait les verres aux nouveaux arrivants, sans savoir qui ils seraient.

CHAPITRE 19

Cork, Irlande, 1838

Pendant qu'en Amérique Adam O'Sullivan et Laura Bastien unissaient leur destinée, de l'autre côté de l'océan, les Carter causaient à voix basse dans leur lit. C'était au petit matin et ils n'avaient pas fermé l'œil de la nuit. Kate pleurait dans son oreiller, et son mari, Nicolas, ne trouvait plus les mots pour la consoler.

C'était leur dernier jour dans leur coquette maison de Cork Harbour; le lendemain, Kate et Nicolas Carter allaient quitter l'Irlande pour le Canada avec leurs trois enfants : Karl, douze ans, Bridget, onze, et Eanna, six.

Kate, affaiblie par le manque de nourriture, s'inquiétait de partir vers l'inconnu. Elle évitait de parler de ses inquiétudes devant ses enfants encore trop jeunes; elle n'allait pas les accabler avec cette pénible situation. Toutefois, elle se demandait quelle sorte de vie attendait sa petite famille en Amérique, avec peu d'argent, sans toit, sans nourriture. Nicolas la rassurait de son mieux.

— Nous sommes parmi les chanceux; nous avons des amis qui nous attendent là-bas.

— Nous ne pourrons pas vivre éternellement aux crochets des amis.

— Là-bas, le gouvernement donne des terres aux immigrés. Tu le sais, Daniel est déjà installé et il vit comme un roi. Et puis, nous n'avons pas le choix ; si nous restons ici, nous allons tous mourir de faim. Aie confiance, dit-il, les hommes d'équipage racontent qu'au Canada il existe une île bien équipée pour recevoir les Irlandais. C'est déjà un début.

— Si nous ne mourons pas en route avec les vents violents, rétorqua Kate. Certains racontent que les voiliers sont des cercueils flottants.

— Tu es défaitiste, ma Kate, c'est la faiblesse qui te fait voir tout en noir. Essaie de dormir pour ce qu'il reste de nuit ; au lever, tu verras le départ d'un meilleur œil.

— Une fois là-bas, nous ne serons qu'une famille parmi des centaines d'autres qui s'embarqueront avec nous.

— Daniel m'a assuré qu'il viendrait nous chercher à Québec pour nous amener chez lui et, comme je connais Daniel, je suis sûr qu'il tiendra parole. Nous nous construirons une belle maison, comme la sienne, avec une façade au soleil du midi et nous mangerons trois repas par jour.

— Je la voudrais exactement comme la nôtre, pour mieux me sentir chez moi.

Nicolas, un grand mince aux yeux bleus, glissa son bras autour du cou de Kate et colla son corps squelettique contre le sien.

— Je me demande, murmura-t-il, si sur le navire nous trouverons un peu d'intimité pendant ces huit semaines de traversée.

— Si seulement je savais quelle sorte de vie nous attend là-bas, dit Kate, peut-être la misère noire ou encore la mort.

– Allons, allons! Kate, lui dit Nicolas. Sois confiante, tu ne vas pas reculer la veille de notre départ? Ici, nous sommes assurés de mourir de faim. En Amérique, ça ne pourra jamais être pire, insista Nicolas, et puis c'est le temps de partir pendant que nos enfants sont encore jeunes; des enfants, ça se transplante facilement. Ils prendront racine là-bas, dans un pays neuf.

– J'espère seulement qu'ils arriveront à manger à leur faim et à mener une vie normale.

Nicolas caressait le corps desséché de sa femme dont les os retenus par une peau diaphane pointaient de partout. Il la voyait rapetisser de jour en jour; son alliance ne tenait plus à son doigt et il se demandait combien de temps il lui restait à vivre.

Kate ne se rendait pas compte que ses longs cils chatouillaient le cou maigre de son mari. Elle ravala péniblement ses pensées morbides.

– Et si nous mourons pendant la traversée? dit-elle. Les membres d'équipage disent que des gens meurent en mer du choléra et de la dysenterie. Ils racontent aussi qu'on jette les corps à la mer.

Seulement à imaginer la scène, un frisson d'horreur secoua le corps fragile de Kate. Nicolas posa un doigt sur sa bouche pour l'empêcher d'en dire davantage et il la serra contre lui pour la rassurer.

– C'est vrai, dit-il, que les décès sont une triste réalité pour les passagers, mais qui nous dit que s'ils étaient restés au pays, nos compatriotes ne seraient pas morts quand même de faim ou de maladies? Et puis, il faut avoir confiance, il y a obligatoirement un médecin sur chaque cargo.

Nicolas et Kate causèrent pendant un bon deux heures de leur départ imminent, qui se trouvait être leur dernier espoir.

À l'aurore, la petite Eanna, âgée d'à peine six ans, monta sur le lit de ses parents. Depuis ses premiers pas, chaque matin, la petite maigrichonne venait y chercher sa dose d'affection. Son père la roulait sur la paillasse et bécotait son cou tendre.

En même temps, de la cuisine, Bridget appela d'une voix faible :

— Papa, maman, levez-vous, c'est aujourd'hui qu'on prend la mer.

À l'insu de sa mère, Bridget avait préparé le déjeuner. La gamine, qui n'était plus que l'ombre d'elle-même, tenait à peine sur ses jambes.

— Venez, dit Nicolas en s'assoyant sur son côté de lit, c'est l'heure de nous lever. Il faut nous presser si nous voulons embarquer sur le prochain navire.

Nicolas s'épuisait à parler pour remonter le moral des siens. Il fallait bien que quelqu'un mette un peu de vie dans sa maison.

Kate avait l'esprit ailleurs. Elle enfila une grosse robe de toile qui la faisait paraître encore plus maigre.

— Les enfants craignent de perdre leurs amis, dit-elle, ils espèrent que les filles des Boswell et des Frasers embarqueront sur le même navire.

En sortant de leur chambre, Nicolas et Kate eurent l'agréable surprise de voir le petit déjeuner sur la table, un repas de famine : une demi-tranche de pain sans beurre et des feuilles de chou.

De la table, Kate regardait Karl, son fils de douze ans, descendre l'escalier en trébuchant, la main agrippée désespérément à la rampe. Son pas était désordonné comme un enfant qui commence à marcher et, pourtant, il semblait inconscient de son état. Chaque matin, Kate observait ses enfants et elle devait affronter la triste réalité : ils faiblissaient de jour en jour. Son fils Karl la regardait avec de grands yeux vides, et son cœur de mère se serrait de pitié.

Des mois plus tôt, Kate avait vu Karl faire les yeux doux à Maurine, la fille des O'Callagher, dont il espérait que la famille soit sur le même navire et, ce matin, désespérée, Kate se disait : « Karl est un gamin qui ne connaîtra jamais l'amour ; il va mourir avant. »

Nicolas s'approcha de Kate, postée devant la fenêtre. Le soleil brûlait de tous ses feux et la jeune femme s'attardait à regarder la Lee, la rivière qui séparait la ville de Cork en deux. La rive, avec ses petites maisons en bois, offrait un panorama à couper le souffle, un souvenir que Kate emporterait sur l'autre continent. Nicolas prit sa main et l'entraîna vers la table.

Nicolas avala sa maigre pitance et, comme lui, Kate mangea du bout des dents ; elle se sentait coupable de ne pas céder sa part aux enfants.

Le repas terminé, Kate entassa quelques vivres que, plus tôt, elle avait cachés parmi les vêtements à apporter : des raisins secs, des dattes et des noix qu'elle s'était procurés à l'insu des enfants et qu'elle conservait exclusivement pour le voyage.

— J'apporte ma corde à danser, dit Bridget à sa voisine, Barbra Frazer, une copine de son âge.

— Et moi, mon jeu de cartes, ajouta Karl.

Kate déposa son tricot dans un sac de cuir qu'elle referma avec précaution et distribua des malles remplies de divers effets à ses enfants.

Bridget regarda sa poupée, hésita un moment, et la fit disparaître au fond de son sac, parmi ses vêtements à emporter au Canada. C'était une vieille poupée de chiffon que sa mère lui avait confectionnée quand elle était toute jeune. Bridget ne se rappelait même plus le jour où elle l'avait reçue. Son âge n'avait pas d'importance ; c'était pour elle comme si elle avait toujours existé. Elle était en satin beige avec des cheveux raides en laine jaune, des boutons pour les yeux et un nez et une bouche brodés roses. Bridget l'avait baptisée Sophie. Chaque année, pour sa fête, sa mère lui confectionnait une robe en se servant des retailles de la sienne. Bridget disait que sa poupée et elle étaient jumelles.

Quand tous les siens se retrouvèrent sur le perron, Nicolas Carter ferma pour la dernière fois les fenêtres et les portes de sa jolie maison rouge au toit de chaume. Reviendrait-il un jour ?

Dans le petit escalier, Kate, la mort dans l'âme, suivait son mari. Deux bicyclettes étaient appuyées au mur de sa maison. Elle passa à côté, sans les regarder. Ils laissaient tout derrière eux.

Karl siffla son chien, mais son père lui fit comprendre qu'on ne l'accepterait pas sur le navire. Karl caressa une dernière fois la petite bête qui n'avait plus que la peau et les os et il la repoussa pour éviter qu'elle suive les siens.

Puis, la petite famille de Nicolas se joignit à des centaines d'autres, affaiblies comme la sienne par la famine qui sévissait dans tout le pays. Tous quittaient leur demeure et leur quartier dans le plus grand silence et se dirigeaient vers la gare.

Des centaines d'émigrants, partis de Cork, roulaient sur une distance de quinze kilomètres dans un train qui les transportait de la gare de Cork au port de Cobh. Tous les chemins de fer menaient au port de Cobh, où plusieurs navires étaient ancrés.

Pendant le trajet, l'émotion était à son comble. On n'entendait que des soupirs et des sanglots. Tous laissaient une partie de leur vie et de leurs biens derrière eux. Les enfants, comme paralysés, sentaient qu'il se passait quelque chose d'inhabituel. Les femmes, déjà affaiblies par la famine, tremblaient comme des feuilles au vent. Nicolas et Kate occupaient une banquette qui faisait face à Bridget et à Eanna, tandis que Karl cherchait Maurine O'Callagher, la fille du maire de la ville de Cobh.

Parmi les navires se trouvait le *Columbus*, un gros cargo à trois ponts, qui rentrait au port, chargé de bois venu du Canada vers la Grande-Bretagne et, chaque voyage, il repartait chargé de bêtes et d'Irlandais qui émigraient au Canada.

La traversée, qui devait durer huit semaines, ne coûtait que deux livres pour les familles de classe inférieure. Pour la compagnie de transport maritime, les passagers étaient considérés comme plus utiles et plus rentables que le ballast de brique et de sable.

Arrivée à la gare d'embarquement, la famille de Nicolas fit la file, les bras chargés d'effets. La plupart des passagers, parents et enfants, amaigris par le manque de nourriture, n'avaient plus que l'erre d'aller. Sur le quai, parmi les gens, un mendiant assis sur ses talons suppliait les gens du regard. Près de lui, une aumônière était vide. C'était la disette ; personne ne donnait.

Les émigrants étaient refoulés dans la cale du *Columbus*, où ils côtoyaient bêtes et excréments. Un vrai dépotoir. Le *Columbus* n'avait pas été construit pour le transport des humains. Les familles, coincées au fond de la cale, devaient affronter des conditions extrêmement pénibles. En plus du bruit infernal des tempêtes, les exilés étaient réduits à un minimum d'eau, incapables de se laver et forcés de manger de la nourriture à peine cuite, comme la viande qui était tellement salée qu'elle causait la soif. Coincés sous des ponts mal aérés, avec pour seule lumière une lampe à gaz, la santé des passagers, déjà affaiblis au départ, se détériorait rapidement et plusieurs mouraient. Puis vint le tour de Kate et de Nicolas d'être pris de vomissements, de crampes abdominales. Karl monta sur le pont et s'adressa au premier matelot en vue :

— Mes parents sont malades, ils vont mourir. Ils ont besoin de voir un médecin.

Karl vit aussitôt le matelot reculer d'au moins un mètre. Même scénario pour les hommes d'équipage qui se tenaient à distance parce qu'ils redoutaient l'épidémie.

— Je vais avertir le docteur immédiatement, dit le marin. Ne reste pas ici, va t'occuper de tes parents, en bas.

Karl remercia et disparut.

Le médecin hésitait à descendre dans la cale à cause des saletés qui couvraient le sol et des émanations pestilentielles causées par le choléra, mais comme sa vocation l'y obligeait, il descendit.

Il diagnostiqua rapidement deux autres cas de choléra. Quelques jours plus tard, ce fut au tour de la petite

Eanna d'être atteinte du même mal. Comme leurs compatriotes, les Carter vomissaient dans leurs lits de bois. Des concitoyens charitables lavaient leur lit. Les Irlandais s'entraidaient, mais les utilités manquaient et ils devaient se débrouiller avec les moyens du bord. Des vêtements mal lavés étaient suspendus à une corde au-dessus des têtes des passagers. À mi-chemin entre l'Irlande et l'Amérique, Kate rendit l'âme.

Nicolas, lui-même à l'article de la mort, n'avait aucune réaction.

Deux yeux brillaient dans le noir. C'étaient ceux d'une femme qui faisait partie du voyage et que Bridget ne connaissait que pour l'avoir vue parmi les autres voyageurs.

Elle fit reculer les enfants à cause de la contagion.

— Votre mère est au ciel, dit-elle, elle n'a pas pu passer à travers sa maladie ; elle était trop faible pour se battre.

Karl fondit en larmes, tandis que Bridget resta stoïque devant le décès de sa mère.

— Bientôt, dit la femme, ils vont venir chercher votre mère et ils vont jeter son corps à la mer. Je sais que c'est dur de dire ça à des enfants, mais c'est mieux qu'un mensonge. Le corps à la mer ou dans la terre, c'est à peu près pareil.

Bridget, le visage figé sur celui de sa mère, posa les mains sur les oreilles d'Eanna pour éviter que la petite entende les paroles macabres de la femme.

— Bon ! dit celle-ci. On va dire une prière pour elle.

Au même instant, un silence de mort couvrit la cale tout entière.

Les gens se tassaient pour laisser passer le prêtre et le médecin. Ce dernier venait attester le décès. Le prêtre récita un *Notre Père* et trois *Ave* auxquels tout le monde répondit, sauf Bridget qui dévisageait sa mère comme pour imprégner en elle son image. Le prêtre serra la main des enfants et suivit la dépouille qu'on emportait. Bridget se leva et prit la main d'Eanna pour suivre le corps de sa mère, mais deux mains la saisirent aux épaules.

— Restez ici, dit la femme, si vous montez sur le pont, ils vont vous chasser.

***

La nuit venue, on enveloppa la dépouille dans une couverture, on l'attacha et on la jeta à la mer en récitant une courte prière.

Nicolas était trop malade pour avoir une réaction. Il était même trop faible pour parler à ses enfants du départ de leur mère. Il avait besoin du peu de forces qu'il lui restait pour tenir en vie.

Le lendemain, ce fut à son tour de partir.

Les Carter laissaient trois orphelins, sans personne pour se charger d'eux.

Dans la cale, chacun était préoccupé par son propre malheur. C'était la catastrophe. Le *Columbus*, comme l'avait dit Kate, était un cercueil flottant.

Bridget ne laissait pas la main d'Eanna dont elle devenait la mère à l'âge de onze ans. Elle ne pouvait adoucir son drame par des paroles apaisantes, sa gorge contractée ne laissait rien passer.

À la suite de la perte des siens, Karl regrettait de ne pas être sur le même navire que Maurine et ses parents.

Ceux-ci auraient pu les adopter, pensait-il, ou du moins les prendre en charge une fois rendus à Québec.

Karl pleurait souvent la perte de ses deux parents, et toujours en cachette de ses sœurs ; à douze ans, il se sentait responsable d'elles, et cette lourde charge le forçait à aller de l'avant et l'empêchait de sombrer dans le désespoir.

Il demanda à Bridget de l'aider à rassembler les effets de ses parents pour en faire un paquet bien ficelé. Mais comme Bridget ouvrit la bouche pour parler, aucun son n'en sortit. Elle essaya de nouveau ; ses lèvres bougeaient, mais elle était incapable de s'exprimer. Elle fit un nouvel effort, tenta de pousser un cri qui ne sortit pas. Les yeux épouvantés, elle porta les mains à ses lèvres. Bridget, qui n'avait pas versé une larme à la mort de ses parents, était muette.

Karl sentit un malaise chez elle. Il la questionna dans le but de la forcer à parler, mais c'était peine perdue. Il la regarda avec une douleur dans le regard, en se demandant quand tout cela allait finir. Il ficela les effets de ses parents et les glissa sous son lit. Le lendemain, ils avaient disparu.

***

La terreur se répandait comme une traînée de poudre. Chaque nuit, des passagers disparaissaient pour ne plus revenir. Bridget savait que les corps de ses parents avaient été jetés à la mer ; on lui en avait parlé, mais sans plus d'explications. On murmurait dans la cale que les morts étaient jetés aux requins. Les matins qui suivirent, quand Bridget regardait les lits vides, elle savait où se trouvaient les absents. Tout le jour, elle tenait Eanna sur ses genoux, et chaque nuit, les deux sœurs partageaient le même lit. Elles dormaient en se tenant par le cou, jusqu'à ce qu'un matin, à son tour, Eanna ne se réveille pas. Elle avait six ans. Bridget s'assit sur son côté de lit, prit sa petite sœur dans ses bras et la berça en fixant un point mort au fond de la cale.

On vint lui enlever le corps de la fillette, mais Bridget le retenait fermement. Elle n'allait pas laisser aller le corps de sa petite sœur dans la gueule d'un requin. Le médecin tenta de lui faire comprendre qu'il fallait qu'elle se résigne à laisser partir sa petite sœur pour qu'elle aille rejoindre ses parents, mais rien n'y fit. Bridget faisait non de la tête. À son tour, le prêtre tenta de lui enlever le petit corps, mais Bridget resserrait Eanna sur son cœur, comme si elle était son bien. Ce fut Karl qui vint à bout de la raisonner. Il était le seul qui exerçait une certaine emprise sur Bridget.

Encore une fois, le prêtre fit une prière et Eanna disparut comme ses parents et comme tous les autres dont les lits étaient vides.

Bridget ne possédait même pas un papier et un crayon, qui lui permettraient de dialoguer avec son frère, de parler de sa peine à la suite du décès de ses parents et de sa sœur Eanna. Elle refoulait ses sentiments au fond de son cœur qui menaçait d'éclater.

À partir de ce jour, Bridget ne quitta plus son frère ; elle n'avait plus que lui et pour combien de temps ? Chaque jour, Bridget et Karl s'attendaient à ce que ce soit à leur tour de mourir, d'être avalés par les requins, et chaque lendemain, ils étaient encore là, mi-morts, mi-vivants.

De jour en jour, les cas de choléra se multipliaient. Le lendemain, on parla de huit nouveaux cas, puis le surlendemain, seize, et l'épidémie se répandait toujours davantage.

***

Karl et Bridget écoutaient et enregistraient dans leur mémoire tout ce qu'ils entendaient. On disait que les autorités britanniques avaient établi un arrêt obligatoire à Grosse-Île, où de grandes salles étaient mises à la disposition des malades. Des médecins et des infirmières se relayaient jour et nuit auprès d'eux, risquant leur vie pour sauver celle des autres. Ce séjour permettait aux immigrants de guérir avant de repartir à l'aventure.

Karl pensait : « Si nous pouvons nous y rendre avant de mourir, nous aurons peut-être droit à un bon repas. »

CHAPITRE 20

Le *Columbus* s'arrêta de bouger. Bridget questionna Karl du regard.

— C'est la fin du voyage, dit-il. Nous allons débarquer.

Le *Columbus* s'ancra devant Grosse-Île. Personne ne pouvait savoir dans combien de temps ils pourraient mettre pied à terre. Quatre navires, arrivés avant le *Columbus*, étaient alignés devant l'île et chacun devait attendre son tour. Le personnel et les passagers n'avaient pas le droit de débarquer avant d'être examinés par le médecin. Et la nourriture s'avariait. Le capitaine, pressé de reprendre la mer, grognait.

Chaque jour, un petit voilier, venu de Grosse-Île, apportait de l'eau fraîche et des vivres aux navires stationnés en face de l'île.

Depuis le départ des siens, Bridget ne démontrait plus aucun intérêt à rien ; elle mangeait parce qu'on l'y obligeait et, le reste du temps, elle dormait ou faisait semblant.

Après trois semaines d'attente, le *Colombus* bougea de quelques mètres. Bridget, murée dans son silence, surveillait la réaction de Karl. On leur permettait enfin de débarquer. Les immigrants, une fois sur la terre, sentaient encore la houle. Ils marchaient à la file, le pas incertain, comme des ivrognes. Karl tenait sa sœur par la main et tous deux avançaient avec peine. Déjà à bout de forces, ils devaient monter une côte épuisante pour se rendre à une grande bâtisse, où un médecin examinait les arrivants. Dans le même bâtiment se trouvait une quantité de petites douches aux murs de ciment où on aspergeait les immigrants d'eau et de désinfectant. Une infirmière distribuait des vêtements propres à chacun et elle reprenait ceux qu'ils portaient pour les envoyer à la désinfection.

Bridget refusa d'abandonner ses effets; ils étaient son seul bien. On lui expliqua que c'était le règlement et que personne ne pouvait passer outre. Bridget céda, mais quand vint le temps de laisser la main de son frère, elle tint tête de nouveau. Après mille explications, la responsable dut la menacer :

— Ceux qui refusent de passer aux douches et de se laisser examiner par le médecin devront retourner sur le navire, jusqu'à ce qu'ils se conforment au règlement.

Bridget, obligée d'abdiquer, prit docilement son rang et attendit son tour en mangeant ses lèvres de dépit.

Après un examen en règle, on apprit à Karl et à Bridget qu'ils étaient cliniquement sains. Pour eux, qui attendaient leur tour de mourir, ce fut toute une surprise. Bridget se jeta dans les bras de Karl. Le médecin, ému, leur expliqua qu'ils devaient quitter l'île et qu'un responsable allait se charger de les conduire à un orphelinat de Québec. Ils se retrouveraient avec d'autres orphelins comme eux, qui avaient perdu leurs parents, et qui attendaient d'être adoptés par des familles québécoises.

***

Des dames patronnesses avaient installé des petites institutions dans le quartier Saint-Roch. Les règles étaient très claires et difficiles à respecter : n'accueillir que des enfants dont les deux parents étaient décédés et limiter l'âge des garçons à douze ans. Karl et Bridget furent donc acceptés.

À leur arrivée, les enfants étaient lavés et on leur fournissait des vêtements propres. On les nourrissait de porridge pour les aider à refaire leurs forces à la suite de longues privations. Karl refusa de manger cette bouillie d'avoine qui lui tombait sur le cœur. On le menaça :

— Vous allez vous passer de manger.

Karl ne répondit pas.

Le soir au coucher, une dame patronnesse alla le chercher et le conduisit à la cuisine, où elle lui servit un verre de lait et des biscuits secs. Elle s'assit devant lui et attendit la fin de sa collation, sans lui adresser un mot.

Karl avala sa maigre pitance, remercia et fila à son lit.

À l'orphelinat, les enfants apprenaient à parler le français. Mais Karl détestait la vie en institution. Il disait à sa sœur : « Nous sommes comme un troupeau de moutons ; tous à la même heure, au même poste : lever, toilette, repas. Ça m'ennuie, cet éternel recommencement. » Karl avait besoin d'air, de courir, de se dépenser. Bridget, elle, ne se plaignait pas ; suivre son frère sur les talons était sa seule préoccupation.

***

Les institutions étaient remplies d'orphelins, garçons et filles, dont la moyenne d'âge était de dix ans. Et toujours, de pleins bateaux continuaient de déverser à Grosse-Île des centaines d'immigrés. L'île, déjà surpeuplée, recevait de nouveaux orphelins qui faisaient pitié à voir. Le journal en recensa sept cents. On ne pouvait pas laisser ces enfants à eux-mêmes; les pauvres petits, sans parents, étaient déjà désespérés.

Les dames patronnesses devaient entasser les enfants quatre par chambre, un sous l'escalier, deux dans le bureau de la direction. C'en était trop. On tentait par tous les moyens de vider les orphelinats pour faire de la place aux nouveaux arrivants. Les dames firent appel aux curés des paroisses voisines pour débourrer les institutions en encourageant fortement l'adoption des enfants.

***

Les curés tentaient d'intégrer les jeunes dans des familles de colons et, si possible, de les faire adopter.

***

On était au tout début de mai. À l'orphelinat, l'enseignante donnait une dictée française à ses élèves quand celle qu'on appelait la patronnesse de l'institution frappa à la porte de la classe. Les enfants, des garçons et des filles âgés de dix à douze ans, se levèrent, comme l'exigeait la politesse.

La patronnesse dialogua un moment avec la titulaire et celle-ci quitta la classe, la laissant seule avec les élèves.

Les enfants échangeaient des regards furtifs. Qu'est-ce qu'on leur préparait encore?

– Mardi, dit la dame, nous aurons la visite d'un prêtre qui viendra spécialement vous rencontrer. Vous devrez soigner votre apparence, ce qui veut dire: être propres, bien coiffés et vous tenir droit pour paraître à votre avantage.

Les enfants ne comprenaient pas trop la raison de cette visite impromptue qui leur semblait très importante.

***

Comme prévu, le mardi, la patronnesse leur présenta le prêtre en question. C'était un bon curé, mais il ne savait pas sourire. L'homme en soutane se promenait entre les rangées de pupitres et son regard s'arrêtait sur chaque enfant comme pour l'évaluer. Finalement, il retourna devant la classe et s'adressa à tous:

– Est-ce que certains d'entre vous désirent partir d'ici pour aller travailler à l'extérieur? Les garçons chez des cultivateurs et les filles, comme domestiques dans des familles.

Sitôt l'annonce faite, Henry Daley se leva promptement.

– Moi et mon frère Jack, dit-il.

– Non, rétorqua aussitôt Jack qui ne voulait ni partir ni se séparer de son frère.

– Oui. Viens avec moi, Jack, le supplia Henry. On va enfin avoir une famille.

– J'en ai une famille, dit Jack, j'ai toi. Si tu pars, Henry, oublie-moi. Tu n'auras plus jamais de mes nouvelles; je ne t'écrirai pas.

Le bon curé écouta leurs obstinations, sans s'en mêler. Il se demandait bien lequel des deux l'emporterait sur l'autre.

Pendant ce temps, Karl Carter chuchotait quelques mots à l'oreille de Bridget pour, finalement, lever la main.

— Moi, je serais prêt à partir, dit-il. Mais à la condition que ma sœur Bridget m'accompagne à l'endroit où j'irai.

— Allez ramasser vos effets, nous partirons dans une heure, dit le prêtre. Surtout, n'oubliez rien, que je n'aie pas à revenir.

Puis, il se tourna vers la responsable et lui dit :

— Ça vous en fera deux de moins. Avec un peu de chance, je repasserai dans quelques jours.

***

Le prêtre fit monter Karl et Bridget dans une élégante voiture haute sur roues avec capote mobile. Il commanda sa bête et prit la route sans adresser un mot aux orphelins ; il ne savait pas dialoguer avec des enfants de leur âge.

Après des heures de route sur un chemin inhabité, la voiture s'arrêta chez un cultivateur, à une petite maison en pierre des champs.

— Attendez-moi ici, dit le curé.

Près de l'étable, un chien aboyait. Bridget étreignit la main de Karl.

Le chien s'approcha, sentit la soutane et s'en alla, le museau à terre.

Un homme sortit de la maison.

Le curé lui demanda s'il pouvait laisser reposer sa bête à l'ombre d'un arbre.

— Certainement, monsieur l'abbé, je vais même lui donner un picotin d'avoine. Entrez un moment, ça vous fera du bien de vous rafraîchir par une pareille chaleur et ça permettra aux jeunes de se dégourdir les jambes.

— Je ne peux pas refuser votre invitation ; j'ai encore des heures de route à parcourir.

Pierre Dulong, un homme dans la jeune trentaine, que tout le monde surnommait Pierriche, s'approcha du cabriolet et tendit une main à Karl qui sauta sur ses pieds.

— À ton tour, belle demoiselle, dit l'homme en tendant les bras à Bridget.

Bridget, hésitante, regarda son frère qui souriait de contentement, et elle sauta dans les bras accueillants de monsieur Dulong.

— À la maison, maintenant, dit l'homme. Il est midi passé, et moi, j'ai faim.

La cuisine sentait le pain fraîchement sorti du four.

— Tiens, Charlotte, je t'amène de la belle visite.

Madame Charlotte était une grosse femme aux cheveux blonds, à la chair blanche. Elle dépassait son mari d'une tête. Elle fit asseoir les enfants au bout de la table et leur demanda de patienter en attendant le repas.

Les Dulong étaient des paysans sans enfants. Pendant toutes ces années, ils en avaient désiré ardemment, mais le sort en avait décidé autrement. On disait que la femme était stérile. Après des années, le couple avait fini par accepter son sort.

Charlotte ne cessait de suivre les enfants des yeux. Ils étaient beaux. Karl, un préadolescent blond à l'air soumis, et Bridget, une petite fille de onze ans aux longues jambes, aux grands yeux ronds qui lui conféraient un air étonné. De grosses tresses dorées tombaient sur ses reins. Les deux enfants avaient un trait commun, une détresse au fond des yeux.

« Dire que je pourrais avoir des enfants de leur âge », pensa la grosse Charlotte.

Bridget colla sa chaise contre celle de Karl. Elle écoutait tout ce qui se disait et, derrière son mutisme, elle analysait, évaluait les paysans et lisait jusqu'au fond de leur cœur.

Ces gens avaient l'air du bon monde. L'homme surtout. Il parlait beaucoup, tandis que la femme parlait peu ; elle écoutait et, après mûre réflexion, c'était elle qui prenait les décisions.

La femme leur servit des grillades de porc dans une sauce à la farine grillée, accompagnées d'oignons dorés, de patates pilées et de blé d'Inde lessivé. Pour le dessert, du pain frais, trempé dans le sirop d'érable, comme il s'en trouvait sur toutes les tables.

— D'où viennent ces enfants, monsieur le curé ? J'imagine qu'ils ne sont pas à vous, risqua Pierriche, le regard amusé.

Le prêtre, un homme sérieux, réfléchissait à sa boutade. « Des enfants à lui. » Avant d'entrer dans les ordres, il avait tellement hésité entre la prêtrise et la famille.

Tout en dégustant son repas, le prêtre apprit aux Dulong qu'en tant que curé de Trois-Rivières, il cherchait des familles de paysans charitables qui accueilleraient un orphelin ou deux pour désengorger les orphelinats.

Pierriche jeta un regard intéressé à sa femme qui servait une limonade.

— Je souhaiterais prendre le garçon ; il a l'air bien portant, dit-il, mais je te laisse décider.

Bridget prit la main de son frère et ne la lâcha pas.

– Approche, ma belle, viens goûter à mes galettes au son.

Bridget, le cœur brisé, restait immobile, la main toujours accrochée à celle de son frère.

– Qu'est-ce que tu en penses, Charlotte? demanda Pierriche.

Charlotte n'avait jamais imaginé prendre un orphelin en élève, encore moins un garçon de douze ans.

Après un moment de réflexion, elle se dit: «Comme il n'appartient à personne, ce garçon pourrait être à nous.»

– Vous pouvez le questionner si vous le désirez, dit le prêtre.

– Ça va pour le garçon, dit Pierriche.

Le curé se leva et appuya les mains au dossier de sa chaise.

– Quelqu'un viendra vous faire signer les papiers d'adoption.

Mais Karl intervint aussitôt.

– Nous, nous voulons travailler, pas être adoptés. Nous avons quelqu'un qui nous attend quelque part.

– Ah oui? s'étonna le prêtre. Il fallait le dire, mon garçon. Et qui est ce quelqu'un?

– Un cousin de notre père, Daniel Cuthoen, un Irlandais comme nous. Mon père et lui étaient proches comme des frères.

– Très intéressant, dit le prêtre. Vous dites Cuthoen? Ce nom m'est complètement inconnu.

Le prêtre allait se réjouir. S'il pouvait retracer ce cousin, il libérerait des places pour les autres enfants qui vivaient à l'orphelinat. Déjà, il tombait sur un couple sans enfants.

Et il sentait les Dulong presque gagnés à sa cause. Les recherches de ce cousin devenaient donc très intéressantes pour le curé.

— Ce serait préférable pour vous de retrouver les gens de votre famille qui vous prendraient en charge. Ce cousin demeure à quel endroit?

— Je ne sais pas, avoua Karl. Papa disait qu'il demeurait au Canada.

Le prêtre échangea un regard avec Pierriche Dulong qui sourit.

— Le Canada est grand, dit-il, beaucoup plus grand que l'Irlande. Vous n'avez pas d'autres indices qui nous aideraient à le retracer?

— Notre cousin, Daniel, devait venir nous chercher à notre arrivée à Québec, mais je ne l'ai pas vu. À la maison, quand maman en parlait, elle disait qu'il demeurait au pied d'une montagne.

— Une montagne, une montagne! Quelle montagne? Vous ne possédez pas un indice plus précis ou encore une adresse qui nous situerait mieux?

— Non, je l'ai cherchée et je ne l'ai pas trouvée. Quand nos parents sont morts, leurs vêtements sont disparus et peut-être que l'adresse s'est perdue dans les détritus sur le navire. À moins que mes parents l'aient connue par cœur; ils correspondaient avec lui.

— Ça va, dit le prêtre, avec son nom, nous allons essayer de le retracer. Vous dites, Daniel…

— Daniel Cuthoen.

Le prêtre écrivit le nom sur une enveloppe qu'il tira de la poche de sa soutane.

Pour la première fois depuis leur départ de Cork, Karl souriait de contentement. Enfin, quelqu'un allait faire des recherches pour eux. L'espoir renaissait.

Le prêtre encouragea les Dulong à prendre deux autres orphelins à leur charge.

— C'est celui-ci que nous préférerions garder, insista madame Charlotte.

— Je vais ramener ceux-ci et je reviendrai avec deux ou trois autres orphelins, dit-il. Vous choisirez celui avec qui vous serez le plus compatible.

Mais Karl refusait de retourner à l'orphelinat.

— Si monsieur et madame acceptent de nous garder, ma sœur et moi, nous préférerions demeurer ici en attendant de retrouver notre cousin Daniel, plutôt que de retourner à l'orphelinat. J'ai douze ans et à cet âge les dames patronnesses renvoient les garçons des orphelinats. Et moi, je refuse d'être séparé de ma sœur.

— Pas deux enfants, intervint Charlotte, c'est le jeune garçon qui nous intéresse ; il pourrait aider mon mari sur la ferme.

Deux grosses larmes coulaient sur les joues de Bridget. Le regard apeuré, elle tirait la main de Karl pour sortir de cette maison. Elle faisait non de la tête.

Le curé fit signe aux enfants de se rasseoir.

Bridget craignait tellement d'être séparée de son frère, qu'elle s'accrocha à lui et ne laissa plus sa main.

Le prêtre, qui faisait son gros possible pour trouver un foyer aux enfants, insista.

— Vous voyez cette pauvre petite fille désemparée ? Ça ne vous fait pas pitié de la voir séparée de son frère, le seul membre de sa famille ? Dieu vous le rendra. N'a-t-il pas dit : « Ce que vous ferez au plus petit d'entre les miens, c'est à moi-même que vous le ferez » ?

C'était difficile, presque impossible de refuser un service à un prêtre. Et puis la fillette était si triste. La grosse femme finit par accepter de prendre les deux enfants à charge.

Bridget faisait toujours non de la tête.

Karl chuchota à son oreille :

— C'est seulement pour un petit bout de temps. Je ne veux pas retourner à l'orphelinat.

À voir Bridget, les yeux pleins de larmes, Karl pensa à ses parents, à ce qu'ils attendraient de lui après tous les changements que sa sœur subissait. Bridget devait trouver difficile de laisser des amies derrière.

— Écoute, Bridget, tes amies vont partir de l'orphelinat. À leur tour, elles aussi vont être placées d'un bord et de l'autre et tu vas les perdre de vue. Ici, nous retrouverons une vie de famille, dit-il, tu sais comme ça nous manque.

— Laissez-nous un peu, leur dit le curé en les chassant de la main. Allez discuter dehors pendant que nous discuterons entre nous de choses qui ne vous regardent pas.

Finalement, madame Charlotte accepta de prendre Karl et Bridget Carter à sa charge, même si ce n'était que temporaire.

Comme Charlotte avait de la difficulté à prononcer leurs noms avec l'accent irlandais, elle demanda au curé de les franciser, comme beaucoup d'autres gens de la place le faisaient avec les immigrés, histoire, disaient-ils, de mieux intégrer les nouveaux arrivants à leur pays d'adoption.

Madame Dulong pensait que le séjour de ces deux jeunes chez elle serait un bon test pour mesurer ses capacités d'adaptation à une vie de famille, avant de s'embarquer pour de bon dans un nouveau projet d'adoption.

– Vous savez, monsieur le curé, ajouta-t-elle, deux enfants du coup, ça change une vie pour des gens comme nous qui n'en avons jamais eu.

– Le bon Dieu vous le rendra au centuple, madame Dulong.

Le curé invita les enfants à entrer de nouveau.

– Monsieur et madame Dulong seraient prêts à vous garder, dit-il, le temps que je ferai les démarches pour retrouver votre cousin. Une chose cependant, madame aimerait prononcer vos prénoms en français, Karl deviendrait Charles, Bridget, Brigitte, et Carter deviendrait Chartier. Ça vous aiderait à mieux vous intégrer dans la société. Si ça vous va, allez chercher vos effets dans la voiture.

– Quand est-ce que vous reviendrez ? demanda Charles.

– Dès que je retrouverai votre cousin, Daniel. Très bientôt, je l'espère.

Le curé monta dans son cabriolet. Sur le bord du chemin, Charles le saluait, les bras en l'air.

Brigitte entra lentement dans la maison. Le prêtre avait dit : « Les filles comme bonnes. » Elle commença à desservir la table sans qu'on le lui demande. Charles demanda à visiter les bâtiments.

– Va, lui dit Pierriche, tout en poussant du pied le crachoir près de sa chaise, mais approche-toi pas trop des bêtes ; comme elles ne te connaissent pas, tu pourrais recevoir des ruades. Moi, je reste ici, j'ai l'habitude de fumer après les repas.

Charles disparut aussitôt. Le chien sur les talons, il entra dans l'étable où se trouvaient six vaches, une jument et un parc clôturé qui contenait trois veaux gras. Une porte en planches rudes avoisinait le parc. Charles l'ouvrit. Une pénétrante odeur de foin fané lui fit dilater les narines par deux fois. Il promena son regard d'un bout à l'autre de la pièce. Le grenier à foin était presque vide. En bas se trouvaient deux belles voitures noires : une d'été et une d'hiver. Charles caressa de la main le beau cuir des sièges.

Au retour de Charles, madame Charlotte invita les enfants à la suivre dans l'escalier qui menait au deuxième. Elle poussa une porte grinçante.

– Celle-ci est la plus grande des trois chambres. Elle est pour toi, Brigitte. Le plafond est en pente ; tu prendras garde de ne pas te cogner la tête.

Tout en parlant, Charlotte ouvrait les contrevents qui gardaient la pièce fraîche.

La fillette la suivait en étirant le cou. Tout était propre. Le plancher de bois était frais huilé. Brigitte s'intéressait à tout : la tapisserie à fleurs mauves, un lit double pour elle seule et au-dessus un cadre religieux qui représentait une fillette de son âge sur un pont aux planches brisées et, derrière l'enfant, un ange gardien. Placée en angle, une coiffeuse à trois miroirs repliables. Au bas du lit se trouvait un petit tapis tressé, multicolore, et au pied, un coffre en cèdre. Tout près de la porte était suspendu un bénitier rempli d'eau bénite dans lequel nageait un morceau d'éponge doré. Soudain, Brigitte s'accroupit devant la fenêtre et se glissa sous le rideau blanc. De sa chambre, elle pouvait voir le fleuve. Elle resta là, comme hypnotisée, en admiration devant l'eau. En Irlande aussi elle voyait la rivière Lee de sa chambre.

Brigitte n'avait jamais eu une chambre à elle seule et elle ressentait une certaine liberté à se savoir l'unique occupante de cette pièce, après avoir vécu entassée dans une cale de navire et ensuite dans un dortoir d'orphelinat. Pourtant, elle aurait accepté de bon cœur de la partager avec sa petite sœur. Eanna lui manquait terriblement.

Puis, elle se ravisa en pensant que madame Charlotte n'aurait jamais accepté la garde de trois enfants, elle qui avait hésité pour deux.

La femme la tira de sa contemplation.

— Un jour, tu vas remplir ton coffre d'espérance d'un beau trousseau. Si tu restes ici assez longtemps, je vais t'apprendre à broder, à tricoter et à tisser.

« Et, chaque soir, au coucher, je vais pouvoir penser à mes parents sans personne pour me distraire », pensa Brigitte.

La chambre de Charles était plus exiguë. Elle contenait un lit simple, une commode à quatre tiroirs et une penderie trop grande pour le peu de vêtements que le garçon possédait. La fenêtre donnait sur l'étable. Charles était satisfait.

— Ici, c'est beaucoup mieux que l'orphelinat, dit-il.

Brigitte pensait autrement; elle laissait des amies derrière, des petites Irlandaises comme elle. Toutefois, elle subissait son sort sans se plaindre. Pour elle, une chose comptait: ne jamais se séparer de son frère, le seul lien familial qu'il lui restait.

Le premier soir, sa poupée de satin dans les bras, Brigitte pensa à ses parents et à sa petite sœur qui devaient la regarder du haut de leur ciel. Elle ferma les volets et se glissa entre les draps. Le sommeil l'emporta rapidement.

***

On était en été, en plein temps de fenaison.

En Irlande, c'était le temps des vacances pour les enfants, mais au Canada, sur les fermes, c'était différent. Fini pour Charles de jouer à cache-cache avec son chien et de se tenir en équilibre sur des échasses qu'il s'était lui-même fabriquées, de dénicher des nids de guêpes. Maintenant qu'il demeurait chez un colon, il devait prêter main-forte, comme tous les fils de cultivateur. Vivre au rythme des paysans lui plaisait bien. Trois jours après son arrivée, il savait traire les vaches et égoutter les pis parfaitement.

Les paysans échangeaient du temps entre voisins. Charles fit la connaissance des fils de Germain Dulong, Ambroise et Fridolin, deux petits noirauds avec un léger duvet sur la lèvre supérieure. Ils avaient à peu près son âge et ils demeuraient à trois fermes de leur oncle Pierriche. Charles aurait aimé se lier d'amitié avec eux, mais malheureusement, les garçons l'évitaient ; ils ne lui accordaient même pas un regard.

***

Ce jour-là, Ambroise et Fridolin venaient donner un coup de main aux foins chez leur oncle Pierriche.

Toute la journée, la faux au bout des bras, les hommes coupaient le fourrage. Derrière eux, les garçons, armés d'un fauchet, une espèce de râteau oblique muni de chaque côté d'une rangée de dents, formaient de longues lignes en andain.

À douze ans, en pleine croissance et peu habitué à travailler, Charles s'épuisait vite à vouloir suivre ses petits voisins. Pierriche voyait la sueur couler sur les tempes de son protégé et ce dernier ne prenait pas le temps de l'essuyer; le travail commandait et il fallait aller. Au mitan de l'après-midi, Pierriche lui proposa:

– Tu peux aller t'étendre sous un arbre et faire un petit roupillon le temps qu'on aille à la grange décharger la charrette à foin. On devrait en avoir pour une bonne heure.

Charles ne se le fit pas répéter deux fois. Il s'allongea à l'ombre d'un orme qui délimitait les terres et s'endormit, les bras sous la tête, en respirant à plein nez l'air embaumé du foin frais fauché.

Fridolin et Ambroise, témoins de cette scène, demandèrent la permission à leur père de se reposer eux aussi.

Mais Germain Dulong ne l'entendait pas de la même oreille. Il trancha net:

– Dormir? En plein cœur d'après-midi? s'écria-t-il. Non! Toi, Pierriche, tu vas faire un beau paresseux de cet orphelin. Je me demande pourquoi tu t'entêtes tant à élever les enfants des autres quand tu n'y connais rien.

Pierriche rétorqua avec son calme habituel:

– Sur ma ferme, c'est moi qui mène, puis il n'y a pas un chrétien qui va me dire comment.

Au retour, les garçons remplirent de nouveau la charrette de foin fané qu'ils jucheraient ensuite dans les greniers des granges. À la fin du jour, brûlé par le travail aux champs, Charles n'avait plus ni le temps ni le désir de s'ébattre.

CHAPITRE 21

Un jour, à la table, Charles se plaignit à madame Charlotte.

— Vos neveux ne me parlent pas. Ils me regardent de travers. Pourtant, je n'ai rien fait qui puisse les blesser.

— N'en fais pas de cas, Charles. Ils sont jaloux.

— Jaloux de moi, quand ils ont tout, et moi, rien ? Ça ne se peut pas. Eux, ils n'ont pas vu mourir leurs parents et leur petite sœur, et ils n'ont pas connu l'orphelinat.

La femme réalisa à quel point Charles avait souffert de la perte des siens. Elle aurait voulu le serrer dans ses bras, le bercer comme un tout petit enfant pour lui faire oublier son drame, mais elle n'osa pas ; à douze ans, un garçon a son orgueil. Charles vit son air empathique. Et il l'aima davantage.

***

Pierriche aimait bien ses protégés. Il les trouvait beaux et avec raison, surtout que Charlotte les avait habillés de neuf.

Le dimanche, à voir sa famille s'arranger avec soin et coquetterie, lui aussi soignait mieux sa personne. Il le faisait pour les siens. Rasé de frais, il brossait ses cheveux, coiffait son chapeau de feutre et replaçait la petite plume plantée dans le ruban.

Au sortir de la messe, les gens s'attardaient sur le perron de l'église pour échanger les nouvelles. Pierriche se faisait un orgueil de présenter ses protégés.

— Voici mes enfants ! disait-il fièrement à toutes ses connaissances.

Quand il parlait de ses protégés, Pierriche donnait l'impression d'avoir une famille à lui. Il ressemblait maintenant à tous les pères de famille qui avaient des responsabilités, et pour lui, c'était aussi valorisant que s'il venait d'accéder à une promotion.

En septembre, les parents devaient inscrire les nouveaux arrivés à l'école.

La première journée de classe, Charles et Brigitte ne trouvèrent pas l'école.

De la fenêtre de cuisine, Charlotte les vit revenir sur leurs pas. Elle sortit les attendre sur le perron en se demandant la raison de leur retour. Elle imaginait toutes sortes de scénarios ; parfois les enfants sont méchants entre eux.

Charles s'écria du chemin :

— Nous n'avons pas trouvé l'école.

— Il fallait vous rendre plus loin. Attendez ! Pierriche va atteler et je vais aller vous reconduire, sinon, vous allez être en retard. Ça regarderait mal, la première journée de classe.

Charlotte décida de les accompagner ; elle en profiterait pour faire quelques recommandations à la maîtresse.

Charlotte Dulong était fière de présenter ses protégés à mademoiselle Fréchette. Ils avaient bonne mine, vêtus de leurs vêtements neufs. Charles était un beau garçon blond, délicat et réservé, un peu méfiant. Brigitte attirait les regards par la finesse de ses traits, ses yeux immensément grands et sa bouche parfaite. Ce matin, madame Charlotte avait attaché ses cheveux longs sur sa nuque et les avait agrémentés d'un ruban qui se mariait bien à la couleur marine de sa jupe.

Charlotte Dulong attacha sa bête au poteau. Elle laissa les enfants se mêler aux autres dans la cour de récréation et frappa à la porte de la classe. Elle connaissait bien la maîtresse, Armande Fréchette, la fille à Gérard à Clément, le maquignon de la place. Dans cette campagne, qui ne connaissait pas le maquignon !

— Je ne voudrais pas ambitionner sur votre temps, mademoiselle Armande, surtout que j'arrive à la dernière minute, mais je tiens à ce que vous sachiez que ma Brigitte est devenue muette, à la suite de la perte de ses deux parents et de sa petite sœur, tous trois décédés pendant la traversée. Leur drame s'est déroulé il y a à peine trois mois. Malgré son handicap, Brigitte s'intéresse à tout et sait écouter attentivement. Mon mari et moi, on craint un peu qu'elle soit la risée de la classe. Parfois, les jeunes sont durs entre eux, mais nos enfants en ont déjà assez enduré sans qu'on en rajoute sur le tas. Surtout qu'ils sont bien dociles ; je ne penserais pas qu'ils vous donnent du trouble. Je voulais vous dire aussi qu'ils commencent à comprendre le français. Quant à l'écriture, c'est autre chose ; au début, ça se pourrait que le changement du gaélique au français baisse un peu leurs notes.

— Ne craignez rien, la rassura mademoiselle Armande, je prends en considération tout ce que vous me dites et je vais surveiller pour que tout se passe bien pour eux.

Sur ce, Charlotte Dulong sortit de l'école, soulagée. Mademoiselle Armande la suivit avec une cloche à la main, qu'elle tenait par le grelot. Elle s'arrêta un moment, pensive, à regarder la femme s'en aller. Charlotte Dulong avait dit : « mes enfants », elle qui n'en avait jamais eu.

La clochette sonna la rentrée.

***

À la suite de leur séjour à Québec, Charles et Brigitte comprenaient le français ; on le leur avait enseigné à l'orphelinat. Toutefois, ils se tenaient à l'écart des autres élèves. Charles se sentait étranger parmi toutes ces figures nouvelles et Brigitte n'osait pas approcher les filles de son âge ; avec son handicap, elle ne pouvait même pas se présenter. Elle les laisserait plutôt venir à elle. « Pourquoi nous lier, avait dit Charles à sa sœur, vu que notre présence dans cette école ne sera que passagère ? Le temps de retrouver Daniel et hop, nous repartirons vers un autre ailleurs. »

Charles, toujours prêt à défendre sa sœur, la surveillait étroitement. Il voyait bien qu'Ambroise Dulong ne cessait de la regarder avec une adoration dans le regard et ça le préoccupait. Charles n'aimait pas ce garçon.

***

Le curé de Trois-Rivières s'informa dans les presbytères si on ne connaissait pas Daniel Cuthoen, mais ce nom n'apparaissait nulle part dans les registres des paroisses. Finalement, déçu de ses recherches infructueuses, il écrivit un mot à

Charles pour lui apprendre que son cousin demeurait introuvable.

***

Madame Charlotte lut sur le timbre la provenance de la missive et dit à son mari :

– La lettre vient de Trois-Rivières. Monsieur le curé doit avoir retracé le cousin des enfants. Qu'est-ce que tu veux que ce soit d'autre ?

Pierriche ne dit rien, mais il allait et venait de l'évier à l'escalier, impatient de voir les enfants revenir de l'école.

***

Charles prit la lettre et fit signe à Brigitte de le suivre à sa chambre. Ils s'assirent sur le lit l'un contre l'autre, le temps de lire la missive.

La nouvelle fut une grande déception pour Charles. Quant à Brigitte, elle n'avait aucune réaction. Elle laissait son frère tout décider pour elle.

– Écoute, Brigitte, lui dit Charles, monsieur et madame Dulong sont bons pour nous ; s'ils acceptent de nous garder, nous resterons ici jusqu'à ce que j'aie l'âge d'avoir une terre à moi. Qu'est-ce que t'en penses ?

Brigitte acquiesça d'un signe de tête. Elle obéissait toujours à son frère.

Les enfants descendirent à la cuisine montrer la lettre aux Dulong.

À mesure que madame Charlotte lisait, son air changeait ; sa figure rayonnait de bonheur. En repliant la petite feuille, elle dit aux enfants :

— Vous êtes chez vous ici. Personne ne va vous déloger. Pour nous, vous êtes nos enfants.

Pierriche s'assit dans la berçante et alluma sa pipe.

Charles lui approcha le crachoir en granit.

— Brigitte et moi, nous sommes bien traités ici, dit le garçon, et nous sommes bien contents d'avoir une famille.

***

Charles ne parla plus de retrouver son cousin Daniel, mais l'idée d'une terre à lui le faisait toujours rêver. À douze ans, il était trop jeune pour devenir propriétaire terrien. En attendant, il se laisserait tranquillement initier au métier de colon.

Un jour, monsieur Pierriche lui proposa :

— Si tu acceptais de rester avec nous, je te laisserais ma terre. En retour, je te demanderais rien d'autre que de prendre soin de nos vieux jours jusqu'à notre mort. Ce serait moins dur pour toé de prendre une ferme déjà tout installée et qui ne te coûterait rien, plutôt que de défricher une terre du gouvernement qui serait en bois debout, sans maison pis sans bâtiments. Tu sais ce que c'est de faire une terre neuve ? Tu devras bûcher et essoucher pendant des années avant d'avoir un petit coin de terre à semer.

— Je suis jeune pour décider. Laissez-moi y penser, dit Charles.

— Je comprends que ces choses-là ne se règlent pas à la légère, qu'il faut du temps et de la réflexion, mais rien ne presse. Tu te prépares un bel avenir ici. Tu pourras même penser à te marier.

Durant des jours, Charles rumina l'offre de monsieur Pierriche. Une grande terre avec une bonne maison en pierre et de solides bâtiments de ferme, le tout bien entretenu. C'était tentant. Monsieur Pierriche avait raison; défricher demandait travail et patience, mais d'autres l'avaient fait avant lui. Les Dulong, dans la jeune trentaine, avaient encore plusieurs années devant eux et Charles n'avait pas l'intention de rester à leur service pendant peut-être encore trente ou quarante ans avant que monsieur Pierriche passe la terre à son nom. Il se verrait obligé chaque dimanche de quémander le sou de la quête. Sans compter que l'offre était une simple promesse verbale. D'ici là, quand est-ce qu'il verrait la couleur de l'argent?

Deux semaines plus tard, il refusa l'offre.

– Depuis mon arrivée ici, vos neveux racontent à l'école que la ferme de leurs ancêtres leur revient et, croyez-moi, ils surveillent leurs intérêts de près.

– Leurs intérêts? Quels intérêts?

Charles lui rapporta les ragots entendus dans la cour d'école.

– Ambroise m'en veut. Il s'évertue à me rabaisser. Il dit que comme je ne suis pas un Dulong, je dois faire une croix sur votre ferme.

Pierriche était bien conscient que ces propos malveillants ne venaient pas de ses neveux; ceux-ci étaient un peu jeunes pour de tels raisonnements. Il reconnaissait là le caractère mesquin de son frère Germain.

– Mon père a établi tous ses garçons sur des fermes des alentours, dit-il. Comme je suis le dernier, c'est moi qui ai hérité de la sienne. Aujourd'hui, cette ferme m'appartient en propre. Quand mon père me l'a laissée, son but n'était pas de me la prêter, mais bien de me la donner. J'ai des papiers ici qui en font foi. Maintenant, j'en fais ce que je veux. Que Germain et ses fils s'imaginent des choses ne change rien à mon offre. Vous serez mes seuls héritiers.

– Je ne serais pas heureux de côtoyer des voisins en ennemis, dit Charles. Et puis, j'aimerais bien réussir par mes propres moyens. Mais je vous serai toujours reconnaissant de m'avoir enseigné le métier.

– Prends le temps de réfléchir. Si jamais tu changes d'idée, je serai prêt à en discuter n'importe quand.

CHAPITRE 22

Les enfants menaient une vie normale chez les Dulong. Ils étaient bien traités.

Brigitte avait adopté la petite laiterie pour s'en faire un chez elle où elle s'évadait dans son petit monde. À tout moment, son travail terminé, elle disparaissait. Elle y avait installé un petit banc à traire qu'elle utilisait comme chaise et une boîte en bois pour y faire ses devoirs.

Charlotte s'en plaignit à son mari.

— Notre fille en est rendue à vivre dans la laiterie. Elle y passe plus de temps que dans la maison. Va donc voir ce qu'elle fait là.

— Pas besoin de me déranger ; je le sais déjà. Elle fait ses devoirs, du ménage, elle frotte, lave, tricote et apporte des choses qui ne servent plus pour la maison : une vieille casserole, des guenilles. Si tu la voyais, le balai en mains, elle a l'air d'une petite sorcière avec ton vieux châle mité et un chapeau de paille à fond plat.

Pierriche riait en racontant les faits.

— Elle a peut-être seulement besoin d'un coin à elle, dit-il. L'important, c'est qu'elle ne fasse rien de mal.

— Quand elle peut s'y faufiler avec des beurrées de confiture, elle dîne là, toute seule, ajouta Charlotte. Tu connais l'importance que j'attache aux repas en famille.

— Mets tes conditions, mais ne lui refuses pas l'accès ; elle en souffrirait. Tu sais, il y a de ces petites choses qui ne coûtent rien et qui apportent plus de plaisir qu'un cadeau de grande valeur. Maman disait : le bonheur est dans les petites choses de la vie.

— T'as peut-être ben raison. Sois sans crainte, je lui laisserai son coin, cependant, je tiens à ce qu'elle mange à notre table.

***

Dès que la vaisselle du souper était terminée, Brigitte s'installait sous la lampe et s'appliquait à broder au point de croix une nappe de toile blanche. Son coffre en cèdre contenait des taies d'oreiller brodées de petits oiseaux bleus. Elle adorait les travaux à l'aiguille. La fillette trouvait son bonheur dans les petites choses de la vie et ça tombait bien, car Charlotte lui enseignait tous les arts : broderie, couture, tricot, tissage.

Brigitte n'aurait pu trouver mieux comme famille adoptive, si ce n'était d'un petit doute qui, récemment, planait dans son esprit.

Les enfants ressentent les choses. Charles et Brigitte appréhendaient un événement, mais sans savoir lequel, ce qui leur causait une certaine anxiété. Le moindre changement les préoccupait. La seule attitude possible était l'attente.

Depuis quelque temps, les Dulong parlaient souvent à voix basse entre eux. Cette façon était inhabituelle. Ils se retiraient régulièrement dans leur chambre où ils chuchotaient pendant de longs moments. Parlaient-ils d'eux ?

En avaient-ils assez de leur présence? Qu'avaient-ils à leur cacher? Pourquoi ces secrets? Ils revenaient ensuite à la cuisine avec leur façon habituelle, sauf que madame Charlotte ne supportait plus le bruit et les cris, quand Charles jouait aux cartes et qu'il montait le ton, qu'il sifflait ou encore quand il agaçait le chien et le faisait japper. Elle disait, le ton impatient: «Cessez donc!» ou bien «Charles, va jouer dehors.» Elle qui, au début, était un modèle de patience.

Les jeunes ne savaient à quoi s'attendre. Ils se demandaient ce que les Dulong tramaient dans leur dos. Pas de les renvoyer, toujours? Peut-être parlaient-ils de cadeaux de Noël? Un mystère flottait dans la maison.

Chaque fois que le couple se retirait dans la chambre, Charles, mine de rien, approchait la berçante de la porte avec l'intention d'écouter ce qui se disait, mais il n'entendait que des chuchotements et, chaque fois, son inquiétude grandissait.

***

Le matin du 24 décembre, de la fenêtre de sa chambre, Brigitte aperçut du mouvement au bout de la terre des Dulong: deux ourses et deux oursons marchaient sur la glace. Excitée, la fillette descendit l'escalier en trombe et désigna la rivière où étaient rassemblés des chasseurs. Charles courut aussitôt avertir monsieur Pierriche à l'étable.

— Il y a des ours au bout de votre terre. Venez voir.

Pierre Dulong sortit regarder le spectacle. Une dizaine d'hommes étaient déjà sur les lieux avec leur carabine.

— C'est incroyable! Toé, Charles, attends-moé icitte, ordonna-t-il, je te défends de me suivre.

Pierriche prit son fusil et courut retrouver les hommes. À son arrivée sur les lieux, les deux oursons étaient morts. Un homme tira un coup sur la mère ourse, mais la balle glissa sur sa fourrure serrée. Il tira de nouveau et la bête tomba. L'autre ourse, énervée, s'en prit à Pierriche Dulong. Elle le secouait et le roulait par terre. Elle le maniait comme s'il ne pesait qu'une plume. Deux hommes se tenaient en position de tir, mais ils ne pouvaient tirer : ils risquaient de toucher Pierriche.

Près de la grange, Charles prit peur pour monsieur Pierriche. Il cria de toutes ses forces :

— Nooon ! Ne tirez pas.

Mais sa voix se perdait à cause de la distance.

Au moment où l'ourse allait égorger monsieur Pierriche, quatre hommes s'approchèrent et parvinrent à l'arracher des griffes de la bête. L'ourse s'en retourna. Monsieur Pierriche saignait de partout, mais il était sauf. Arrivé chez lui, Charles lui sauta au cou, sans égard pour ses blessures.

— Tu ne vas pas m'étouffer, toé aussi ? dit Pierriche Dulong, ému.

— Si vous saviez comme j'ai eu peur pour vous ! dit Charles d'un seul souffle.

Charles dénoua ses bras, laissant voir sa chemise tachée de sang. Il réalisa la portée de son geste. Il recula d'un pas, un peu gêné de son laisser-aller. « Je m'étais pourtant dit que je m'attacherais pas », se dit-il.

Pierriche Dulong regardait le garçon comme s'il le voyait pour la première fois.

***

La nuit suivante, le réveillon devait avoir lieu chez Ernestine, la sœur de Charlotte Dulong. Monsieur Pierriche portait des marques de griffes sur les joues et le cou. Brigitte regardait Charlotte nettoyer ses plaies et les badigeonner de teinture d'iode.

— Je ferais peut-être mieux de rester ici, dit l'homme. Arrangé de même, je vais faire peur à la parenté avec mes griffures au visage.

— Rester ici à Noël? Il n'en est pas question, Pierriche Dulong, trancha madame Charlotte. On y va, et tous les quatre.

Charlotte ajouta:

— À la messe de minuit, tu remercieras le bon Dieu de ne pas passer le jour de Noël dans une tombe.

***

Au réveillon, les tantes ne se gênaient pas pour parler librement devant les jeunes qui, croyaient-elles, ne les écoutaient pas. Ceux-ci, assis dans l'escalier, près du poêle qui laissait échapper des odeurs de dinde et de tourtières, s'amusaient à deviner leurs cadeaux.

— Pendant que les hommes sont au salon, je vais en profiter pour vous annoncer une belle nouvelle, dit Charlotte.

— Je gage, devina Ernestine, que les jeunes Chartier ont retrouvé leur cousin.

— Ben non, je n'ai pas dit un malheur; j'ai dit une belle nouvelle.

En entendant le nom de Chartier, Charles, mine de rien, prêta une oreille plus attentive.

Charlotte tourna les yeux vers Berthe.

— Vas-y, Berthe, c'est à ton tour de deviner.

— Arrête de nous tourmenter et parle, Charlotte.

— Je suis en famille, murmura Charlotte tout sourire.

— Toi ? En famille ? la coupa net Ernestine. À trente-trois ans, et après quinze années de mariage ? Je ne te crois pas. Tu veux nous faire marcher.

— Pierriche et moé non plus, on n'y croyait pas, mais nous avons dû nous rendre à l'évidence. Le docteur dit que ça se voit fréquemment lorsqu'une femme désire ardemment un enfant ; le fait de ne plus y penser déclenche le processus de fécondation.

— Vous n'êtes pas trop déçus, un premier enfant à votre âge ? dit Berthe. Faut le faire !

— On l'a fait aussi !

Les femmes s'esclaffèrent.

Charlotte, redevenue sérieuse, mit une main sur sa bouche.

— Les jeunes vont nous entendre, dit-elle à voix basse.

— Mais non, ils sont trop occupés à jaser pour s'intéresser aux affaires de femmes.

— Qu'est-ce que vous allez faire des jeunes Chartier ? Allez-vous les retourner à l'orphelinat ? demanda Berthe.

— Je ne les laisserais jamais partir ; je pourrais pas. Le bébé va dormir dans ma chambre pendant quelques mois et ensuite, si c'est un garçon, il partagera la chambre de Charles, et si c'est une fille, celle de Brigitte.

« J'espère que ce sera une fille », pensa Charles qui avait tout gobé et qui désirait conserver sa chambre à lui seul.

Les voix se mêlaient et Charles avait de la difficulté à suivre le fil de la conversation. «C'était donc ça, les cachotteries des Dulong!»

À l'autre bout de la cuisine, Charlotte s'avançait pour aider au service de table, mais sa sœur Berthe lui retira les assiettes des mains.

— Toi, Charlotte, assieds-toi; ménage tes forces si tu veux avoir un bébé en santé.

— Je peux aider. Je ne suis pas malade.

— Ben, profites-en donc pour te faire gâter.

Charles ne se posait plus de questions. Un gros changement de vie les attendait, lui et sa sœur. Préoccupé par cette nouvelle, il ne portait plus attention à ce que les jeunes disaient autour de lui.

— On va apprendre une chanson à Charles, en français. Chante avec nous, Charles.

Charles chantonnait lentement en lisant les mots dans un cahier.

Après le réveillon, on distribua les cadeaux. Charles reçut une paire de bas de laine gris qui montait aux genoux, Brigitte, une tuque de laine marine, assortie à des mitaines. Tous ces morceaux avaient été tricotés des mains de madame Charlotte.

La nuit avait été merveilleuse. Au retour, les enfants s'endormirent dans la voiture.

CHAPITRE 23

En pleine nuit, monsieur Pierriche réveilla ses protégés.

– Levez-vous et habillez-vous, je vais vous conduire chez Ernestine. Vous finirez votre nuit chez elle. Dépêchez-vous, l'attelage attend devant la porte.

Brigitte, énervée, courut pieds nus à la chambre de Charles et, les yeux épouvantés, elle fit non de la tête.

Charles lui disait de se calmer. Il savait que madame Charlotte allait bientôt accoucher ; il avait surpris des bribes de conversations aux fricots des fêtes et, aujourd'hui, il voyait son ventre sur le point d'éclater. Quelques jours plus tôt, alors que madame Charlotte sortait de sa chambre, il avait aperçu ce qu'il croyait être un ber de bébé, caché sous un drap blanc. Charles ne voulait pas en parler à sa sœur ; elle demanderait des explications et ce n'était pas à lui de la renseigner sur le sujet.

– Viens, Brigitte, fais ce qu'on te dit. C'est seulement pour une nuit.

Les enfants descendirent en trombe et traversèrent la cuisine sous l'œil indifférent de madame Charlotte.

Pierriche fit siffler son fouet dans les airs sans toucher à sa bête. Son attelage prit aussitôt le grand trot.

Les maisons du rang étaient toutes endormies. Seuls des filets de fumée annonçaient la présence d'êtres vivants.

Dans la voiture, Brigitte s'endormit, la tête appuyée sur l'épaule de Charles.

***

Le lendemain, après le déjeuner, Pierriche Dulong ramena les enfants chez lui.

Ça grouillait dans la maison. Un premier enfant à trente-trois ans était tout un phénomène. La sage-femme lavait des draps de lit souillés. Berthe, la sœur de madame Charlotte, berçait un tout petit bébé enroulé dans une couverture rose. Madame Charlotte était couchée. On pouvait voir jusqu'au fond de sa chambre par la porte laissée grande ouverte, ce qui était inhabituel chez elle.

— Approche, Brigitte, viens voir ta petite sœur, lui dit Berthe en découvrant prudemment le joli minois. Après midi, quand elle sera baptisée, tu pourras l'embrasser, mais pas avant qu'elle soit faite enfant de Dieu.

Berthe lui avait dit : « Ta petite sœur. » Brigitte ressentit une grande joie dans son cœur. Elle resta un bon moment en admiration devant un si petit être.

Brigitte disparut et revint avec son petit calepin de conversation. Elle écrivit : « Quel sera son nom ? »

— Juliette, répondit Berthe.

Brigitte écrivit : « C'est un beau nom, mais je préférerais Eanna, comme ma petite sœur qui est au ciel. »

Berthe alla raconter le fait à Charlotte et lui dit :

— Anna aussi est un beau nom. Tu ne trouves pas ?

— Ajoutez-le aux noms de Juliette et Marie. Pierriche pis moé, on décidera ensuite lequel lui donner, une bonne fois pour toutes.

***

Brigitte, assise, les coudes sur la table, regardait Berthe revêtir l'enfant de l'ensemble de baptême qui avait servi aux générations précédentes. La fillette n'avait d'yeux que pour le bébé rose dont la tête était recouverte d'un duvet blond. Elle avait de minuscules ongles, un visage fin, des yeux bleus et une odeur commune aux nouveau-nés, une odeur d'ange retrouvée dans le cou délicat.

Berthe déposa délicatement le nourrisson dans les bras de Brigitte. Elle attendait un sourire de reconnaissance en retour de son geste, mais la fillette ne voyait que l'enfant.

– Fais bien attention de pas l'échapper, et va la déposer délicatement dans son ber.

Brigitte n'avait jamais mis un pied dans la chambre des Dulong. Elle déposa le bébé dans le berceau avec une douceur maternelle, puis elle se retourna et embrassa madame Charlotte sur la joue. Celle-ci passa ses bras autour de son cou et la serra tendrement contre elle.

Depuis le temps que Brigitte demeurait chez elle, c'était la première fois que la fillette lui manifestait ses sentiments.

***

Ce ne fut qu'une fois rendue à l'église, alors que le prêtre versait l'eau du baptême sur le front de l'enfant, que Brigitte apprit qu'on prénommait l'enfant Anna. Une grande joie envahit tout son être, un peu comme si elle retrouvait sa petite sœur Eanna, comme si le bébé lui appartenait un peu.

CHAPITRE 24

Saint-Jacques-de-l'Achigan

Dans leur maison de ferme, Margaret et Daniel avaient tout préparé pour la venue de la famille Carter. Il ne restait plus qu'à attendre un mot d'eux qui n'arrivait pas.

Les mois passaient. Daniel surveillait le courrier, mais jamais aucune nouvelle de Nicolas et de sa famille ne lui parvenait.

Après de longs mois d'une attente désespérante, de lettres sans réponses, la petite famille des Carter devint une préoccupation constante pour Daniel.

—Je vais écrire à maman, dit-il, elle est bien placée pour savoir si Nicolas a quitté le pays.

— Si Nicolas est parti comme prévu, tu vas inquiéter tout le monde là-bas, l'avertit Margaret.

— Ce n'est pas une raison pour arrêter mes recherches. Se peut-il que Nicolas fasse partie des immigrants morts pendant la traversée ? Et Kate ? Et les enfants ? Ils ne peuvent quand même pas être tous morts. Où peut bien se trouver cette petite famille ?

— Cesse de te tourmenter. Nicolas n'est pas un enfant, lui dit Margaret, il peut avoir trouvé un travail intéressant ailleurs, comme les frères McGowan qui s'étaient engagés comme débardeurs à leur arrivée à New York.

– J'en doute. On ne disparaît pas comme ça. Nicolas avait promis de m'écrire. Et nous qui avons tout préparé pour les recevoir!

L'hiver, comme le travail aux champs lui avait laissé un peu de temps libre, Daniel avait posé des portes aux chambres et fabriqué des lits qui devaient servir à la famille de Nicolas.

– T'en fais pas pour les chambres, lui dit Margaret, je vais te les remplir d'enfants.

Daniel posa sa main sur celle de Margaret.

– Si tu savais comme nous avons été proches, Nicolas et moi! Nous étions comme des frères. J'ai peine à imaginer qu'il lui soit arrivé un malheur. Les souvenirs font mal, surtout les bons.

– Mais non, les bons souvenirs aident à vivre, comme notre premier baiser.

– Ou bien à mourir. Viens t'asseoir sur mes genoux, ajouta Daniel.

Margaret sourit et Daniel la prit dans ses bras. Une odeur de cannelle se dégageait de ses cheveux propres.

– Est-ce que les enfants dorment? dit-il.

– Il semble bien.

– Je n'en peux pus de t'attendre, viens.

Daniel souffla la lampe et entraîna Margaret vers la chambre.

***

Après des mois, Daniel reçut une lettre de sa mère lui disant que Nicolas et sa famille s'étaient embarqués à la date prévue. Depuis, ni les Carter ni les Cuthoen n'avaient reçu de nouvelles d'eux et tous s'inquiétaient à leur sujet. Les parents de Nicolas ne comprenaient pas que, depuis son départ, leur fils ne leur ait jamais donné signe de vie. La mère de Daniel était inquiète, mais elle ne perdait pas espoir de recevoir des nouvelles bientôt. Et elle terminait ainsi sa lettre : « Si jamais vous avez des nouvelles d'eux, faites-le-nous savoir au plus tôt. »

***

Chez les Smith, le 7 mars 1839, la petite Cathy, qui n'avait que onze mois, céda son berceau à sa sœur Émily.

Comme Cathy dormait ses nuits complètes, Margaret décida de l'installer dans la chambre du haut qui avoisinait celle de John.

Cette nouvelle naissance et les cérémonies qui l'accompagnaient accaparaient totalement les Smith. Daniel ne parlait plus de son cousin, à qui il en voulait de ne pas donner signe de vie.

***

Puis vint mai, mois de la verdure, des herbettes, de la naissance des veaux.

Daniel surveillait davantage ses vaches quand le temps du vêlage approchait ; il lui arrivait même de se lever la nuit pour assister ses bêtes. Il ne trouvait plus le temps de voisiner ses compatriotes.

Chaque soir, il rentrait éreinté avec le petit John qui le suivait comme son ombre.

Margaret leur enlevait leurs bottes et les déposait sur le tapis. Le repas attendait tout chaud sur le réchaud du poêle. Margaret servait Daniel comme s'il eût été un roi. Cette jeune femme, qui n'avait pas plus de quinze ans, était remarquable, tant par la tenue de sa maison que par la propreté de ses enfants. Elle savait faire régner la bonne humeur dans son foyer. Ce qui aurait dû remettre en cause les commérages de bonnes femmes. Mais non, on trouvait toujours à redire dans son dos : « Vous verrez bien quand elle n'aura pus sa mère pour la torcher ! » disaient les commères.

***

Les mois coulaient paisiblement. Comme tous les après-midi, Laura se rendait chez les Smith. Elle ne frappait plus ; elle entrait comme chez elle.

Au deuxième, Margaret s'occupait de coucher les petites.

– Il n'y a personne dans la cuisine ? Ohé ! c'est moi ! s'écria Laura.

La vaisselle du dîner traînait sur la table. Laura rangea les restes dans la dépense et sortit le plat à vaisselle de sous l'évier. Quand Margaret descendit, Laura commençait à laver les tasses.

Les femmes profitaient du temps où les enfants faisaient leur somme de jour pour causer en paix, de maternité, comme de raison. Laura était enceinte d'un premier enfant et Margaret, d'un troisième. Au dix-neuvième siècle, la procréation était le lot inévitable des épouses.

Tout en jasant, les deux femmes tricotaient jusqu'à environ trois heures de l'après-midi, moment où les petites se réveillaient, réglées comme des horloges. Laura montait et revenait avec une enfant sous chaque bras.

— Je m'occupe de changer les couches pendant que tu t'affaires au souper, dit-elle. Un peu de pratique ne me fera pas de tort.

Parfois, Margaret invitait Laura à souper et celle-ci acceptait d'emblée.

— Mais je ne mange pas de grillades de lard ni de saucisses, précisait-elle chaque fois. La viande de porc me donne des crampes dans les jambes.

— Je n'ai que ça, répondait Margaret pour taquiner sa voisine. Va dire à Adam de s'amener.

Ces visites assidues étaient un baume pour Margaret.

***

Le 2 août 1840, la cigogne déposa un petit garçon dans le berceau des Smith. C'était un gros bébé de neuf livres. Contrairement à ses sœurs, William était un braillard, plus encore, il rugissait comme un lion jusqu'à ce qu'on lui donne son boire ou qu'on le berce. À peine né, il menait ses parents par le bout du nez. Margaret se demandait d'où lui venait ce foutu caractère.

***

L'été avait été chaud et sec. Ce lundi matin, une fois sa maison en ordre, Margaret s'attaqua à la lessive. Elle commença par pomper l'eau qu'elle mettrait à bouillir, mais pas une goutte ne surgit de la pompe. Elle mit son linge sale en tas sur le plancher, en prenant soin de séparer le blanc des couleurs. Puis elle retourna à la cuvette et se mit à agiter la pompe à bras sans relâche. Elle avait chaud. John la regardait pomper et s'impatienter.

— Pousse-toi, Margaret, je vais prendre ta place.

Margaret regardait ce gamin de huit ans qui se prenait pour un adulte et elle retint une envie de rire.

— Va plutôt chercher ton père au champ. Tu lui diras qu'il n'y a plus d'eau, que le puits doit s'être vidé.

***

Daniel se pencha au-dessus du puits et se déplia lentement. Rien.

Il entra à la maison, déçu.

— Le puits est à sec. C'est à cause de la sécheresse. John, va chercher Adam et dis-lui que ça presse.

Une fois arrivé chez les Smith, Adam dit à Daniel:

— Si ton puits est tari, il n'y a pas grand-chose à faire.

— Je vais descendre avec une chandelle, dit Daniel, je vais voir s'il reste un peu d'eau.

— Non, s'il y a de l'oxygène là-dedans, ça pourrait être explosif.

— Je vais creuser plus profondément, insista Daniel.

— L'eau pourrait refouler et ce serait trop dangereux; à moins que tu aies des envies de mort prématurée. La meilleure solution est d'en creuser un nouveau au bas de la colline.

– En bas? Ce serait un peu loin. Le lavage et les besoins de la maison en demandent beaucoup; on va s'épuiser à charrier des chaudières d'eau.

– Alors, tu vas devoir déménager ta maison en bas, lui conseilla Adam. Il n'y a pas d'autre solution.

Daniel, découragé, prit sa tête à deux mains.

– T'es sérieux? dit-il. Ce serait tout un contrat. Et j'ai mes récoltes à rentrer. En plus, je perdrais le beau paysage que je peux contempler de tous les côtés. Non.

– C'est ça, oubedon tu devras charrier continuellement l'eau du puits à la maison.

– Creuser un nouveau puits, ça prendra un peu de temps et, d'ici là, Margaret va avoir besoin d'eau pour la maison. Quant aux animaux, ils iront s'abreuver au lac.

– Je vais t'aider, promit Adam.

– Et tes récoltes?

– Si on se grouille un peu, on viendra à bout de tout.

***

Daniel enleva la plateforme de sur sa voiture, y ancra deux ridelles et se rendit chez Gilles Desrosiers emprunter un tonneau, lequel, au printemps, servait à ramasser l'eau d'érable. Il le remplit d'eau claire et le colla à sa maison, de manière à ce que les gouttières régurgitent l'eau de pluie directement dans le baril. Ainsi Margaret pourrait du perron charrier l'eau que nécessiteraient ses besoins ménagers.

***

Les récoltes engrangées et le puits creusé, les hommes commencèrent les fondations qui recevraient la nouvelle demeure. Le travail allait bon train, les voisins venaient à tour de rôle prêter main-forte. Le soir, Daniel numérotait toutes les pièces de sa maison pour faciliter le déménagement au bas de la colline.

L'année fut très difficile pour Margaret. Pendant la reconstruction de sa maison, elle dut passer cinq mois chez sa mère avec ses quatre enfants. L'espace et le rangement manquaient, mais Margaret ne pouvait pas se plaindre, sa mère était si bonne de la recevoir. Elle était son seul recours.

— Pauvre maman ! Je vous mets à l'étroit.

— Pour nous donner plus d'espace, nous nous servirons de la cuisine d'été jusqu'aux gros froids. On a un bon poêle à bois, pis on placera la table au centre de la pièce pour l'éloigner des fenêtres.

***

À son retour, Daniel leur apprit que Laura venait d'accoucher d'une fille.

— Est-ce qu'elle a de l'aide pour ses relevailles ? demanda Alyson.

— J'ai cru comprendre qu'elle attendait sa sœur Lucienne.

— Maman, dit Margaret, si vous désirez vous occuper de Laura, moi, je peux m'arranger sans vous avec ma petite famille. Chez Laura, la tâche serait moins lourde pour vous.

— Ce soir, je vais lui rendre visite et ensuite je saurai à quoi m'en tenir.

***

De retour dans sa maison, Margaret reprit la vie là où elle l'avait laissée, cinq mois plus tôt. De se retrouver chez elle lui donnait envie de chanter.

Cependant, après tout ce temps passé chez ses parents, Margaret n'arrivait plus à reprendre sa routine avec quatre enfants. Avec les portes et les moulures à poser, empilées contre le mur de la cuisine, elle se retrouvait complètement désorganisée, mais elle était chez elle avec sa petite famille. La tenue de sa maison laissait un peu à désirer, mais ce serait pour peu de temps.

Quand ses effets eurent retrouvé chacun leur place, la jeune femme reprit son allant.

Pendant son séjour chez ses parents, sa mère avait entraîné Cathy à la propreté. Margaret entreprit donc de mettre une culotte à Émily. Après quelques échappées, Émily fut propre de jour comme de nuit. « Deux de moins aux couches », se dit Margaret, soulagée. Elle éprouvait un réel contentement de voir sa tâche allégée. Elle trouvait son bonheur dans ces petites satisfactions.

***

Maintenant, l'eau jaillissait à la pompe et, pour la première fois depuis cinq mois, pas de maternité à l'horizon. Margaret respirait. Le ménage de sa maison s'en ressentit ; tout brillait de propreté. Cependant, après un repos de quinze mois, alors que son ventre avait à peine repris sa forme, un autre enfant y faisait son nid. William avait deux ans quand naquit Lucy, une petite blonde aux traits délicats et aux longs doigts fins.

William faisait la vie dure au bébé. Il tentait de grimper au ber de jour et Margaret devait redoubler de surveillance ; elle craignait qu'il renverse le berceau. Et comme si ce n'était pas suffisant, William avait la manie de mordre les doigts du bébé. Finalement, n'en pouvant plus, Margaret lui attacha une patte à la table en lui laissant un peu de corde pour bouger, sans atteindre le ber du bébé. Elle déposa des blocs de bois à sa portée pour l'amuser. Ce n'était pas une bonne idée, William s'amusait à lancer ses blocs de tous côtés et, ensuite, il se mettait à hurler. Margaret n'en faisait pas de cas pour le décourager de crier.

Chaque fois que Daniel mettait un pied dans la maison, il disait :

— Encore attaché, celui-là ?

— C'est toi qui me répètes de faire ce que je veux dans ma maison. William a encore une fois mordu les doigts de la petite.

— C'est parce qu'il a faim, donne-lui à manger, dit Daniel qui aimait railler.

Et le papa libérait l'enfant et le berçait.

William n'aimait pas s'asseoir. Il se tenait debout en équilibre instable sur les genoux de son père, qui le tenait par les mains.

— Tu vois comme il est tranquille.

— C'est que tu t'en occupes ; moi, avec les autres, je ne trouve pas le temps.

— C'est un garçon. Tu ne veux pas l'élever comme une fille ?

— C'est curieux ; John aussi est un garçon et il n'a jamais été aussi turbulent !

— C'est que John tient de son père et William tient de sa mère.

— S'il peut vieillir! dit Margaret en laissant échapper un long soupir.

— C'est que, pendant ce temps, nous allons vieillir nous aussi.

— Je le sais bien, mais d'ici là, cet enfant est un vrai grippette. C'est pas pour rien que je lui attache la patte à la table; je passe mes journées à courir après.

— Je m'en vais au village avec Adam, dit Daniel, je vais amener les garçons.

— William est un peu jeune pour une si longue trotte.

— Si ça peut te libérer pour quelques heures. As-tu des commissions?

Margaret sortit une petite liste et la lui tendit.

— Je vais passer par la poste, dit Daniel sur le point de sortir.

— Surveille bien William, s'écria Margaret plantée dans la porte de cuisine. Assieds-le sur tes genoux, c'est encore un bébé.

CHAPITRE 25

Trois-Rivières

Ce doux matin de printemps, monsieur Pierriche et Charles se rendirent chez le forgeron faire ferrer Catin, une belle pouliche blonde.

Berthe se trouvait en visite chez sa sœur Charlotte.

– Brigitte, dit-elle, veux-tu aller me chercher du lait à la laiterie? Charles doit avoir oublié d'en apporter. Pis oublie pas de refermer le bidon ben comme y faut.

***

De chez lui, Ambroise Dulong vit son oncle Pierriche et son protégé passer sur le chemin qui menait au village. Tôt en après-midi, il revêtit une veste chaude et disparut.

– Où vas-tu? lui demanda son père.

– Corder du bois au hangar, mentit Ambroise. Y a une corde complète qui a déboulé.

***

Berthe regardait Brigitte s'en aller avec sa pinte dans la main, en prenant bien garde de ne pas glisser; la cour de l'étable était recouverte d'une mince couche de glace et, si Brigitte avait le malheur de tomber avec une pinte en vitre, elle risquerait de se couper.

La laiterie était une petite pièce attenante à la grange. En ouvrant la porte, Brigitte se trouva face à face avec Ambroise Dulong. Que faisait-il là ? Il n'était pas chez lui, ici. Peut-être venait-il voir son oncle ? Elle ne pouvait pas le lui demander ; elle ne parlait pas. Ambroise n'était pas dans son état normal ; il avait l'air nerveux, excité. Brigitte fit mine de l'ignorer, mais intérieurement, elle n'était pas à l'aise. Elle soulevait le couvercle du bidon de lait pour s'en verser quand Ambroise s'avança et saisit son bras. Elle recula de deux pas et échappa le bidon qui se vida de son précieux liquide. Ambroise l'agrippa par le devant de son manteau et lui fit faire demi-tour pour l'empêcher de se sauver, puis se plaça dos à la porte pour ainsi lui bloquer la sortie. Brigitte s'arracha à sa prise.

— Viens, dit-il, on va s'embrasser.

Brigitte recula de nouveau. Elle ne pensait qu'à une chose : s'échapper de la laiterie, mais comment ?

— D'abord, on va aller sauter dans le foin, lui proposa Ambroise.

Brigitte, prise de panique, fit non de la tête. Il avait seize ans, elle, quinze, avec sa chair encore toute neuve.

— Moé, je t'aime, dit Ambroise, pis quand un gars pis une fille s'aiment, ils peuvent s'amuser un peu.

Ambroise lui disait qu'il l'aimait, mais elle ne le croyait pas ; on ne fait pas peur à quelqu'un qu'on aime et Ambroise lui faisait peur.

Ambroise glissa sa main sous sa jupe et tenta de la tripoter. Brigitte fut saisie d'une terreur à lui faire dresser les cheveux sur la tête. Les mains sur sa jupe, elle se débattait, lui donnait de violents coups de pied. Elle devait se défendre seule contre un garçon plus fort qu'elle. Elle poussa du pied le bidon vide qui roula par terre. Cet obstacle la distancia de son agresseur. Ambroise repoussa la canisse contre elle et Brigitte tomba entre les torchons suspendus à une corde basse et une bassine d'eau. Elle se débattait, cherchait à reprendre pied. Ambroise la prit sous les bras et la releva. Elle se mit à trembler. Deux larmes coulaient sur ses joues

— Calme-toi, dit-il, je ne te mangerai pas.

Soudain, comme par miracle, la porte grinça et s'ouvrit derrière Ambroise.

C'était monsieur Pierriche, suivi de Charles.

— Y me semblait aussi que j'entendais du bruit, dit l'homme, qu'est-ce que c'est que ce barouf?

La fillette se réfugia aussitôt près de monsieur Pierriche, comme pour faire clan avec lui contre Ambroise. Pierriche voyait couler des larmes sur les joues de Brigitte, qui frottait ses poignets rougis.

Il comprit qu'il se passait quelque chose de pas joli.

— Qu'est-ce que tu fais ici, toi, le jeune?

— C'est Brigitte qui m'a invité.

Brigitte, les yeux épouvantés, faisait non de la tête. Ambroise pouvait inventer n'importe quoi, elle était muette.

D'un revers de sa grosse main, Pierriche gifla l'insolent. Ambroise venait de perdre la partie. Il essuya le filet de sang qui coulait de sa bouche.

Ambroise tenta de s'enfuir, mais Pierriche l'en empêcha en lui barrant la sortie de son corps.

Il agrippa le gamin par le collet.

— Tu te conduis comme un imbécile. Excuse-toé à Brigitte, tout de suite!

Le regard menaçant, Ambroise défia son oncle.

— Moé, m'excuser? De quoi? J'ai rien fait. C'est vous qui m'avez frappé. Je vais le dire à mon père.

Pierriche libéra la sortie et, dès qu'Ambroise fut devant lui, il lui asséna un solide coup de pied au derrière.

Ambroise fila. Pierriche lui cria:

— Que je te revoie pus jamais tourner autour de ma fille! Tu diras à ton père que je vais passer lui parler ce soir.

— Je le savais que les choses n'en finiraient pas là, dit Charles. Il y a que lui pour faire ça.

Brigitte lui montra le bidon vide. Pierriche prit la pinte.

— Laisse, je vais la rapporter tantôt.

Brigitte fila à la maison.

— Tu ne devais pas m'apporter du lait, toi? dit Berthe.

Comme une coupable, Brigitte, incapable de répondre, détourna la tête, car elle sentait des larmes lui brûler les yeux.

— Bon, je vais aller en chercher. Mais tu as pleuré, toi? Viens ici un peu. Je veux que tu m'écrives ce qui te fait de la peine.

Brigitte refusa. Même si elle n'était pas fautive, elle avait honte.

Elle ne remettrait jamais plus un pied à la laiterie.

***

À la brunante, Pierriche se rendit chez son frère Germain.

– Aujourd'hui, j'ai trouvé ton Ambroise dans la laiterie avec Brigitte. Je n'ai pas pu savoir ce qui s'est passé exactement, mais je sais qu'il l'a malmenée ; ses poignets sont tout rouges. Ton Ambroise a le beau jeu, Brigitte est muette.

– Quelle affaire aussi de prendre des étrangers en élèves ! Quand le bon Dieu ne nous donne pas d'enfants, c'est qu'on n'en mérite pas.

– Ce que je fais chez moé, ça te regarde pas.

– Ta protégée, je l'ai vue dimanche, sur le perron de l'église, lever sa jupe pour exhiber ses jambes ; un peu plus et on voyait ses genoux. Si elle agace les hommes, elle court après les troubles. Mes garçons ne sont pas faits en pierre.

– C'est pas vrai, ça ! Dimanche, comme il ventait à écorner les bœufs, Brigitte retenait sa robe pour l'empêcher de lever.

Pierriche se leva.

– Tu tournes tout à l'avantage de tes gars. C'est toi qui ne mérites pas d'enfants. J'aurais dû y penser que tu prendrais la part de ton garçon. Mais j'aimerais que tu l'avises de ne plus remettre les pieds chez moi. À l'avenir, je m'arrangerai avec mon ouvrage.

Pierriche repartit en mauvais termes avec son frère.

CHAPITRE 26

Deux années ont passé : deux hivers, deux étés.

Le temps des fêtes avait réuni les familles Dulong. Les chicanes de famille étaient chose du passé, on n'allait pas les éterniser.

Charles s'avérait être une aide précieuse pour Pierriche Dulong, et celui-ci profitait de son assistance sans toutefois abuser de ses forces.

Au temps des foins, comme c'était la coutume, au plus fort de l'ouvrage, Pierriche Dulong échangea du temps avec son frère. Germain était toujours accompagné de ses fils, Ambroise et Fridolin. Le midi, ils mangeaient tous à la même table.

Ambroise n'avait d'yeux que pour Brigitte, qui aidait sa tante au service de table. Quand son regard rencontrait le sien, il lui souriait effrontément de toutes ses dents et Brigitte baissait chaque fois les yeux.

— Tu me reconnais pas, Brigitte, dit-il en fanfaronnant, nous étions voisins de pupitre à l'école ?

À la suite de la scène de la laiterie, la fillette avait fait une croix sur les garçons.

Ce moyen d'Ambroise pour attirer l'attention de Brigitte n'échappa pas à Charles. Depuis les bancs d'école,

Ambroise Dulong avait les yeux sur sa sœur. Et, chaque fois qu'il lui faisait les yeux doux, Charles la prévenait.

— Ambroise Dulong n'est pas un garçon pour toi. Il te rendrait malheureuse. Et puis, ce n'est pas le moment de t'éprendre ; dans une couple d'années, nous partirons nous installer loin d'ici, et alors, ce sera le temps pour nous deux de choisir avec qui nous ferons notre vie.

Brigitte baissait les yeux.

Et maintenant, comme Ambroise Dulong rappliquait, de nouveau Charles intervenait.

— Les Dulong sont des visages à deux faces, lui dit Charles. Si Ambroise te fait la cour, c'est qu'il cherche par tous les moyens à s'approprier la terre de monsieur Pierriche. Je me rappelle, dans la cour d'école, l'avoir entendu dire à Jean-Louis Pronovost : « Chartier essaie d'enjôler mon oncle Pierriche pour avoir sa ferme, mais c'est à nous, les Dulong, que revient le bien de notre grand-père. » Comme si j'en voulais, de cette terre ! Ambroise Dulong me prête de mauvaises intentions.

Et Charles ajouta :

— Tu les vois, aux fricots des fêtes, les frères Dulong sont toujours présents et ils ne m'adressent jamais la parole. S'ils le pouvaient, ces gars-là mettraient la bisbille entre nous deux.

Charles n'aimait pas les Dulong, lesquels le traitaient comme un moins que rien. Après s'être vidé le cœur, il se demanda bien ce que sa sœur pensait de ce qu'il venait de lui dire. Brigitte écoutait, mais elle n'avait aucune réaction apparente. De ses sentiments, personne ne savait rien.

Comme chaque fois, elle acquiesça d'un petit signe de tête.

***

Brigitte aidait madame Charlotte à la cuisine et aux travaux ménagers. Elle s'entendait bien avec cette femme qui l'initiait à son futur rôle de maîtresse de maison et qui lui accordait sa confiance. Elle l'éduquait sans jamais lui faire un reproche ; son infirmité lui valait tous les pardons.

Madame Charlotte s'amusait à peigner ses longs cheveux qui n'avaient jamais été coupés depuis son arrivée dans cette maison. Parfois, la femme s'arrêtait un long moment à la regarder, à regretter de n'être pas sa vraie mère. Et Brigitte, qui devinait ses pensées, baissait les yeux, un peu gênée.

Madame Charlotte lui permettait de recevoir Julienne Biron à la maison. Julienne était une copine d'école. Les filles faisaient leurs devoirs ensemble, joyeusement assises sur le perron.

Maintenant qu'elles avaient passé l'âge de l'étude, les filles jouaient aux cartes ou aux dames, ou bien Julienne causait et Brigitte écrivait ses réponses sur papier. Elles arrivaient ainsi à maintenir une bonne amitié.

Madame Dulong leur servait chaque fois une petite collation qu'elle plaçait devant elles, avec son plus beau sourire.

Le temps des fêtes approchait. Julienne fréquentait Brigitte plus assidûment. Ces derniers temps, elle se présentait chaque fois chez les Dulong endimanchée.

— Je trouve ton frère de mon goût, dit Julienne, mais je ne sais pas si je lui plais.

— *Demande-lui*, écrivit Brigitte.

— Pour me faire répondre non ?

— *Au moins, t'en aurais le cœur net.*

— C'est moi qui s'emballe dans tout ça.

— *Si tu préfères rester dans le doute, c'est ton affaire.*

— C'est peut-être mieux que de passer pour une fille qui s'accroche au premier venu. Ça revient aux garçons de faire des avances. N'empêche que j'aimerais bien qu'il m'invite aux fricots des fêtes.

Brigitte écrivit : *C'est pour lui que tu te fais belle ? Charles ne veut pas s'attacher parce que, dans deux ans, nous allons partir d'ici. Mais si tu y tiens, je vais le lui dire.*

— Fais donc ça. On verra bien si je pourrai le retenir par ici.

— *Pourquoi ne pas le lui dire toi-même ? Tu saurais tout de suite à quoi t'en tenir.*

Brigitte poussa le papier devant elle.

— Parce que ça me gêne trop. Il pourrait se moquer et ça, je ne le supporterais pas. Tandis que toi, tu es sa sœur. Tu veux bien faire ça pour moi ?

Brigitte sourit et écrivit :

— *Et si mon frère refuse, resteras-tu quand même mon amie ?*

— Bien sûr que oui ! Ça ne changera rien à nos rapports.

— *Si c'est comme ça, je vais le lui faire savoir dès ce soir.*

Julienne, tout excitée, ne tenait plus en place. Elle sauta au cou de Brigitte et l'embrassa sur les deux joues.

— Dis-lui aussi que j'aimerais bien avoir une réponse.

Julienne, satisfaite, sourit et ajouta :

— J'espère que ça marchera pour nous deux.

Brigitte surveillerait l'aboutissement de cette intrigue. Son frère lui répétait sans cesse de ne pas s'amouracher. Elle verrait bien si ses conseils ne valaient que pour elle.

***

Une fois seule, Brigitte écrivit un petit billet à Charles : «*Julienne Biron te trouve de son goût et elle veut que je te le fasse savoir. Elle aimerait bien t'accompagner aux fricots des fêtes. Voilà, c'est fait. Elle attend une réponse de toi.*

N. B. Ce n'est pas le moment de t'éprendre d'une fille, dans une couple d'années, nous partirons nous installer loin d'ici et ce sera le temps pour nous deux de choisir avec qui nous ferons notre vie.»

Brigitte déposa le mot sur l'oreiller de Charles.

***

Au coucher, Charles, assis sur son lit, lut et relut le message. La note du bas de la page le fit sourire. Il resta surpris et, en même temps, flatté de se savoir remarqué de Julienne Biron, une fille aux yeux pétillants, au nez fin, aux lèvres bien dessinées. Il la connaissait depuis les bancs d'école. Dans le temps, Julienne Biron était une élève remarquable par son intelligence ; elle était une première de classe. Et aujourd'hui, elle s'intéressait à lui, ce qu'il n'aurait jamais cru dans le temps. Et elle demandait une réponse.

Il s'endormit en imaginant sa bouche sur les lèvres roses de Julienne.

Au réveil, il se rappela que, pendant son sommeil, Julienne Biron avait peuplé ses rêves. De toute évidence, cette fille s'imposait.

Il ne répondit pas tout de suite à son message, mais lors de ses visites à Brigitte, il la saluait chaque fois avec un large sourire, après quoi, Julienne poireautait, inquiète d'essuyer un refus.

Un peu avant Noël, il demanda à madame Charlotte la permission d'inviter une fille à réveillonner chez elle.

Charlotte accepta d'emblée ; si une fille pouvait le retenir dans la place et lui faire oublier son projet de partir au loin, elle était pour à cent pour cent.

— Est-ce que je la connais ?

— C'est Julienne Biron, l'amie de Brigitte.

— Ah, oui ! C'est une fille bien. Mais je pensais que Fridolin et elle….

Charles se figea. Son visage se rembrunit.

— Fridolin qui ?

— Mon neveu, Fridolin Dulong, que tu connais bien.

En voyant le visage de Charles changer, Charlotte tenta de se rétracter, mais elle ne trouvait pas les mots pour se tirer d'embarras.

— Oubliez ce que je viens de vous demander, dit Charles. Sauf votre respect, je ne veux pas des frères Dulong dans mes jambes.

— Mais non, protesta Charlotte, Julienne n'est pas mariée, elle est libre. Tiens, je suis prête à faire quelque chose pour vous faire plaisir, mes enfants : je vais préparer un petit réveillon juste pour notre famille. Cinq personnes, six, si Julienne accepte de t'accompagner.

— Non, ne changez rien à vos habitudes. Je vais commencer par parler à Julienne et je vous reviens là-dessus.

***

En cet après-midi enneigé de décembre, Julienne avait passé quelques heures avec Brigitte. À son départ, Charles l'attendait à l'extérieur.

— Je peux te parler? dit-il.

— Bien sûr.

Julienne sentit son cœur battre la chamade. Charles allait enfin accepter sa proposition.

Il alla droit au but.

— Je serais bien prêt à passer les fêtes avec toi, mais avant, je veux que tu me dises ce que représente Fridolin Dulong pour toi.

— Qui t'a parlé de lui?

— De qui ça vient n'a aucune importance.

— Fridolin Dulong me tourne autour depuis ma sortie de l'école. J'ai beau l'éviter, il s'accroche, une vraie sangsue, mais moi, je n'ai aucune attirance pour lui.

— Si c'est comme tu dis, va régler ton compte avec lui, mets les choses au clair entre vous et après seulement nous reparlerons de nous deux.

— Il y a rien à mettre au clair entre nous.

— Et s'il y avait moi?

— Ce que tu me demandes n'est pas facile. Qu'est-ce que je vais lui dire? Qu'il cesse de me tourner autour?

— Dis-lui ce que tu voudras, mais sois bien claire. Moi, je ne veux pas de lui dans mes jambes.

— Si tu y tiens, je vais essayer.

— Si tu t'intéresses vraiment à moi, j'y tiens.

— Tu veux bien venir me reconduire à la maison?

— Pas avant que tu aies réglé ton affaire avec Fridolin Dulong.

De la maison, Brigitte regardait Julienne s'en aller la tête basse. Charles n'avait pas l'air plus heureux. « J'ai idée que ça ne marchera pas entre ces deux-là », se dit-elle.

Brigitte avait bien hâte de connaître l'aboutissement de leur idylle.

***

Deux semaines plus tard, Julienne frappa chez les Dulong, l'air radieux. Brigitte courut lui ouvrir et, d'un grand geste du bras, elle lui fit signe d'entrer.

Brigitte sortit son papier et écrivit:

— *Qu'est-ce qui te rend si joyeuse?*

— Il faut que je parle à Charles.

— *Charles est au village. Il devrait revenir dans le courant de l'après-midi. Ça va, vous deux?*

— Oui, grâce à toi.

Julienne lui raconta la discussion qu'elle avait eue avec Charles au sujet de Fridolin Dulong.

— Si je te raconte tout ça, c'est que je t'en dois une. Maintenant, je m'en vais. Tu diras à ton frère que je suis venue et que je l'attends chez moi. J'ai à lui parler.

Brigitte écrivit: « *Bonne chance, belle-sœur.* »

Toutes deux pouffèrent de rire.

***

Brigitte reprit son crayon et écrivit à Charles :

« *Julienne est passée cet après-midi. Elle était toute joyeuse. Elle dit qu'elle t'attend chez elle, ce soir.* »

Et Brigitte réitéra sa recommandation.

P.-S. Essaie de ne pas trop t'attacher aux filles. Dans une couple d'années, nous partirons nous installer loin d'ici et ce sera le temps pour nous deux de choisir avec qui nous ferons notre vie.

Brigitte déposa le billet sur l'oreiller de Charles.

***

Au coucher, Charles saisit la petite feuille et lut les trois premières lignes. « Julienne doit avoir réglé le cas de Fridolin Dulong », se dit-il.

Il reprit sa lecture et reconnut le même conseil que Brigitte lui avait déjà servi. Elle lui rendait la monnaie de sa pièce.

CHAPITRE 27

Deux années passèrent. Des années de labeur et aussi d'un bonheur tranquille pour les orphelins sur la ferme des Dulong. Brigitte s'occupait de la petite Anna avec la même tendresse qu'elle vouait à sa poupée. L'enfant partageait sa chambre et, au moindre cri, Brigitte l'amenait dans son lit et dormait avec elle jusqu'au matin, sans que Charlotte le sache.

***

Charles fréquentait régulièrement Julienne Biron. Cependant, quelque chose le retenait de se laisser aller à l'aimer sans retenue. Tous ceux qu'il avait aimés étaient partis pour l'au-delà et, en même temps, ils devaient avoir emporté ses sentiments.

Charles ne renonçait pas à son projet de demander une terre au gouvernement. Il n'attendait que le bon moment pour en parler à Julienne.

***

Il profita d'un soir de lune. Chez les Biron, Charles, assis sur une marche du perron, demanda à Julienne si elle était prête à le suivre au loin.

Julienne réfléchit ; Charles était un garçon très réservé dans ses sentiments. Il ne lui avait jamais dit qu'il l'aimait et soudain, il lui demandait de le suivre.

— Où ça ? Loin d'ici ? dit-elle.

— Je ne sais pas. J'ai entendu dire que le gouvernement donnait des terres aux immigrants. J'en rêve depuis que je suis petit gars. C'est mon père qui m'a mis cette idée en tête. Lui, il n'a pas eu le temps de réaliser son rêve, mais moé, je vais le faire à sa place. Je vais bientôt prendre des informations.

Charles prit gentiment la main de Julienne et la garda dans la sienne. Il ajouta :

— Avant de m'embarquer dans ce projet, je veux savoir ce que t'en penses.

Julienne n'était pas bête. Elle avait un talent d'actrice. Elle réfléchit un moment avant de répondre. C'était la belle occasion de lui extirper ce qu'il ressentait au fond de son cœur ; peut-être les mots d'amour qu'elle attendait depuis des mois.

Comme Charles allait reformuler sa demande, elle lui dit :

— Ça dépend si le garçon qui me demande de partir avec lui a des sentiments pour moi.

— Tu le sais bien.

— Non, je ne le sais pas. Je ne vois pas à travers les cœurs. Je le saurai seulement s'il me le dit clairement.

Charles prit la tête de Julienne entre ses mains et déposa un baiser sur ses lèvres.

– Je t'aime, dit-il tout bas.

– Moé aussi, je t'aime, murmura Julienne qui laissa tomber sa tête sur l'épaule de Charles.

De nouveau, Charles l'embrassa, et à pleine bouche cette fois.

En même temps, derrière eux, la porte de la maison claqua sec et coupa court à leurs effusions. Julienne se raidit.

– Ça ressemble à un avertissement. Fais comme si tu n'avais rien entendu, chuchota-t-elle. Ce doit être mon père. Je gage qu'il nous a vus nous embrasser.

Charles ne tourna pas la tête pour regarder de qui venait l'avertissement. Il se poussa un peu pour laisser une distance entre Julienne et lui. « Pourquoi venait-on les déranger dans un moment aussi agréable ? »

– Es-tu prête à me suivre là où j'irai ? dit-il.

– Tu le sais bien, je t'aime assez pour aller au bout du monde avec toé, dit Julienne, émue.

– Je suis content, bien content. Maintenant, si tu acceptes d'être ma femme, nous allons nous marier avant notre départ.

– Et si tu ne pars jamais, pour quelque raison que ce soit ?

– Mes sentiments à ton endroit resteront les mêmes.

Julienne était au septième ciel.

***

Les lots du gouvernement étaient très éloignés ; ils se trouvaient dans une paroisse toute neuve, un détachement de Saint-Jacques-de-l'Achigan, qu'on nommerait plus tard Saint-Alphonse-de-Rodriguez. Plusieurs Irlandais y étaient déjà installés.

Charles obtint un lot. Fou de joie, il courut annoncer la nouvelle à Julienne.

***

La noce aurait lieu à la fin d'août, chez les parents de Julienne, pour se terminer chez les Dulong.

Le matin, le ciel était magnifique avec ses quelques nuages blancs.

Charlotte avait invité la famille de Germain Dulong. Elle était toujours là pour raccommoder Germain et Pierriche.

Elle avait préparé un vrai festin pour le souper : de la poule rôtie, des patates et des légumes frais cueillis du potager. Le temps était chaud et collant. Les tables étaient dressées, prêtes à recevoir les mariés qui n'arrivaient plus.

À l'ouest, le ciel se chargeait de lourds nuages violets barbouillés d'éclairs, et un roulement de tonnerre continu annonçait un orage violent.

On fit entrer les enfants qui envahissaient la pelouse. Tout le monde se réfugia dans la maison avant que tombe la pluie.

La maison était bondée de monde quand l'orage éclata.

Soudain, un vent chaud s'éleva.

Pierriche Dulong prit soin de fermer toutes les fenêtres de sa maison. Il se planta ensuite dans la porte. Les arbres se tordaient sous l'effet du vent.

Ça faisait un bon bout de temps que la terre se craquelait de soif et se fendillait.

– Le temps est laid. Je n'aime pas ça, dit Pierriche. Charlotte, allume un cierge et sors l'eau bénite.

Brigitte, derrière le rideau, éprouvait un trouble intense sous l'effet de la peur. Ses jambes flageolaient. Monsieur Pierriche, celui qui, habituellement, apaisait ses soucis, redoutait l'orage, ce qui n'était rien pour la rassurer. Elle sentit le besoin de se blottir dans des bras rassurants, mais qui pourrait la protéger? Charles? Celui-ci n'arrivait pas. Elle s'assit au bas de l'escalier et se recroquevilla sur elle-même, les genoux au menton.

Soudain, le vent qui faisait rage s'enfargea dans tout ce qu'il rencontrait, charriant brouettes, balançoires, pots de fleurs, branches brisées. Tous les objets passaient devant la maison à une vitesse vertigineuse. C'était effrayant à voir. Les enfants apeurés criaient et couraient se réfugier dans les bras de leurs parents. Ceux-ci, sidérés, se regardaient, inquiets. Quand est-ce que tout ça allait finir? Les minutes semblaient des heures.

Charlotte lança de l'eau bénite dans les vitres et récita un chapelet. Tous répondirent, la voix chevrotante. Les femmes tenaient leurs enfants serrés contre elles. Brigitte, tremblante de peur, s'approcha de Charlotte qui serrait Anna dans ses bras. Soudain, un coup de tonnerre terrible accompagné d'un faisceau de feu, comme une explosion, traversa la cuisine avec fracas, brisa les vitres et déchira les tympans. Brigitte, affolée, se jeta sur madame Charlotte en poussant un cri strident qui se perdit dans le désordre. Madame Charlotte saisit sa main et se rua sur les gens qui se bousculaient dans la porte. C'était à qui sortirait le premier de la maison en feu. À l'extérieur, les invités criaient et couraient se réfugier dans les bâtiments et chez les voisins immédiats. Sous l'effet de la peur, ils se fichaient de la pluie torrentielle. Ils l'avaient échappé belle ; personne n'était blessé, mais tout le monde était terrorisé. Derrière eux, le feu pétillait. La maison flambait, la fumée montait.

Le violent orage n'avait duré que quelques minutes, mais elles avaient semblé des heures. Les nuages se dissipèrent. La pluie cessa net, le vent tomba et le soleil reprit sa place au firmament.

Une foule de personnes rassemblées sur le chemin regardait l'incendie dans le plus grand silence. Les vêtements mouillés, collés aux corps, les cheveux dégoulinant comme des larmes sur les visages.

Dans la laiterie, Brigitte tentait de consoler madame Charlotte.

— Pauvre vous ! dit-elle en la serrant dans ses bras.

Puis, elle resta là, tout hébétée d'avoir entendu sa propre voix.

La femme, profondément bouleversée de savoir sa maison en flammes, ne se rendait pas compte que Brigitte avait recouvré la parole.

Les mariés couraient, d'un côté et de l'autre, entre les hommes qui lançaient des chaudières d'eau inutiles sur l'énorme incendie. Ils cherchaient Brigitte. Ambroise laissa tomber sa chaudière et partit à sa recherche.

— Pourvu qu'elle ne soit pas dans le brasier, dit-il, épouvanté.

Il poussa un hurlement de souffrance.

— Brigitte !

— Regarde par là, elle sort du bâtiment, répondit Germain Dulong.

Charles courut vers sa sœur qui sortait de la petite laiterie en soutenant du bras madame Charlotte, qui tenait
la main d'Anna et qui pleurait de voir sa maison s'envoler
en fumée. Il s'approcha d'elles.

— Quelle catastrophe! lui dit Brigitte. Ça vous en fait,
toute une journée de noces!

— Quoi! Tu parles, Brigitte? s'écria Charles, incrédule.
Tu parles?

Brigitte en était elle-même étonnée.

— J'ai eu si peur, dit-elle, pas complètement remise de
ses émotions.

Charles ne l'écoutait pas. Il criait à qui voulait
l'entendre:

— Brigitte parle! Brigitte a recouvré la voix!

Curieux, les invités se regroupaient autour de Brigitte.

— C'est un miracle! s'écria Pierriche Dulong.

— Je pense plutôt que c'est le choc, le coup de tonnerre
qui l'a débloquée, dit madame Charlotte, les yeux lar-
moyants. Finalement, la foudre aura eu quelque chose de
bon.

Ambroise Dulong avait tout entendu. Un peu en
retrait, il fit signe à Brigitte de le suivre. Raide et immobile, Brigitte n'obéit pas. Ambroise s'approcha, prit sa
main, mais Brigitte la retira brusquement.

— Je suis bien content pour toi que t'aies recouvré la
parole, mais tu sais, je t'aimais tout autant muette. Ça
fait des années qu'on se connaît, que je t'aime comme
un fou, et toi, tu ne fais même pas de cas de moé. Je ne
voudrais pas te laisser partir avant de te demander d'être
ma femme.

Ambroise se mit à énumérer son avoir : un peu d'argent mis de côté, un cheval et une voiture.

Brigitte, mal à l'aise, ne savait quel prétexte utiliser pour se tirer d'embarras.

— Je pars avec mon frère. Je ne veux pas me séparer de lui ; il est ma seule famille.

— Un frère, ça ne remplace pas un mari.

— Je le sais. Je te le répète, je ne veux pas me séparer de Charles, il est ma seule famille.

Ambroise bouillait intérieurement. Brigitte ne voulait pas de lui, c'était évident.

— Je ne te demande pas de te séparer de ta famille, je te demande de m'épouser, dit Ambroise, nerveux. Tu me prends pour un cave, hein ? Dis-le.

Brigitte sentait le ton d'Ambroise devenir acerbe. Ce garçon ne pouvait jamais discuter sans se mettre en colère. Et Brigitte n'aimait pas se faire brusquer.

— Cesse tes menaces, dit-elle, je n'ai plus dix ans.

Et elle ajouta sèchement :

— Pour le mariage, c'est non.

Le regard méchant d'Ambroise la transperçait.

— C'est parce que tu es capable de parler que tu lèves le nez sur moi ? Je le savais. Tu as toujours eu des airs de grandeur, pourtant, tu n'as jamais eu rien à toi. Tes belles robes étaient des charités de ma tante Charlotte. J'aurais dû me méfier aussi, avant de te proposer le mariage.

Tout le temps qu'Ambroise lui parlait, Brigitte évitait son regard. Ça ne servait à rien de discuter.

Ambroise se rendait plus ridicule qu'il ne l'avait jamais été.

Voyant que la conversation tournait au vinaigre, Brigitte allait se retirer quand Ambroise la saisit par le bras.

— Laisse-moi, dit-elle.

— Pas si vite. Je ne t'ai pas tout dit.

— J'en ai assez entendu.

Brigitte n'arrivait pas à s'arracher de la prise d'Ambroise. Elle appela Charles à l'aide.

Quand Charles surgit, Ambroise lui sauta à la gorge et une bataille s'ensuivit. Tout le monde se rassembla autour des belligérants. Comme Charles avait le dessus sur Ambroise, Pierriche et Germain Dulong, témoins de la bousculade, séparèrent leurs fils. Ambroise saignait du nez et un filet de sang s'échappait de sa bouche.

— Ambroise a insulté ma sœur, dit Charles, il était en train de l'engueuler et de la malmener quand je suis intervenu.

Cette fois, Germain Dulong attrapa son fils par le collet.

— Excuse-toi à Brigitte. Tu m'entends? Excuse-toi tout de suite!

— Jamais! Mademoiselle se permet de lever le nez sur moi, et vous, le père, vous vous rangez de son côté.

Germain donna une brusque poussée à son fils et murmura comme pour lui-même:

— Je ne sais pas si j'arriverai un jour à faire quelque chose de celui-là!

Ambroise Dulong s'en retourna chez lui en proférant des menaces, desquelles personne ne tint compte.

***

Charles s'approcha de madame Charlotte.

— Vous aurez besoin de main-d'œuvre pour recons- truire. Si vous acceptez mon aide, je peux remettre notre départ à plus tard.

— Non. Ce serait un beau geste de ta part, Charles, mais avec ce feu, je n'ai même plus un toit à vous offrir. Nous-mêmes devrons nous loger ailleurs.

— Nous, nous habiterons chez les parents de Julienne pendant les deux prochains mois, dit Charles.

— Et vous, madame Charlotte, où irez-vous habiter ? s'informa Brigitte.

— Je ne le sais pas encore. Je vais attendre les offres.

— Quant à moi, dit Brigitte, les parents de Julienne m'ont invitée à rester chez eux pour les mois qui restent avant le départ. Je vais m'ennuyer bien gros d'Anna.

Germain Dulong avait tout entendu de leur conver- sation. Comme son frère demeurait à trois fermes de chez lui et qu'il aurait à s'occuper de ses récoltes et de ses animaux, personne n'était mieux placé pour lui fournir le gîte. Et surtout, c'était un bon moyen de rester dans ses bonnes grâces ; les Chartier partis au loin, la terre de Pierriche reviendrait sans doute aux siens.

— Vous viendrez habiter chez moé, dit Germain, si tu ne trouves pas mes enfants trop tannants.

— Ta maison est déjà pleine, Germain.

— S'il le faut, on couchera les enfants trois par lit.

Dans le temps, quand une famille était éprouvée par un incendie, chacun faisait sa part pour la secourir et toute la paroisse aidait à la reconstruction de la maison.

***

Après neuf années passées avec leurs protégés, les Dulong étaient très affectés par le départ de Charles et de Brigitte. C'était un coup dur à subir, en plus de l'incendie qui venait de raser leur maison.

Comme un bon père, Pierre Dulong offrit une somme d'argent à Charles.

— Tiens, prends ceci en reconnaissance pour tes années de travail sur la ferme.

— Je ne peux pas accepter ça. C'est nous qui vous devons de la reconnaissance pour nous avoir gardés et bien soignés, presque adoptés. Et aujourd'hui, le feu vous occasionne de grosses dépenses.

— Accepte, t'en auras besoin ; tous vos vêtements sont brûlés.

— Ce serait plutôt à nous de vous gâter, dit Charles. Gardez cet argent pour vos neveux.

— Anna et vous passerez toujours avant mes neveux. Quand on vous a pris en adoption, c'était par pur égoïsme de notre part. Au début de notre mariage, on voulait des enfants, mais la nature en a décidé autrement. Pis vous êtes arrivés, comme un cadeau, précisément à l'âge que les nôtres auraient pu avoir si nous en avions eu au début. Vous avez agrémenté neuf ans de notre vie pis là, après s'être attachés à vous comme à nos propres enfants, on va s'ennuyer de vous autres sans bon sens.

Pierriche mit l'argent dans la poche de veste de Charles.

— Que diriez-vous de me donner votre jument Catin plutôt qu'un montant d'argent? suggéra Charles. Comme elle me connaît bien, je n'aurais pas le trouble de me dompter une pouliche. Mais je ne veux pas vous mettre mal à l'aise; si vous tenez à la garder, je m'en achèterai une ailleurs.

— Laisse-moi y penser. Je vais en parler avec Charlotte et je te reviens là-dessus.

Pierre Dulong se tourna vers Brigitte.

— Voici pour toi aussi, Brigitte, un petit montant juste pour dire que tu ne partiras pas pauvre comme du sel. C'est pour que tu penses à nous deux une fois là-bas. Tu en feras ce que tu voudras; comme je te connais, je sais que tu ne le gaspilleras pas.

— Si la maison n'avait pas brûlé, expliqua Charlotte, je t'aurais donné quelques petites utilités, des affaires de cuisine. J'en avais mis de côté dans une boîte, mais que veux-tu, le hasard en a décidé autrement. Tant de travail et de patience pour que tout s'envole en fumée!

— L'important, c'est que tout le monde soit en vie.

Les larmes aux yeux, Brigitte se jeta dans les bras de sa mère adoptive.

— En arrivant ici, nous sommes tombés sur une bonne famille, dit-elle. Vous avez été de bons parents pour nous; nous n'aurions jamais pu trouver mieux ailleurs.

Charlotte ne pouvait plus parler tant l'émotion serrait sa gorge.

— Maintenant, ce sera à votre tour de nous rendre visite à Saint-Alphonse, dit Brigitte.

– On va certainement aller voir où vous vous installerez, promit Charlotte.

– Compte sur nous, ajouta Pierriche, j'irai embrasser mes petits-enfants. J'espère que vous serez plus chanceux que nous, que vous n'attendrez pas quinze ans avant d'en avoir.

CHAPITRE 28

Ces dernières années, chez les Smith, les chambres se remplissaient. Margaret était très fertile ; en six ans, trois enfants s'étaient ajoutés aux quatre premiers, soit trois garçons. Lors de chaque naissance, Margaret craignait de retrouver dans ces derniers le caractère fort de William, pour constater, peu de temps après, qu'elle avait des bébés faciles.

À huit ans, William se montrait un gamin très intelligent, un meneur qui pouvait se dévouer corps et âme au service de sa mère, tant que celle-ci ne s'imposait pas. Comme Margaret ne voulait pas casser son caractère impétueux, elle avait appris à lui dire « veux-tu » plutôt que « fais ceci ou cela ».

**

— Bon ! Allons les enfants, au lit ! dit Margaret.

Une chandelle allumée à la main, Margaret suivait les enfants dans l'escalier. Elle passait à chaque lit, remontait la couverture de chacun dans son cou, comme une caresse, et leur disait : « Je ne veux pas entendre un mot. » Elle les regardait l'un après l'autre et elle les trouvait beaux.

Le soir, à l'heure où plus personne ne frappe à la porte, Daniel laissait tomber sa chemise et son pantalon pour ne garder que sa combinaison qu'il portait hiver comme été. Il allumait sa pipe à un tison et se retirait dans la chaise berçante collée au poêle où il décompressait. Margaret remettait la cuisine en ordre.

Margaret et Daniel profitaient du calme du soir pour se retrouver en tête à tête. C'était chaque fois des moments privilégiés pour eux.

Margaret retira de l'armoire deux tasses en granit, les remplit de thé et les déposa sur le bois doré de la table. Assise en face de Daniel, elle buvait à petites gorgées.

— Notre William est un petit roi qui règne en maître dans la maison, dit-elle, il mène ses frères et sœurs par le bout du nez. Celui-là, il ne lui manque qu'une couronne d'or sur la tête.

Margaret avait raison : à huit ans, William était déjà un meneur, à l'apparence hautaine, ce qui causait quelques frictions entre les enfants.

— Roi ou valet, ajouta Daniel, un enfant a besoin d'une autorité parentale. William ne fera pas toujours la loi ; bientôt les filles ne supporteront plus de se laisser mener par le bout du nez par leur frère. Cet enfant a besoin de travailler pour former son caractère. Je vais l'emmener aux champs. Ça t'en fera un de moins dans les jambes.

— Tu ne le trouves pas un peu jeune ?

— Je le laisserai travailler à son rythme, comme je le faisais avec John.

— Nous avons une belle famille, Daniel, nos enfants sont tous beaux et intelligents.

– Comme leur père, ajouta Daniel en bombant le torse.

– Et moi qui me demandais de qui tenait William!

Margaret leva les yeux.

– Regarde qui est là, Daniel.

William apparaissait justement en haut de l'escalier. Il devait avoir entendu son nom.

– Va te coucher, dit Margaret.

– Je m'endors pas.

– Va! Tantôt, je vais monter t'abrier.

Margaret changea de sujet de conversation.

– On dit qu'à la suite de l'empoisonnement de la pomme de terre et de la famine qui sévit en Irlande, les gens fuient le pays. Ces six derniers mois, cent mille Irlandais, dont presque sept cents orphelins, ont débarqué à l'île de la quarantaine. On dit que l'île est surpeuplée et que plusieurs navires doivent attendre au large avant d'obtenir la permission d'accoster.

– Maudits Anglais! hurla Daniel, le regard chargé.

– Chut! Tu vas réveiller les enfants.

– Veux-tu bien me dire d'où te viennent toutes ces informations?

– De madame Leblanc. Elle a appris ça du curé Régis Robert qui est venu chanter la messe dans sa maison, il y a deux semaines. Il lui a même laissé le journal L'Avenir. C'était écrit noir sur blanc sur la page couverture. Madame Leblanc a raconté ça à maman. Elle a dit aussi que le typhus fait des gros ravages, chez les adultes surtout. Comme les enfants ont une meilleure résistance, plusieurs parviennent à passer à travers.

– Qu'est-ce qui va arriver à ces petits orphelins?

– On dit qu'ils sont placés dans des orphelinats en attendant d'être adoptés par des familles.

– Eh ben! soupira Daniel. T'en sais des choses, toi! On ne dirait pas que tu passes tes journées dans ta cuisine.

– J'aimerais bien recevoir le journal *L'Avenir*. On dit que c'est plein de nouvelles intéressantes là-dedans.

Mais Daniel écoutait-il?

– Ces arrivées vont nous amener de nouveaux compatriotes dans la place, dit-il. Je vais peut-être retrouver de vieilles connaissances, peut-être des gars de l'armée.

– Tu parles de Nicolas Carter?

– Je ne pense pas, après toutes ces années…

– Il me semble que ça n'a pas de sens qu'une famille complète disparaisse comme ça.

– Finalement, mes parents ont pris la bonne décision en demeurant là-bas.

– Moi, je pense le contraire. Ils vont mourir de faim en Irlande.

Daniel ne releva pas sa réflexion. Sa tête était là-bas, avec ses parents. Comme il aurait aimé les voir ici!

Margaret se leva et rinça les tasses.

– Viens te coucher.

Daniel souffla la lampe et suivit sa femme au lit.

Ce soir-là, les Smith s'endormirent sur une note triste.

CHAPITRE 29

Le matin du départ de Charles, une trentaine de personnes s'étaient rassemblées chez les Biron pour faire leurs adieux aux Chartier.

À quelques fermes de là, Pierriche Dulong sortait de l'étable en tenant Catin par la bride. La veille, il avait mis une heure à étriller son beau poil noir. Il fit reculer la bête entre les limons de sa voiture, l'attela et la mena chez les Biron.

— Tiens, Charles, dit-il, je t'avais promis que je te reviendrais là-dessus. Je te donne Catin et ma voiture.

— Pas votre belle voiture en plus?

C'était une élégante voiture à deux sièges en cuir noir, haute sur roues, agrémentée de chaque côté d'une petite lanterne et d'un marchepied doré. Elle ne servait qu'aux promenades du dimanche. Pierre Dulong avait pris soin de bien l'astiquer.

— Merci! Merci mille fois! s'exclama Charles, complètement fou. Avec un attelage, nous n'aurons pas à déranger mon beau-père pour nous conduire à ma ferme.

Julienne et Brigitte, tout excitées de partir à l'aventure, s'approchèrent de la voiture. Elles frappaient dans leurs mains.

Avant le départ, Pierriche leur fit mille recommandations.

— Sous le siège, tu trouveras une toile qui pourra vous être utile en temps de pluie. De temps à autre, fais reposer ta bête. Et surtout ne restez pas dans la voiture pendant les orages.

— Après ce qu'on vient de vivre, ne craignez pas, dit Charles.

— Si je te donne mon attelage, dit Pierre Dulong, c'est pour que vous reveniez nous voir. Comme ça, vous n'aurez pas d'excuses.

Le père et les frères de Julienne transportaient des boîtes d'effets et des sacs de nourriture qu'ils glissaient sous les banquettes de la voiture. Ils ajoutèrent ensuite un parapluie et un fusil, en cas de mauvaises rencontres.

Tout le monde se rassembla sur le bord du chemin. Catin, impatiente de partir, frappait le sol de coups de sabot.

L'heure était aux émotions vives. Près de la voiture, madame Charlotte et Brigitte se donnaient l'accolade ; leurs larmes se mêlaient. Même scénario avec la petite Anna.

Au moment de partir, Charles tendit la main à Julienne pour l'aider à monter, puis à Brigitte et, une fois les femmes bien assises sur la banquette, Charles s'élança dans les bras de monsieur Pierre pour un dernier adieu. Les deux hommes échangèrent un regard de tendresse, sans ressentir le besoin de parler. Charles ne put retenir ses larmes. Un peu honteux de s'être laissé aller, il se pressa de monter dans la voiture et, avant qu'il n'ait le temps de crier « hue ! », Catin partit au pas.

Julienne et Brigitte se cassaient le cou à regarder en arrière. Les mains volaient, dans un échange de bonjours, jusqu'à ce que les gens rapetissent et disparaissent de leur vue.

Et commença la grande aventure, l'inconnu. Catin prit le trot. Les voyageurs s'en allaient heureux et confiants face au destin qui les attendait.

Un peu avant d'arriver à Saint-Paul, Brigitte raconta la demande en mariage d'Ambroise Dulong. Les nouveaux mariés riaient de bon cœur; leurs rires cristallins s'égrenaient tout au long du chemin, quand, soudain, Julienne ressentit un haut-le-cœur.

— Ce ne sont pas mes histoires d'amour qui te font étouffer? blagua Brigitte.

Julienne n'eut pas le temps de répondre. Pour ne pas vomir dans la voiture, elle pencha exagérément le buste hors de la voiture et, prise d'un étourdissement soudain, elle chuta au sol. La roue arrière lui passa sur le corps. Charles tira aussitôt les guides et sauta sur ses pieds. Sur le siège arrière, Brigitte, énervée, tenait sa tête à deux mains et criait:

— Julienne est morte!

— Tais-toi! lui dit Charles, le ton sec.

Étendue au sol, Julienne geignait doucement.

Charles prit sa main et l'aida doucement à se remettre sur ses jambes. Julienne tenait son bras droit qui la faisait terriblement souffrir. Charles l'aida à se rasseoir et commanda de nouveau sa bête. Mais sa femme sentait toutes les inégalités de la route se répercuter dans son bras. Et la douleur était insupportable. Elle tenait son bras droit dans sa main gauche et se lamentait:

— Arrête, Charles, arrête ! Je n'en peux plus de supporter mon mal. Je pense que mon bras est brisé. Je sens toutes les vibrations du chemin en dedans.

— Nous allons probablement trouver un docteur à Saint-Paul. Patiente un peu, je crois que nous approchons.

— Non, je n'en peux plus d'endurer. Je vais marcher ; ça me fera moins mal.

Charles aperçut une boutique à bois sur le chemin passant. Il décida de s'informer.

— Le docteur demeure un peu loin. Si madame souffre trop, nous avons un ramancheux dans la place, Édouard Tremblay. Cet homme-là a un don, un bienfait d'en haut, juste à toucher un œuf, il peut dire s'il y a un petit poulet dedans. Y faut avoir le toucher ben sensible pour sentir battre un cœur à travers une coquille d'œuf.

Le menuisier leur désigna la maison du doigt.

— Regardez, c'est à deux pas de l'église, la petite maison blanche, à droite.

L'homme les regarda aller jusqu'à ce qu'ils descendent de voiture.

***

Brigitte attendit à l'extérieur. Elle gardait l'attelage à l'œil en attendant le retour de Charles et de Julienne.

Le ramancheur fit allonger la jeune femme sur sa table de cuisine et tâta son bras.

— Comment ça vous est arrivé ?

Julienne lui raconta les faits.

— Une roue de la voiture m'est passée sur le corps.

— L'os est fracturé, dit l'homme, je vais devoir poser une attelle que vous garderez pendant deux mois.

Il tâta son ventre.

— Vous êtes enceinte ? dit-il.

Julienne, incrédule, le dévisageait.

— Moi ? Vous croyez ?

— Vous, monsieur, dit le ramancheur en s'adressant à Charles, allez à la boutique à bois et demandez qu'on me taille une éclisse d'environ dix pouces de long par deux de large que vous me rapporterez. Dites-leur que c'est moé qui vous envoie et que c'est pour une attelle, comme ça, ils vont la sabler un peu pour l'adoucir.

***

Le soigneur plaça le bras blessé sur la plaque de bois et, de sa main, il mit un peu de pression afin de fixer l'os en place. Julienne laissa échapper une plainte. Tremblay lui dit :

— Sur le coup, je vous fais souffrir, mais une fois l'os bien fixé, ça ne vous fera plus mal.

Il enroula une bande de tissu autour du bras et de l'éclisse, de manière à immobiliser son membre.

— Maintenant, assoyez-vous, dit-il.

Il attacha le poignet blessé au cou de la jeune femme, de manière à ce que sa main soit plus haute que son coude.

— Ne le détachez pas, dit-il, sinon, votre bras va enfler.

— Je ne ressens plus de mal.

Puis le regard du ramancheur transperça celui de la jeune femme.

— Votre chute peut être fatale pour l'enfant. Vous devrez être vigilante. Si vous remarquez des pertes de sang, allongez-vous immédiatement pour un temps indéfini.

Julienne sourit de bonheur.

— Combien je vous dois? dit Charles.

— Rien. Si le bon Dieu m'a donné un don, c'est pour guérir les gens, pas pour faire fortune. Je vous souhaite une bonne route.

Julienne remercia et quitta le soigneur avec le sourire aux lèvres.

— Moi, enceinte, Charles! Je n'y crois pas.

Charles ne se réjouissait pas avec sa jeune femme. Ils n'avaient rien devant eux, même pas une maison où habiter. Il répondit d'un ton posé:

— Il fallait s'y attendre.

Julienne murmura pour ne pas être entendue de Brigitte:

— T'as entendu le ramancheur me dire de m'allonger si j'ai des pertes. Comme si c'était possible de me coucher dans une voiture.

— Au besoin, tu t'étendras sur le siège arrière et Brigitte prendra ta place à mon côté.

***

Midi sonnait au clocher de Saint-Paul. Charles mena son attelage à la sortie du village et attacha Catin à un arbre.

— Vous devez avoir faim, dit-il, sortez la nourriture pendant que je donne un peu d'avoine à ma jument.

Julienne s'avança, mais Brigitte la devança.

— Toi, l'estropiée, dit Brigitte, pour taquiner sa belle-sœur, enlève-toi de là. C'est moi qui vais vous servir. En attendant, va te dégourdir les jambes.

Brigitte retira d'une boîte des beurrées de graisse de rôti et quelques galettes à la farine d'avoine. Elle distribua une beurrée à chacun. Julienne la repoussa avec une grimace. L'odeur de la nourriture lui tombait sur le cœur.

— Je vais me contenter d'une galette.

— Nous avons encore pour combien de temps de route, d'ici à Saint-Alphonse? s'informa Brigitte.

— Je ne sais pas, répondit Charles, mais j'espère que nous avons la moitié du chemin de fait.

***

La voiture s'en allait cahin-caha, par monts et par vaux, sur un chemin inégal. Charles laissait reposer sa bête avant de monter les interminables côtes.

— J'ai soif et la cruche est vide, dit Brigitte.

— On va s'arrêter à la prochaine maison.

C'était une jolie maison en bois ceinturée d'une longue galerie et située au bas d'une colline. Brigitte frappa.

Un beau monsieur vint lui ouvrir. C'était un grand roux aux yeux verts. Derrière lui, une jeune femme étirait le cou, curieuse de voir les arrivants.

— Pouvez-vous nous donner un peu d'eau, s'il vous plaît? demanda Brigitte. Comme nous venons de loin, notre réserve est à sec depuis un bon moment.

Un adolescent s'avança, prit la cruche vide et s'approcha de la cuvette. Comme il activait la pompe à eau, son père lui dit:

— Attends, John. Sers un verre à mademoiselle et laisse-nous jaser un peu.

Daniel lui présenta une chaise.

— Vous êtes d'ici?

— Oui, ces neuf dernières années, nous demeurions à Trois-Rivières, mais en fait, nous venons d'Irlande.

— Comme moi, dit Daniel, intéressé aux gens de son pays. Attendez, je vais inviter les vôtres à entrer.

La maison était grouillante d'enfants. Brigitte en compta huit, certains roux, d'autres blonds. Et la femme était enceinte d'un neuvième.

Sur le perron, Daniel invita les voyageurs d'un signe du bras.

— Dételle ta bête et lâche-la dans le champ; ça va la reposer du voyage.

Quand tout le monde fut entré, Daniel se présenta.

— Daniel Smith, ma femme Margaret, et vous?

— Charles Chartier, ma sœur, Brigitte, et ma femme, Julienne.

— Vous êtes blessée, madame?

— Oui, je me suis fracturé un bras en tombant de la voiture. J'ai vu un guérisseur qui m'a posé une attelle.

Margaret, une jeune femme à peine plus âgée que ses invités, souleva le coussin de la chaise berçante.

— Venez vous asseoir ici, vous y serez plus confortable que sur une chaise carrée.

Margaret plaça le coussin sur l'accotoir de la chaise berçante et, avec une douceur maternelle, y appuya le bras de la blessée.

Les Smith se réjouissaient d'être les premiers à faire la connaissance des nouveaux arrivants. Margaret surtout qui s'intéressait, de près ou de loin, à tous les faits récents. Elle s'informa.

— Vous venez de quel endroit en Irlande?

— De Cork.

— Et nous, de Cobh, ajouta Margaret. Vous allez vous reposer un peu et souper avec nous.

— Ce n'est pas de refus, dit Charles. Pour ma femme, le chemin a été un peu fatigant. Votre invitation tombe bien.

Brigitte et Julienne, satisfaites de l'aimable hospitalité, échangèrent un regard complice. Ils avaient frappé à la bonne porte.

— Où est-ce que vous allez à ce train-là? s'informa Daniel.

— Je ne sais trop. Je dois me renseigner au presbytère. J'ai obtenu une terre du gouvernement et je ne sais pas au juste où elle est située. À ce qu'on m'a dit, ce serait dans les environs.

— C'est Donat Lachapelle qui est mandaté pour distribuer les terres aux nouveaux arrivants, dit Daniel. Comme il demeure à Saint-Jacques, tu vas devoir retourner sur tes pas. Si tu acceptes de coucher ici, demain tu pourrais aller le rencontrer. Il va t'expliquer que, la première année, le gouvernement donne une vache à chaque nouveau colon, et si celui-ci arrive à passer l'année sans la manger, il aura droit à une autre l'année suivante. Si ça te va, je t'offre de la loger dans mon étable le temps que tu construises la tienne. Je t'avertis, les premières années sont dures; par ici, vous allez devoir mener un train de vie bien différent d'avant.

Le lendemain, après une bonne nuit de sommeil et un déjeuner copieux, les voyageurs se préparèrent à partir.

— Il faudra nous revoir, dit Daniel sur un ton amical. Au temps des fêtes, nous réveillonnons chaque année avec tous nos compatriotes irlandais. Vous serez des nôtres?

— Oui! On s'en fera un plaisir.

— Mais j'espère que vous n'attendrez pas quatre mois avant de nous donner signe de vie. J'aimerais bien savoir où vous allez habiter.

— Ne craignez rien, nous ne vous oublierons pas après toutes vos bontés, l'assura Charles. D'ici là, nous nous reverrons aux offices religieux.

— À ton retour, arrête donc me donner ton numéro de lot.

Les Chartier firent l'accolade aux Smith.

— Ici, nous avons été aussi bien reçus que dans nos familles, ajouta Brigitte.

Les Smith sortirent sur le perron et suivirent l'attelage des yeux jusqu'à ce qu'il disparaisse, puis ils entrèrent chez eux, tout heureux d'avoir fait la connaissance de nouveaux compatriotes.

Daniel monta aux champs avec John. Ce jour-là, il allait faucher le foin sur la colline. À la maison, Margaret s'affairait à sa besogne. Avec l'aide de Cathy, elle changeait les lits.

— Fais-les rouler dans l'escalier, dit-elle, et pousse-les du pied, en te tenant solidement à la rampe pour ne pas tomber.

Depuis le départ des Chartier, Margaret était préoccupée. Son esprit vagabondait, analysait chaque parole qui s'était dite. Elle éprouvait une attirance pour ces nouveaux arrivés, un sentiment réciproque d'affection, de sympathie qui ne se fonde ni sur les liens du sang ni sur l'attirance sexuelle. Elle, qui n'avait pas connu la complicité existant entre sœurs naturelles, se trouvait des sœurs de remplacement. À peine Julienne et Brigitte parties, déjà, Margaret attendait fébrilement leur retour.

***

Charles frappa au presbytère. Le curé Paré l'invita à entrer, lui donna une franche poignée de main et se présenta.

– Joseph-Octave Paré, curé de cette paroisse, dit le prêtre.

– Et moi, Charles Chartier, un de vos futurs paroissiens.

Le curé l'invita à le suivre à son bureau qui sentait l'encre et la cendre.

– Je ne traînerai pas, ma femme et ma sœur m'attendent dans la voiture.

– J'aime bien faire la connaissance de mes nouveaux paroissiens. Invitez-les donc à entrer.

Les présentations furent brèves. Julienne et Brigitte, assises sur une chaise droite, écoutaient Charles raconter pour la troisième fois la chute de Julienne. Charles expliqua ensuite la raison de sa visite et le curé le dirigea vers Donat Lachapelle.

***

Donat Lachapelle lui remit le cadastre des lots et lui désigna le sien, bordé par un lac.

— Là-bas, dit-il, avec un peu de chance, vous trouverez un compatriote prêt à vous aider dans vos recherches. Il y a trente-huit lacs dans ce coin perdu, ce qui rend le paysage d'une beauté incomparable.

***

Le midi, Margaret fit manger les enfants quelques minutes plus tôt pour pouvoir jaser en toute tranquillité avec Daniel. Une fois bien assise devant un thé chaud, elle ne lui parla que des Chartier.

— Tu aurais dû voir Brigitte taquiner Cathy et Émily. Leurs petits rires clairs emplissaient toute la cuisine. Et Julienne qui n'avait pas les yeux assez grands pour admirer les petits. Je ne sais pas pourquoi, je me sens très proche de Julienne et de Brigitte ; j'ai l'impression qu'elles seront pour moi de bonnes amies.

***

La vaisselle lavée, Margaret roula des tartes aux framboises au cas où les Chartier seraient de retour assez tôt pour partager leur souper.

— Cathy, va cueillir quatre ou cinq tomates au jardin. Tu choisiras les plus grosses.

— La plus belle sera pour Brigitte, dit Cathy.

***

À quatre heures, un attelage approcha au trot. John voyait monter la poussière. Le garçon se planta au milieu du chemin et fit de grands signes des bras.

Charles tira les guides.

– Wooo!

John s'avança et attrapa la bête par la bride.

– Descendez. Mon père veut vous parler.

Charles fit enfiler sa bête dans la cour et descendit de voiture. Distraite par les voix, Margaret sortit de la maison.

– John, va chercher ton père au champ. Venez tous, vous aussi, Julienne et Brigitte. Un petit arrêt va vous faire du bien. Vous, Charles, vous feriez bien de lâcher votre bête dans le pré.

Les femmes entrèrent dans la cuisine qui embaumait la tarte.

Encore une fois, Margaret installa confortablement Julienne dans la berçante.

– Ça n'a pas de bon sens, vous me gâtez bien trop. Je ne voudrai plus repartir d'ici.

Émily et Cathy s'assirent aux côtés de Brigitte, et chacune lui tint un bras, comme si elles craignaient qu'on la leur enlève.

– On vous garde à coucher, insista Émily.

– Ce n'est pas moi qui mène, c'est Charles.

Margaret, infatigable, n'arrêtait pas.

– Patientez un peu, je vais vous servir une tasse de thé.

Daniel, Charles et John entrèrent tous en même temps. Margaret servit le thé et s'assit un moment.

Comme Charles, Daniel était arrivé dans ce pays vierge avec une jeune femme enceinte et il avait dû la forcer bien malgré elle à demeurer dans un trou creusé dans la

montagne pour en fin de compte la voir mourir. Il empê-
cherait Charles de répéter une pareille bêtise.

— Maintenant, ajouta Daniel, je vous offre de demeurer
avec nous, le temps de vous installer confortablement chez
vous.

— Votre maison est déjà pleine avec vos huit enfants,
sans qu'on rajoute trois personnes, intervint Julienne, pis
moé, avec seulement un bras, je serais une charge de plus.

— Je suis là, moi, intervint Brigitte, j'ai mes deux bras et
je peux aider. Je serais prête à coucher avec Cathy et Émily
si elles acceptent de se tasser. Je me ferai petite.

Les fillettes sautaient sur place et frappaient des mains.

— Ne refusez pas notre offre, insista Margaret. Daniel
et moi, nous coucherons en haut avec les enfants. Vous
prendrez la chambre du bas. Nos enfants coucheront trois
par lit et ils ne s'en trouveront pas plus mal ; ils aiment la
visite. Quant à vous, Julienne, votre bras va bien finir par
guérir. Et puis je vous préviens, ne vous attendez pas à avoir
des tartes sur la table tous les jours de la semaine.

— Vous pouvez compter au moins un an pour vous
installer, ajouta Daniel.

— Vous dites un an? dit Julienne qui pensait à la naissance de son enfant.

— Tout au plus. Les amis nous donneront un coup de
main ; c'est comme ça que ça marche par ici. Tout le monde
s'entraide.

Daniel avait dit : « Tout au plus un an. » Julienne espérait
que, dans huit mois, elle serait dans sa maison pour la
naissance qui s'annonçait.

Daniel se leva, pressé d'installer les arrivants dans leur
chambre.

– John, va chercher les bagages dans la voiture et entasse-les près de la porte, le temps que je libère une chambre en haut. Viens m'aider, Charles ; à deux, ça ne traînera pas.

CHAPITRE 30

Huit mois plus tard, la maison de Charles et de Julienne achevait. Il ne restait que les portes des penderies à poser et quelques plinthes qui traînaient dans la cuisine. Charles laissa tomber sa scie et son marteau Il voyait la fin des travaux avec soulagement. Il donna un coup de pied à son marteau en criant : « Point final ! »

Le lendemain était une belle journée ensoleillée de juin. Charles et Julienne emménageaient pour de bon dans leur maison : une jolie maisonnette en bois blottie dans la verdure. Cet emménagement allait marquer une étape importante de leur vie, un début de lune de miel.

Julienne manifestait une agitation excessive. La fracture de son bras passée aux oubliettes, plus rien ne pouvait l'arrêter. Elle balayait le bran de scie et Brigitte ramassait les copeaux et les restes de bois qu'elle empilait dans le coin à bois.

Césair et Alyson entrèrent sans frapper. Ils apportaient trois oreillers de plumes et deux paillasses pour la petite famille.

— Où va-t-on mettre ça ? demanda Alyson.

— Sur le plancher du salon, répondit Julienne. Je vais balayer un coin. Tantôt les hommes vont monter les lits, ils les prendront là.

***

À la table du midi, Julienne ressentit ses premières douleurs aux reins, si faibles qu'elle les prit pour des courbatures. Elle s'assit, songeuse, puis se leva; elle n'allait pas s'en remettre complètement à Brigitte. Alyson voyait bien sa mine piteuse. Elle la surveillait du coin de l'œil. Vingt minutes plus tard, les contractions reprenaient, puis quinze minutes, puis dix. En parlant, Julienne se pliait en deux quand elle sentit sa robe se mouiller, puis le plancher. Elle comprit que le travail commençait.

Alyson s'empressa d'essuyer le plancher.

— Mon Dieu! En plein déménagement, se plaignit Julienne. Ce n'est pas le moment.

— Brigitte, va demander à Charles d'aller chercher la sage-femme et dis-lui que ça presse.

— Vous n'allez pas accoucher ici, s'informa Alyson, pas dans une maison à moitié meublée?

Julienne ressentit une autre contraction.

— Je ne sais pas. Je ne sais plus. Margaret m'a offert son aide.

Julienne n'était plus maîtresse de ses émotions; elle se mit à trembler.

—Je vous emmène tous chez moi, dit Alyson, ce n'est que pour une dizaine de jours. Ma fille a fait sa part, je vais prendre la relève.

***

Quand Emma naquit, le soleil se levait dans sa robe de satin rose et, ici et là, des petits nuages blancs, tricotés par dame nature, ressemblaient à des anges volants.

Julienne et Charles étaient fous de joie et Brigitte partageait leur bonheur.

Julienne ne pouvait nourrir son enfant ; comme certaines femmes, elle ne produisait pas de lait. La petite Emma dut être nourrie au lait de vache.

Brigitte s'occupait de l'enfant comme si c'était elle la mère. Elle la serrait contre elle, l'embrassait, la consolait. La petite Emma n'avait pas le temps de pleurer que Brigitte l'emportait dans la berçante et lui chantait des berceuses, à tel point que Julienne se sentit mise de côté.

***

Après avoir supporté ce rejet en silence, elle s'en remit à Charles.

— Brigitte prend trop de place auprès d'Emma. Si ça continue, je vais être obligée de demander une permission spéciale à ta sœur pour prendre ma fille dans mes bras. Bientôt, notre enfant ne saura plus faire la différence entre sa tante et sa mère. Si tu savais comme je me sens inutile.

— Tu lui as dit ?

— Non. J'ai peur de me la mettre à dos. Elle est mon amie et ma belle-sœur. Mais toi, Charles, tu es son frère ; tu trouverais peut-être les mots.

— Et si Brigitte redevenait muette, à la suite d'un autre déchirement ? Je m'en voudrais à mort. Tu sais comme elle adore la petite. Profites-en donc pour te reposer. Brigitte est la marraine d'Emma et elle l'aime si fort.

— Et moi ? dit Julienne, offusquée. Je suis la mère et je l'aime aussi.

— Sois raisonnable. Donne-toi un peu de temps. Quand nous serons dans notre maison, je parlerai à Brigitte. Ici, ce n'est pas l'endroit pour régler nos affaires de famille. Les Malarky n'ont pas à être témoins de nos différends.

— Dimanche, en conduisant ta sœur à la messe, tu pourrais lui parler.

— Tu as raison, dit Charles, je lui parlerai.

Julienne doutait de la sincérité de Charles.

Les jours passaient et rien ne changeait dans le comportement de Brigitte. Julienne perdit peu à peu sa bonne humeur et ce changement n'échappa pas à la vigilance de Charles, qui sentait sa femme s'éloigner de lui peu à peu.

***

Les dix jours de convalescence passés, la petite famille Chartier quitta les Malarky pour retourner dans sa maison. Ils n'en finissaient plus de remercier Césair et Alyson de leur hospitalité.

***

— Enfin chez moi ! s'exclama Julienne. Même s'il me manque certaines nécessités, je vais me retrouver dans mes affaires et mener une vie normale.

— Comme c'est tranquille ici, dit Brigitte.

— Comme chez les Malarky, mais chez les Smith, ajouta Julienne, ça bougeait un peu plus ; avec nous, la maisonnée comptait treize personnes. Je me demande où cette

Margaret peut trouver tant d'énergie pour héberger tout le monde, et avec ça, jamais un mot plus haut que l'autre. Elle aussi doit avoir besoin de retrouver sa tranquillité.

– C'est sûr! dit Brigitte. Je voyais son regard s'illuminer quand, après le souper, je sortais le jeu de cartes. Elle lâchait tout pour jouer. C'était chaque soir comme une belle récompense pour elle. Margaret sait trouver le bonheur dans les petites choses du quotidien.

– Cette jeune femme est une sainte!

***

Le premier vendredi du mois, chez les Chartier, tout le monde courait de haut en bas de la maison, on revêtait les habits du dimanche avant de se rendre à l'église pour les confessions.

Julienne profita du petit isoloir pour confier son problème au curé.

– Après la messe, lui dit le confesseur, vous passerez au presbytère avec votre mari, j'aurai plus de temps à vous accorder.

De retour à son banc, Julienne se pencha vers Charles et lui dit à l'oreille que le curé voulait les rencontrer tous les deux après l'office.

Charles la dévisagea un moment, puis il ravala son mécontentement. Il devinait la raison de cette rencontre, mais avait-il le choix? Il suivit Julienne dans le petit bureau où il raconta au prêtre les malheurs de Brigitte.

– Je comprends, dit le curé, que vous désirez garder de bons rapports avec votre sœur, mais il est de votre devoir de père de mettre fin à ce malaise qui ira toujours en s'aggravant s'il n'est pas réglé au plus tôt. Mademoiselle votre sœur devra changer son comportement. C'est à elle de s'ajuster à vos besoins.

— C'est difficile de lui parler sans la blesser, dit Charles, Brigitte en a assez enduré sans que j'en rajoute.

— Votre enfant vous appartient et si vous n'agissez pas aujourd'hui, c'est votre sœur qui va l'éduquer à sa façon. Vous devrez lui faire comprendre clairement que ce n'est pas son rôle.

Charles ajouta :

— Et si elle redevient muette, comme à la perte de nos parents et de notre petite sœur Eanna ?

Le curé se leva et entrebâilla la porte.

— Dimanche prochain, j'aimerais connaître le dénouement de votre malentendu et, si l'affaire n'est pas réglée, j'agirai comme conciliateur entre vous.

***

Le dimanche suivant, Charles n'avait pas encore parlé à Brigitte. Le curé fit passer les trois visiteurs à son bureau.

Brigitte, mise au courant du malaise qu'elle avait créé au sein de la famille de son frère, baissa les yeux sur ses mains. On lui enlevait tous ceux qu'elle aimait. Pourtant, elle n'avait rien fait de mal.

— Je l'aime tellement, cette petite, dit-elle, je me saignerais à blanc pour elle.

— Justement, vous en faites trop, dit le curé. Continuez de l'aimer, en laissant le rôle de mère à votre belle-sœur.

Julienne, mal à l'aise, retenait un tremblement. Brigitte se leva, le cœur en charpie, le front soucieux, les yeux bas ;

à partir de ce moment, elle se sentit une nuisance pour Julienne et Charles.

Le curé l'invita à se rasseoir.

– Hier, dit-il, j'ai eu la visite d'un confrère, curé de Saint-Ambroise, et il m'a appris qu'il cherchait une servante pour seconder madame Fernande qui avance en âge et pour qui la charge d'un presbytère est devenue un peu lourde. J'ai pensé que ce travail pourrait peut-être vous intéresser. Lors des fêtes religieuses, des confrères vont lui donner un coup de main pour les confessions et les offices religieux. Et Dieu sait comme ils sont nombreux! Chaque fois, le presbytère se remplit. Vous savez ce que c'est: les repas à préparer, les lits à changer et le ménage des pièces. La charge est un peu lourde pour la vieille servante qui doit s'occuper de tout. C'est une personne très délicate, souvent malade. Vous bénéficieriez d'un bon toit en attendant de vous caser. Et puis, vous seriez un petit peu rémunérée. Si ce travail vous intéresse, je vous mettrai en contact avec le curé Robert.

– À Saint-Ambroise? dit-elle, avide d'en apprendre davantage.

Brigitte savait travailler; madame Charlotte le lui avait appris. Demeurer dans un village l'intéressait particulièrement; peut-être y rencontrerait-elle de beaux garçons? Comme toutes les jeunes filles de dix-neuf ans, son cœur était prêt à aimer. Elle se sentirait en sécurité dans un presbytère et un peu moins étouffante pour Charles et Julienne.

– Je pourrais essayer.

Brigitte releva la tête. Ses grands yeux retrouvaient leur rondeur.

– Je vais justement faire une petite visite à mon confrère, le curé Robert. Si vous me le permettez, je vais en profiter pour lui parler de vous.

– Merci d'avoir pensé à moi. Je vais y réfléchir.

– Si vous tenez à ce travail, ajouta le prêtre, ne tardez pas trop ; le poste pourrait être pris.

– J'accepte, dit-elle.

– Dimanche prochain, repassez me voir après la messe.

Le vent tournait pour Brigitte. Elle quitta le presbytère avec une envie de chanter.

CHAPITRE 31

On était un lundi, jour de lessive chez les Chartier. La cuve était installée au milieu de la cuisine et des tas de vêtements traînaient au sol. Brigitte les enjamba, embrassa tout le monde et quitta la maison, une valise à la main. Charles l'attendait dans la voiture.

Catin, la jument blonde, avançait en regardant ses pas. Charles et Brigitte ne parlaient pas, mais à l'intérieur, leurs pensées se bousculaient. Charles s'en voulait de se débarrasser de sa sœur et celle-ci craignait de s'ennuyer des siens. On n'entendait que les roues qui grinçaient sur le gravier et les sabots de la bête qui martelaient le chemin.

Tout au long du parcours, les clôtures étaient colorées de bleu, de blanc, de rouge, de la teinte des vêtements à sécher qui remuaient au vent léger.

Même si le départ de Brigitte était une bonne chose pour la paix de son foyer, Charles trouvait difficile de se séparer de sa sœur. C'était leur première séparation depuis leur départ d'Irlande et il s'en faisait pour elle, comme un père pour sa fille. Que pensaient ses parents de là-haut?

— Tu vois le ciel à l'ouest? Ça monte par ici, dit Brigitte, on ne pourra pas s'en sauver.

— J'ai une bâche sous le siège.

Après avoir roulé tout le reste du voyage sous des nuages menaçants, sans dire un mot, Charles tira les rênes.

– Wôôô, Catin !

L'attelage s'arrêta devant un misérable bâtiment de basse-cour converti en presbytère. L'endroit n'était que temporaire ; le curé Paré avait dit qu'une nouvelle construction serait érigée l'année suivante.

De sa cuisine, madame curé entendit des fers à cheval frapper le gravier. « Qui ça peut bien être qui vient par ici de si bon matin ? » se dit-elle en regardant à la fenêtre de sa cuisine.

Brigitte poussa sa petite valise aux pieds de Charles et sauta au sol.

– Je t'attends dans la voiture, dit Charles. Si tu fais ça vite, je pourrai peut-être me sauver de l'orage.

Brigitte, un peu nerveuse, frappa au carreau. Une femme d'un certain âge lui ouvrit. L'indulgence dans ses yeux la mit aussitôt en confiance.

La femme était grande et mince. Brigitte remarqua ses cheveux blancs attachés en une toque serrée, pas plus grosse qu'un beigne. Sa bouche fine était légèrement tordue et son cou laissait voir des veines bleues. Un tablier blanc cachait en partie une robe noire qui tombait sur ses souliers.

– Vous désirez ?

– J'aimerais parler à monsieur le curé, dit Brigitte.

Sur ces entrefaites, le curé apparut.

C'était un jeune curé de vingt-neuf ans, un peu rondelet, au front dégagé, qui n'ouvrait la bouche que pour articuler des mots choisis.

Il salua d'un signe de tête presque imperceptible et s'assit.

– Je suis à votre disposition, dit-il. Prenez un siège.

Brigitte, angoissée, se sentait mal à l'aise devant cet homme imposant au regard impénétrable qui, d'un œil critique, étudiait le moindre de ses gestes et la détaillait de la tête aux pieds.

– Je suis Brigitte Chartier. Monsieur le curé Paré de Saint-Jacques m'a recommandée à vous. Il m'a dit que vous aviez besoin d'une servante, dit-elle. Il devait vous parler de moi.

– En effet ! C'est vous ça, Brigitte Chartier ?

– Oui, monsieur le curé.

– Il ne m'a pas dit qu'il m'envoyait une enfant d'école.

Brigitte se raidit.

– J'ai vingt et un ans et je sais travailler, dit Brigitte.

– Je l'espère bien. Ici, vous serez logée et nourrie, plus une mince rétribution. Vous aurez droit à une journée de congé par semaine, de préférence le lundi, mais ce congé pourra être déplacé selon les jours de fête et les visites des prêtres. Vous pouvez vous installer immédiatement. Vous serez sous les ordres de madame Fernande Garceau qui ploie sous la charge.

Le prêtre se leva. Brigitte l'imita.

– Merci, dit-elle.

L'homme laissa la porte ouverte derrière lui.

Brigitte sortit prendre sa valise dans la voiture.

– C'est gagné, dit-elle à Charles.

– Comment ça s'est passé ?

– Plutôt bien. Tu viendras me chercher lundi matin pour mon jour de congé et je te raconterai ma semaine.

Le ciel était d'un gris cendré et Charles avait des heures de route à parcourir.

— Va! dit-elle. Si tu traînes, tu vas te faire prendre par la pluie.

— Écoute, Brigitte, si tu n'es pas heureuse ici, envoie-moi un mot et je viendrai te chercher.

— C'est gentil. Merci!

Charles commanda sa pouliche, fit demi-tour et se laissa emporter au grand trot de la bête.

La servante attendait la jeune fille sur le pas de la porte. Brigitte n'était pas entrée dans la bâtisse que déjà elle éprouvait une grande déception; ça sentait le moisi à l'intérieur et l'endroit était laid et sombre. En plus, elle devait partager le lit de la servante en attendant la construction du nouveau presbytère. La petite pièce était meublée d'un lit de fer où reposaient deux gros oreillers et d'une commode à deux portes.

— Vous avez quel âge? demanda la dame.

— Vingt et un ans, bientôt vingt-deux. Et vous?

— Je ne sais plus.

La femme portait un costume de couleur marine et une blouse blanche à col de dentelle, des bas de laine blancs et des souliers noirs à talons plats. Une bonté se dégageait de sa personne.

— Une jeune fille de votre âge va ajouter un peu de gaieté dans ce presbytère, dit la dame. Mais vous devrez être très discrète; ici, vous ne devez rien répéter de ce que vous entendrez.

— Je sais me taire, vous savez. Après la mort de mes parents, je suis restée muette pendant huit ans.

— Pauvre petite fille! Racontez-moé.

Brigitte raconta et la dame sympathique écouta tout en libérant deux tiroirs de la commode et un bout de la penderie.

Brigitte jucha sa valise sur le lit et l'ouvrit toute grande. Tout en empilant ses vêtements sur une tablette, elle se rappelait sa grande chambre chez les Dulong. Puis elle revint à elle. Ses tiroirs et son côté de penderie étaient pleins et il restait encore des vêtements. Elle déposa une jaquette sous son oreiller, referma sa malle et la glissa sous le lit.

— L'an prochain, dit la dame, dans le nouveau presbytère, ils vont installer un cabinet de toilette au bout du hangar, comme ça, nous n'aurons plus à sortir dehors et à nous rendre au fond de la cour. Le pire, c'est la nuit. Aussi, nous aurons chacune notre chambre. J'ai bien hâte de voir ça.

Madame curé jeta dans les mains de Brigitte un tablier blanc à bavette brodée au point de croix.

— À l'avenir, vous devrez porter ça en tout temps. Autre chose aussi, ici, vous devrez marcher sans bruit.

— Comme au pensionnat.

Madame curé allait bourrer le poêle pour cuire le repas quand elle aperçut le coin à bois vide.

— Allez me chercher une brassée de petit bois sec et quelques rondins au hangar, mademoiselle Brigitte.

— Quand je n'étais pas là, qui remplissait le coin à bois ?

— Le bedeau. Il doit avoir oublié. Au retour, vous dresserez la table.

La vieille ajouta à voix basse :

— Monsieur le curé est un peu précieux. Il prend toujours ses repas seul. Et il tient à ce que tout soit parfait quand il reçoit des invités à la cuisine, mais moi, ses petites manières finissent par m'agacer. Je n'ai pas été élevée de même.

Brigitte n'ajouta rien. Elle se rendit au hangar en pensant à madame curé qu'elle trouvait moqueuse. Cette femme était aussi capable de sérieux que d'enfantillages ; ça se voyait à sa bouche qui se tordait légèrement quand elle souriait. Avec elle, Brigitte ne s'ennuierait pas.

Elle revint à la cuisine avec une brassée de rondins qu'elle déposa dans le coin à bois, puis elle secoua son tablier blanc.

La vieille lui dit en lui tapant sur l'épaule :

— Nous allons bien nous entendre.

Madame curé lui enseigna à placer le couteau à droite, la fourchette à gauche, à rouler la serviette de table et à la glisser dans un anneau.

— Dimanche à la messe, vous allez faire battre ben des cœurs, dit la vieille. Une belle fille comme vous, ça ne restera pas longtemps sur le carreau.

— Est-ce qu'il y a des petites danses parfois dans cette paroisse ?

— Qu'est-ce que vous allez croire ! Ici, la danse est défendue par le clergé. Si monsieur le curé vous entendait, il serait scandalisé. Il vous condamnerait au feu de l'enfer.

— J'ai vu une salle municipale en arrivant au village. Elle sert à quoi si ce n'est pas pour la danse ?

— Elle sert aux assemblées de conseil, à conserver les archives, à la célébration des fêtes religieuses, aux kermesses, à accueillir des nouveaux arrivants à l'occasion. Elle sert à tout, sauf à la danse, dit la femme en éclatant de rire.

***

Le soir venu, Brigitte suivit la vieille Fernande à la chambre. Elle éteignit la lampe avant d'enlever ses vêtements. Les meubles immobiles disparaissaient dans l'ombre, mais pour peu : les yeux s'habituaient à la pénombre. Brigitte, le dos tourné à la vieille Fernande, enleva ses dessous blancs et se pressa d'enfiler pudiquement sa jaquette à rubans et à volants de dentelle au cou et aux poignets avant de se glisser entre les draps. Mais ses vêtements attirèrent l'attention de la vieille.

Dans le clair-obscur de la chambre, madame Fernande avait-elle bien vu ? Elle ralluma la lampe

— Où avez-vous pris ces sous-vêtements affriolants ? demanda la vieille servante.

Brigitte la regardait de ses grands yeux étonnés.

— Affriolants ? Tout le monde n'en porte pas des semblables ?

— Oh, non ! Pas tout le monde.

— C'est ma mère de cœur qui les confectionnait. Elle disait : « Quand vous montez dans les voitures, les gens peuvent voir vos dessous. »

— Et cette robe de nuit ?

— Ma mère de cœur aussi. Elle était toujours penchée sur sa couture.

— C'est une femme très minutieuse. Regardez ces points réguliers ; y sont piqués si fin que les coutures sont invisibles. Je n'ai jamais vu d'aussi jolis sous-vêtements ! Et vous portez ça en pleine semaine ?

— Ma mère les a confectionnés pour que je les porte.

– Je peux vous prêter une vieille jaquette pour ménager vos dessous de luxe. Ça vous permettrait de garder les vôtres pour votre nuit de noces.

– Je ne me marie pas. Je n'ai pas d'ami de garçon.

– Qui vous dit que ça ne viendra pas?

– Mon frère s'y opposerait. Il ne trouvera jamais un garçon assez bien pour moi.

– Quand vous tomberez en amour pour de vrai, vous ne laisserez pas votre frère décider pour vous.

– Je n'ai que lui dans la vie.

– Oui, et lui n'a que vous. Ce n'est pas une raison pour gérer votre vie; surtout le choix d'un mari.

Brigitte n'ajouta rien. Elle se glissa entre les draps.

CHAPITRE 32

Dans sa maison située au pied des montagnes, Julienne respira un grand coup. Depuis le temps qu'elle attendait le moment de se retrouver dans l'intimité de sa petite famille; le bonheur lui sortait par tous les pores de la peau.

Depuis son mariage, sa vie de couple en avait pris un coup; Charles et elle n'avaient jamais été seuls. Pour comble, avec Brigitte, ils formaient une triade que Julienne, pour en rire, nommait la Sainte Trinité. Et voilà qu'après dix mois, ils allaient enfin mener une vie de famille presque normale avec la petite Emma qui n'avait que trois semaines.

La maison dégageait encore une bonne odeur de sciure de bois. Julienne respira à fond.

La cuisine, face au soleil du midi, était grande et bien éclairée. Des outils encombraient la table et des morceaux de bois traînaient au sol, mais Julienne ne se laissa pas abattre pour si peu. Elle enjamba les obstacles et se rendit à la chambre du bas déposer le bébé sur une paillasse nue.

Malgré l'avertissement de madame Alyson de ne pas trop en faire après une naissance, Julienne se jeta corps et âme dans le ménage. Elle chantait en travaillant. Elle se mit en frais de faire briller les vitres. Juchée à califourchon sur un chevalet ayant servi à la construction, elle enlevait à l'aide d'un petit canif pointu les bavures de mastic agglutinées aux carreaux.

On cogna à la porte. Julienne descendit de son écha-faudage précaire.

C'était madame Alyson. Elle avait l'air contrarié.

La femme ne se fit pas attendre pour exprimer son mécontentement; elle n'était pas entrée que, déjà, elle semonçait vertement la jeune femme.

— Déjà au travail? Vous ne comprenez donc rien? C'est si pressant de reprendre le collier? Vous venez tout juste d'accoucher.

— Mais, madame Alyson, ça fait un bon trois semaines et je me sens très bien.

— Avoir su que votre belle-sœur s'en irait travailler au diable vauvert en vous laissant seule avec la besogne, je ne vous aurais pas laissée partir de chez moi. Mais comme ce n'est pas à moi de vous dire quoi faire dans votre maison, faites à votre gré.

Alyson s'en retourna en marmonnant: « Les jeunes se foutent des conseils. »

Elle laissa derrière elle une Julienne abasourdie.

***

Quand Charles entra dîner, il trouva Julienne en pleurs.

— Qu'est-ce qui se passe? dit-il, surpris. Toi qui chantais quand j'ai quitté la maison, ce matin.

— Madame Alyson est venue faire un tour et elle m'a disputée parce que je reprenais mon travail trop vite. T'as pas vu la paire de gros yeux qu'elle m'a faite; j'avais envie de rentrer sous la table. Je pense qu'elle a raison; j'aurais dû prendre ça plus mollo. Je me demande comment réparer ma bévue. Je lui dois tant; elle qui nous a hébergés, qui m'a soignée aux petits oignons. Maintenant, il va rester un froid entre nous.

— Laisse passer quelques jours, le temps de vous calmer un peu toutes les deux. Ensuite, nous irons régler ce démêlé avant qu'il ne prenne trop d'importance.

Charles passa un bras autour des épaules de sa jeune femme pour la consoler quand il vit venir madame Alyson avec un panier sous le bras.

— Regarde qui vient, dit-il.

Madame Alyson montait sur le perron. Julienne asséchа ses yeux.

Charles s'empressa d'ouvrir.

— Venez vous asseoir, dit-il le ton joyeux.

Julienne se leva pour recevoir poliment madame Alyson.

Celle-ci remarqua les yeux rougis de la jeune femme.

— Je passais juste vous apporter de quoi dîner, si ça peut vous soulager avec votre bébé à vous occuper.

Charles s'approcha, prit le panier et, curieux de savoir ce que serait son dîner, il releva le linge qui cachait le plat. Il renifla un bon coup pour humer le fumet exquis qui s'en échappait.

— Un ragoût de pattes! s'écria-t-il, friand de bons plats. Ça tombe bien; le dîner n'est pas préparé. Je vous aime, vous.

— Je pense plutôt que c'est mon plat que vous aimez.

— Les deux!

Julienne la remercia et ajouta:

— Je me demande si je vivrai assez longtemps pour vous remettre toutes vos bontés.

Alyson tapota son bras et sortit en disant:

— Vous ne me devez rien. Mais n'oubliez pas de me rapporter mon plat vide.

Charles poussa quelques petits outils et des vêtements de bébé afin de libérer une petite place pour deux assiettes et dit:

— Tiens, nous allons manger sur le coin de la table.

CHAPITRE 33

Un après-midi où l'air poussiéreux brûlait tout ce qu'il touchait, Engelbert Neveu piochait un carré de tabac au bout de sa terre quand il se mit à étouffer, comme privé d'oxygène. Pas un souffle, pas un vent.

Il déboucha sa cruche et but un bon coup à même le goulot. Il échappa un « Pouah ! » en grimaçant de dégoût. L'eau était chaude. Il jucha sa pioche sur son épaule et descendit lentement du champ.

L'intérieur de sa maison était frais et sombre ; pendant les chaleurs d'été, Engelbert tenait toujours les contrevents fermés afin de couper les rayons du soleil. Il accrocha son chapeau de paille au clou et fila directement à l'évier pomper un peu d'eau. Il passa une serviette froide sur sa figure et but un bon verre d'eau fraîche. Il regarda autour de lui, sa maison vide, et une tristesse passa devant ses yeux. Il se rendit ensuite au poulailler et revint avec un panier d'œufs pondus du jour. « Encore l'heure du souper », se dit-il. Engelbert brisa trois œufs. Il prépara une omelette qu'il renversa dans son assiette, sans y ajouter de légumes ; depuis qu'il était veuf, ses repas se composaient fréquemment d'œufs, un mets facile à préparer. Il mangeait seul en écoutant le tic-tac de l'horloge. Ce soir, il lui semblait que toute sa vie serait ainsi monotone, qu'il mangerait encore des œufs et des œufs, assis seul au bout d'une table trop longue.

Son souper terminé, il jeta les coquilles d'œufs sur la braise et rinça son assiette sous le robinet. Depuis la mort de sa jeune femme, trois ans plus tôt, il s'occupait seul de la maison et la solitude lui pesait. Il essayait de s'imaginer ce que serait sa vie si sa Julie était encore de ce monde. Il ne trouverait plus jamais une perle comme elle ; Julie, une petite femme modèle, savait aussi bien accomplir les travaux des champs que ceux de la maison.

**

Le soir venu, alors que l'ombre douce pâlissait la lumière, les tristes grenouilles avec leur harmonica jouaient une musique aux villageois.

Engelbert, assis sur son devant de porte, espérait voir des promeneurs. À l'occasion, le curé s'arrêtait le saluer.

Il leva les yeux et il aperçut une jeune fille qui se berçait sur le perron du presbytère, de l'autre côté de la rue. Il ne pouvait distinguer nettement son visage. Il se demandait depuis combien de temps elle était là. Elle devait se sentir regardée ; elle détourna la tête, comme pour éviter son regard. Engelbert gratta son menton en se demandant qui pouvait bien être cette jeune fille qu'il voyait pour la première fois. Sans doute une nièce du curé ou encore de sa servante, madame Fernande. Il baissa sa casquette sur ses yeux, ce qui lui permettait de mieux la voir sans qu'elle se rende compte où se portait son regard. Il croisa son genou droit sur le gauche et y appuya ses mains jointes. Il observait la fille en promenant son regard à gauche et à droite pour ne pas laisser voir son intérêt. Elle faisait osciller le bout de son pied comme un balancier.

D'où sortait cette étrangère? Il le saurait bientôt : dans les petites paroisses, personne ne peut passer incognito.

Au bout d'un moment, la jeune fille, incommodée par les moustiques, disparut. Engelbert, déçu, prêta l'oreille aux enfants qui s'amusaient dans la rue, puis il entra dans sa maison morte où plus rien n'avait d'intérêt.

Ce soir-là, il se rendit compte que l'étrangère éveillait des sentiments nouveaux chez lui, que les choses pourraient être autrement.

***

Les jours qui suivirent, Engelbert assista aux messes de semaine dans le seul but d'apercevoir de nouveau la mystérieuse étrangère.

Elle portait un petit chapeau de paille à voilette. Entre les mailles fines, Engelbert pouvait voir deux grands yeux ronds un peu étonnés et une bouche bien dessinée, avec la lèvre supérieure légèrement retroussée. Sa robe en toile jaune moulait des courbes parfaites et ses élégants souliers à talons en cuir blanc et à boucles dorées la faisaient paraître encore plus grande. Engelbert la trouvait remarquable par son port de tête et sa distinction. Tout venant de cette fille l'émouvait. « Ma foi, se dit-il, elle loge au presbytère. » Le jeune veuf aurait bien aimé l'approcher, la voir de près, mais il avait son orgueil ; il avait tellement répété à gauche et à droite que les filles ne l'intéressaient pas, qu'il ne se remarierait jamais. Il craignait maintenant, en approchant l'étrangère, de faire parler de lui, qu'on le traite de coureur de jupons. Il ne voulait pas être la risée du village, lui, un homme intègre.

Engelbert passait régulièrement à la forge de Clément Grégoire quand le travail sur sa ferme lui permettait un peu de temps libre. La forge était un lieu de rassemblement où on apprenait les nouvelles et répétait les ragots. Dans les petites paroisses, tout se savait, autant le vrai que le faux ; on ne pouvait jamais rien cacher à personne.

Engelbert espérait en apprendre davantage au sujet de la belle étrangère, mais il restait sur ses gardes ; il craignait d'éveiller des soupçons, lui qui tenait mordicus à son honneur.

À la forge, on entrait sans frapper. À l'intérieur, Ducharme parlait justement de la jeune servante du curé qui se trouvait la dernière nouveauté et le point de mire de la paroisse.

— Ç'aurait l'air que cette fille est une Irlandaise. J'ai entendu dire qu'elle demeurait au pied des montagnes, chez les Smith, et qu'elle est venue pour aider la vieille Fernande qui prend de l'âge.

— Qui t'a dit ça ? demanda Préville.

— J'ai mes sources de renseignements.

Engelbert faisait semblant de ne pas s'intéresser, mais, mine de rien, il gobait tout ce qui se disait au sujet de l'étrangère.

— C'est une fille de ville, disait Ducharme. Toé, bedeau Chevrette, tu dois en savoir plus que nous autres sur elle, vu que t'as affaire régulièrement au presbytère.

— Moé, je vous dis qu'elle s'acclimatera jamais aux gens de par ici, parole de Chevrette. Elle fitte mal dans le portrait avec ses petits souliers blancs quand toutes les filles de la place portent des souliers de beu. Déjà, elle lève le nez sur les gars de la place avec ses grands airs. Il n'y en aura pas un dans la paroisse assez riche pour subvenir à ses besoins. Il s'agit qu'une étrangère arrive dans la paroisse pour que tous les garçons de la place tombent à ses pieds. De vraies sangsues! Remarquez ben ce que je vous dis, encore un peu et cette fille s'en retournera d'où elle vient.

– Pourtant, intervint Préville, elle a l'air aimable et souriante. Une belle fille comme ça dans un presbytère avec un jeune curé, moé, je ne leur donnerais pas la communion sans confession.

Chevrette se redressa d'un coup sec. Il n'allait pas laisser accuser ainsi son curé. Son regard se durcit.

– Ta gueule, Préville. Tu n'as pas le droit de partir des inventions sur le dos de notre curé.

Ducharme ajouta:

– Mademoiselle Brigitte est sans doute une bonne fille aux vertus solides. Pis, vous autres, intéressez-vous donc à autre chose qu'aux filles. Vous n'avez pas vos femmes à vous occuper?

Sous le coup, Préville, pris de court, ne répondit pas.

Engelbert pensait: «Bien dit, mon Ducharme! Tu mériterais une bonne main d'applaudissements.»

– Ben coudon! reprit Préville. Tout le monde a pas les mêmes scrupules, mais comme vous n'entendez pas à rire, je vous tire ma révérence.

– Je ne vois pas ce qu'il y a de drôle, là! s'exclama Chevrette.

Sur ce, Préville ajouta:

– Je reviendrai quand vous serez plus parlables.

Il sortit. Peu après, Chevrette, Ducharme et Beauséjour quittaient la forge à leur tour.

« Si cette fille s'intéressait à moi, se dit Engelbert, je serais prêt à la fréquenter. »

Après trois ans de veuvage où il n'avait ni ri ni folâtré, c'était la première fois qu'Engelbert s'intéressait à une fille.

***

Le dimanche, après la messe, il se rendit à la sacristie attendre le curé. L'enfant de chœur enlevait lentement sa chasuble. Engelbert lui dit :

— Grouille, le jeune, déguerpis d'icitte. J'ai affaire à parler à monsieur le curé en privé.

Le gamin, un peu surpris, regarda l'homme un moment et mit sa chasuble sur un cintre. Monsieur Engelbert en avait assez dit pour exciter sa curiosité. L'enfant de chœur se retira derrière l'armoire à vêtements sacerdotaux et là, un peu en retrait, il tendit l'oreille.

Se croyant seul avec son curé, Engelbert s'informa :

— Votre jeune servante, elle vient d'où ? Probablement de la grande ville, chic comme elle est.

— Vous vous trompez. C'est une Irlandaise qui a demeuré une dizaine d'années à Trois-Rivières. Elle vous intéresse ?

— Je me demande si elle accepterait de vivre par ici et de se laisser fréquenter par un fermier.

— Je peux le lui demander. Est-ce que je dois vous nommer ?

— Faites comme bon vous semble ; elle ne me connaît pas. Surtout, d'ici là, pas un mot à personne. Je repasserai prendre la réponse ici même, dimanche prochain.

***

Le soir même, le curé invita la jeune servante à passer à son bureau.

Brigitte, un peu surprise, se crut prise en défaut.

— Je suppose que j'ai fait quelque chose de pas correct ? dit-elle, inquiète. Ça arrive à tout le monde de faire des erreurs.

— Je n'ai pas de reproches à vous faire. Si je veux vous parler en privé, c'est qu'un monsieur m'a demandé d'être son porte-parole. Monsieur Neveu est un veuf sans enfants. Il souhaiterait vous fréquenter pour des raisons sérieuses. Avant, il veut savoir si votre cœur est déjà pris.

— Mon cœur est toujours en attente d'un amoureux, mais pas de n'importe qui.

— Seriez-vous prête à passer votre vie dans cette paroisse, sur une ferme ?

— Ce que vous me demandez là demande de la réflexion. Je ne connais pas ce monsieur Neveu. Moi, tout ce que je veux, c'est une famille et beaucoup d'enfants. Et si le monsieur ne me plaît pas…

Un hochement de tête compléta sa phrase inachevée.

— Dans ce cas, vous n'êtes obligée à rien.

— Ce monsieur a quel âge ?

— Vingt-trois ans, environ. Sa femme est décédée d'une appendicite aiguë, quelques mois après son mariage.

Brigitte se leva.

— Un veuf, dit-elle en retenant une grimace qui ne passa pas inaperçue du curé.

— Vous ne me semblez pas très enthousiaste. Vous avez le droit de refuser, mais il vous faudrait d'abord voir si ce monsieur vous plaît ou pas avant de vous prononcer.

Le prêtre conservait un sourire bienveillant, même s'il sentait que l'entretien avait été désagréable pour la jeune fille.

— Je vais y penser par deux fois, monsieur le curé.

Le prêtre lui désigna la porte d'une main paresseuse qu'il laissa retomber sur son ventre rebondi. Brigitte donna un petit coup de tête gracieux et, sans un mot, sans un sourire, elle retourna à la cuisine.

***

Le jour de lavage, Brigitte besognait dur. La lessive était un travail démesuré, à l'encontre de ses capacités. Madame curé la commandait sans ménagement, mais jamais Brigitte ne se plaignait ni ne refusait un travail : n'était-elle pas là pour soulager la vieille Fernande des gros travaux ? Tout en frottant les pieds de bas, elle essuyait de son avant-bras la sueur qui perlait sur son front.

— Laissez votre linge tremper, lui dit madame curé, il se nettoiera mieux ensuite.

Brigitte ne se le fit pas dire deux fois. Penchée sur la cuve, elle regardait fondre la mousse blanche pendant que, dans sa tête, tout était mêlé.

Près du poêle, madame curé l'observait, le regard en coin.

— Vous avez l'air songeuse, lui dit la vieille Fernande qui plongeait une grande louche dans la soupe aux haricots.

Elle goûta et ajouta des herbes.

Brigitte lui confia ses hésitations.

— Imaginez-vous qu'il y a un monsieur de la paroisse qui s'intéresse à moi. Un veuf qui doit être pressé de remplacer sa femme pour une nouvelle qui tiendrait sa maison. Je me demande ce qui lui prend, à cet enragé-là, de passer par le curé. Il ne doit pas être assez débrouillard pour se trouver une fille lui-même.

En entendant le mot «veuf», madame Fernande supposa que c'était le beau monsieur Engelbert et elle pinça les lèvres pour ne pas rire.

— Et si c'était pour demander votre main? dit-elle.

— Ce serait non, trancha Brigitte, l'amour ne se joue pas à pile ou face.

— Faites comme vous ressentez, selon vos goûts. Mais ne soyez pas trop prime en affaires, dit la dame, rencontrez-le d'abord et donnez-vous quelques jours pour y réfléchir tranquillement.

— Monsieur le curé attend ma réponse pour dimanche prochain. Mais comme je ne connais pas ce prétendant, ce sera non. Ça ne me tente même pas de le rencontrer.

— Vous faites bien d'hésiter. Avant d'accepter un homme dans son lit, on doit savoir à qui on a affaire. Je vais vous montrer le veuf en question. Suivez-moé.

Madame curé s'approcha de la fenêtre nue et montra du doigt la maison blanche où demeurait monsieur Engelbert.

— C'est là qu'il demeure! s'exclama Brigitte un peu étonnée. Lui? Je l'ai vu, ce garçon. Il ne ressemble pas à un veuf. Chaque soir, il s'assied sur son perron. Vu de loin, il n'a pas l'air trop mal.

— De près non plus, si je me fie aux jeunes filles de la place. Y en a fait battre des cœurs, mais ça n'allait jamais plus loin. Même s'il trouvait les demoiselles plaisantes, monsieur Engelbert refusait de leur donner des illusions. C'est un homme tranquille et discret.

La vieille ajouta, comme se parlant à elle-même :

— J'en connais plusieurs qui aimeraient être à votre place.

— Qu'est-ce qui vous fait dire ça ?

— Je disais ça juste de même. C'est parti tout seul.

— Comme ça, vous pensez que je devrais le rencontrer ?

— Je n'ai jamais dit ça. C'est à vous seule de décider.

***

La nuit suivante, dans la chambre sous les combles, une chaleur étouffante perdurait malgré la fenêtre grande ouverte. L'horloge battit onze coups, puis douze. Malgré sa grande fatigue, Brigitte tardait à s'endormir ; tout tournait dans sa tête.

La jeune servante demeurait couchée sur le dos, les yeux grands ouverts, ses mains chaudes traînant sur le drap. Le garçon d'en face venait s'imposer à son esprit. Elle quitta son lit et, à pas feutrés, elle se rendit à la cuisine où régnait un silence de mort. Elle passa devant la fenêtre qui donnait sur la maison blanche. Rien ne bougeait chez monsieur Neveu. La petite servante allait se préparer une tisane à la menthe quand elle sentit derrière elle une présence. C'était madame Fernande, enveloppée d'une longue jaquette grise.

— Je prendrais bien une galette et un verre de lait, murmura la vieille Fernande.

— Je suppose que je vous ai réveillée en bougeant le lit?

— Vous avez crié.

— Mais non, je n'ai pas crié, je ne dormais pas.

— Ou vous êtes somnambule ou bien vous avez rêvé. À mon âge, le sommeil est léger. Et moi, je dis que vous avez crié.

Brigitte approcha une chaise de la table et déposa le lait et un verre devant madame Fernande qui, d'un geste maladroit, renversa un peu de liquide blanc sur la table. Brigitte ouvrit la porte de la dépense et en sortit un petit contenant qu'elle déposa sur la table.

— Tenez. Mangez une galette avant de vous rendormir.

La vieille Fernande vida son verre d'un trait.

— Je n'arrive pas à dormir, dit Brigitte sans parler de ce qui lui chiffonnait l'esprit.

— Vous êtes trop nerveuse. La journée a été un peu mouvementée avec cette histoire de fréquentations.

— Comment ne pas m'énerver quand je dois prendre une décision importante avant dimanche?

— Pourquoi avant dimanche?

— Parce que! Parce que…, hésitait Brigitte. Je dois donner une réponse à monsieur le curé pour dimanche.

— Si ce n'est pas dimanche, ce sera plus tard. Et baissez le ton, dit la vieille, vous allez réveiller monsieur le curé et pour rien: vous ne réglerez rien la nuit. Laissez vos problèmes dans la cuisine plutôt que de les amener sur votre oreiller. Vous les reprendrez là, demain, quand vos idées seront plus claires.

— Il suffit de ne pas vouloir penser à quelque chose ou à quelqu'un pour que l'on y pense jour et nuit.

Brigitte épongeait le lait renversé quand elle entendit le pas pesant du curé dans le petit escalier.

— V'là monsieur le curé, dit-elle, nerveuse, qu'est-ce qu'il va penser de nous trouver ici en pleine nuit ?

— Ne craignez pas, il ne vient à la cuisine que pour ses repas.

La vieille ferma la porte de la cuisine en douceur et reprit son dialogue.

— Rencontrer un garçon ne veut pas dire le marier, murmura la vieille Fernande. Tant que vous n'avez pas dit oui au pied de l'autel, vous avez le droit de changer d'idée.

Brigitte avait l'esprit ailleurs. Une tristesse assombrit son front.

— Si je refuse, je vais m'attirer les reproches de monsieur le curé et si j'accepte, mon frère va s'interposer. Charles ne trouve jamais un garçon assez bien pour moi.

— Je vous répète que c'est à vous seule de décider. Ce n'est pas votre frère qui va vivre avec celui que vous aurez choisi.

— Charles est ma seule famille.

— Je vois, mais votre frère n'est pas le maître de vos sentiments. Ce sera à votre cœur de décider.

L'heure avançait à pas lents. Un bâillement de madame curé rappela tout à coup l'heure tardive. Brigitte souffla la lampe et retourna à son lit. La maison retomba dans son silence. Mais les méninges de Brigitte fonctionnaient à plein régime.

«Pourquoi tant me préoccuper? se dit-elle. Je laisse tomber.»

Et elle s'endormit d'un profond sommeil.

CHAPITRE 34

Ce dimanche-là, Engelbert se couvrit d'un long manteau démodé ayant appartenu à sa mère décédée et d'un chapeau à voilette qui lui cachait complètement le visage. Il passa sous son bras un sac à main en vieux cuir. Il se courba, telle une vieille femme, et quitta sa maison en faisant un crochet par le champ arrière, dans l'intention de brouiller les pistes pour que personne ne découvre d'où sortait cette présumée femme. Il se dirigea à petits pas vers le presbytère. Il frappa deux coups.

Brigitte lui ouvrit. La première chose qu'Engelbert remarqua chez Brigitte fut ses grands yeux ronds, qu'il avait cru remarquer à l'église, à travers sa voilette.

— Bonjour, mademoiselle, dit-il. Je suis Engelbert Neveu. J'ai rendez-vous avec vous.

Tout était mêlé dans la tête de Brigitte. Une femme qui se nommait Engelbert! Du jamais vu.

— Un moment, madame, je vais chercher monsieur le curé.

— Non, non, mademoiselle. Ne faites pas ça. Si je me suis déguisé en femme, c'est pour ne pas être reconnu. C'est pour éviter les ragots.

Brigitte le regarda avec une attention singulière et recula d'un pas pour mieux voir son accoutrement. Elle se foutait de l'opinion publique. Ses grands yeux étonnés retenaient un effarement comique.

— Quels ragots? Il faudrait m'expliquer.

— Si quelqu'un me voit en votre compagnie, ça va faire du bruit dans la paroisse.

— Ne vous arrêtez pas aux bavassages, dit Brigitte. Quoi que vous fassiez, il y en aura toujours.

— Si vous saviez ce que j'entends d'un bord et de l'autre de la paroisse, vous deviendriez méfiante, vous aussi.

— Il faut se ficher des ricanements dans son dos.

L'homme enleva ses vêtements féminins sous lesquels il portait une veste droite, très peu ouverte. Brigitte découvrit un beau grand garçon blond, au regard sympathique, aux lèvres épaisses, sensuelles, au front resplendissant d'un regard hautain.

Elle l'invita à passer dans un petit salon attenant à la cuisine, une pièce pauvrement meublée de deux chaises de rotin.

Engelbert la regardait d'un œil si clair que Brigitte se troubla. Aussitôt quelque chose d'intense passa entre eux, une force inconnue qui remuait en elle des émotions nouvelles. Brigitte avait chaud et froid en même temps. Engelbert s'amusait à la faire causer.

Brigitte se laissa aller aux confidences. Elle parlait bas. La vieille, carrément installée dans la berçante, dormait la bouche entrouverte. Elle ne s'apercevait pas que les arceaux de sa chaise foulaient son châle qui traînait au sol.

Durant tout leur entretien, le visage de Brigitte paraissait calme. Elle raconta sa triste vie à Engelbert et lui, la sienne. Elle écoutait, attendait un surcroît de confidences. Engelbert était un aimable causeur. Elle l'aurait écouté toute la nuit, mais il se contenta de sourire. Brigitte l'aimait déjà. Cependant, elle n'osait pas lui dire combien elle avait besoin de lui ; c'était trop tôt pour lui dévoiler ses sentiments. C'était comme s'il lui fallait réapprendre à parler après s'être tue si longtemps. Tout en causant, une mèche de cheveux déserta sa pince pour chuter follement sur sa nuque. Engelbert s'amusa à l'enrouler autour de son doigt. Pour lui, toucher cette fille, c'était la posséder un peu. Brigitte le regarda, surprise, et, à regret, les paupières baissées sur ses grands yeux pleins de pudeur, elle repoussa doucement sa main.

— Je crains que ce monsieur me fasse des reproches, dit-elle en désignant la photo du curé accrochée au mur.

— Je prendrai votre défense.

— Et s'il me montre la porte ?

— Je vous ouvrirai la mienne.

Sa réplique ne manquait pas de finesse. Brigitte se retint de se jeter dans ses bras. Un sourire de victoire éclairait son visage.

Engelbert lui demanda, avec sa façon de la regarder sous le nez :

— Vous savez lire ?

— Oui, bien sûr.

— Je dois vous avouer quelque chose : je ne sais ni lire ni écrire. Je suis un gaucher et, à l'école, la maîtresse me cognait sur les doigts pour me forcer à écrire de la main droite. J'ai donc renoncé.

— Pourtant, à première vue, vous donnez l'impression d'être un homme cultivé.

— Je cultive, mais seulement ma terre.

— Je peux vous enseigner, lui proposa Brigitte.

Engelbert vit là une occasion de rencontres répétées.

– Si monsieur le curé me le permet, je viendrai les soirs de semaine.

Engelbert tourna les yeux vers la pendule. Il ne semblait pas pressé de rentrer chez lui. Pourtant, le jour mourait et la vieille laissait entendre de sonores ronflements.

– Déjà neuf heures, dit-il. Comme le temps passe! Si vous voulez bien me donner mon manteau.

Brigitte aurait voulu que jamais la soirée ne se termine.

Engelbert se leva et sourit. Il jeta son accoutrement ridicule sur son bras.

– À la noirceur, il ne me sera pas utile.

Brigitte le reconduisit sur le perron où ils s'attardèrent un bon moment.

– Chez moi, ce n'est pas comme ici, dit-il, la maison est vide et silencieuse.

La nuit sentait bon. Tout était si nouveau, si merveilleux, quelque chose en Brigitte chavirait. Engelbert se doutait-il de ses états d'âme?

Elle ne ressentait pas le besoin de dormir. Elle n'avait même pas le goût de retourner à l'intérieur. Si ce n'était de monsieur le curé…

– Bon! Je dois entrer, dit-elle, avant de me faire rappeler à l'ordre.

Engelbert lui souhaita bonne nuit et s'en retourna chez lui sans faire de détour.

Le lendemain, toute la paroisse savait que monsieur Engelbert fréquentait la jeune servante du curé.

***

Engelbert poursuivit ses allées et venues au presbytère pendant toute une semaine, sans rien apprendre. Brigitte se demandait s'il refusait de s'appliquer volontairement, dans le seul but de la voir tous les après-midi.

Pendant qu'elle lui montrait à former ses lettres, plutôt que s'intéresser à suivre la main de Brigitte, Engelbert, appuyé, le coude sur la table et la tête sur son poing, admirait ses yeux ronds. Il semblait indifférent à apprendre et heureux de l'être. Son genou touchait celui de Brigitte, et le désir de partager sa couchette avec elle occupait toutes ses pensées. Il avait envie d'elle dans ses bras, de la caresser, de l'embrasser, mais le presbytère n'était pas l'endroit approprié.

Brigitte s'arrêta à mieux le regarder.

Il répétait chaque lettre après elle, avec une lenteur de tortue, en pianotant des doigts sur la table, comme un élève qui a la tête ailleurs.

— Vous êtes plutôt lent à apprendre, dit Brigitte. Depuis le début de vos cours, vous ne connaissez pas encore vos lettres. Vous ne semblez pas faire trop d'efforts. Votre maîtresse avait peut-être raison de vous taper sur les doigts.

Engelbert leva son beau visage vers elle.

— Je pense que j'ai passé l'âge. Je préférerais que vous lisiez pour moé.

Brigitte sourit.

— Tenez! Si plutôt je vous offrais un thé?

— J'accepterais volontiers.

CHAPITRE 35

Le dimanche suivant, Brigitte demanda au curé la permission d'aller marcher avec Engelbert.

— Vous pouvez à la condition que vous reveniez avant la noirceur. Et surtout n'entrez pas chez lui, ce ne serait pas convenable.

***

Brigitte marchait aux côtés d'Engelbert. Mais pourquoi ne prenait-il pas sa main ? Il lui parlait de sa terre, de ses bâtiments.

— Je ne suis pas riche, mais je vis bien.

Brigitte se fichait complètement de la richesse ; une seule chose comptait pour elle : aimer et être aimée, un souhait que l'argent ne peut combler.

— Ne vaut-il pas mieux être pauvre et heureux que riche et malheureux ? dit-elle.

Un petit vent frais souleva ses cheveux libres. Engelbert jeta son veston sur les épaules de Brigitte. Puis, il se mit à parler de sa jeunesse heureuse, de ses gamineries. Chez lui, ils étaient douze enfants, dont neuf garçons ; il était le dixième de la famille.

– Maman passait son temps à nous disputer. Il faut dire que nous mettions sa patience à rude épreuve. On s'en prenait sans cesse à notre sœur Gilberte qui était notre souffre-douleur. Ça ne prenait pas grand-chose pour la fâcher; Gilberte était une braillarde-née. Elle était si maigre qu'on la surnommait l'araignée, ce qui la faisait monter sur ses grands chevaux. Je me souviens de l'avoir jetée dans le parc à cochons. Elle est sortie de là les souliers tout merdeux. Elle allait chaque fois se plaindre à maman qui nous disait: «Je vais le dire à votre père.» Mais papa n'avait pas le dessus, on se mettait à quatre et on le promenait dans les airs. Il finissait toujours par rire avec nous autres.

Brigitte riait, et son rire encourageait Engelbert à continuer sur sa lancée.

– Quand Julien essuyait la vaisselle, il me lançait les assiettes au vol et je les déposais dans l'armoire. À chacune, maman, qui se trouvait dans notre champ de tir, se baissait pour les éviter. Elle nous disait: «Arrêtez! Vous allez me faire mourir.» Elle ne nous a jamais redemandé d'aider dans la maison.

Brigitte ne se lassait pas de l'écouter. Elle se retenait bien de l'interrompre.

Engelbert racontait et ajoutait au besoin des petits détails émouvants ou ridicules de sa vie, ce qui déclenchait des éclats de rire chez Brigitte. La voix d'Engelbert était savoureuse, pleine d'inattendus. Brigitte en redemandait.

– Vous êtes un bon causeur. Mais je plains votre pauvre mère, dit-elle.

— Vous avez raison de le dire. Je me demande si ce n'est pas nous qui l'avons fait mourir avec tout ce que nous lui avons fait endurer.

— Ça ne vous ressemble pas ; vous paraissez plutôt tranquille.

— Dans le temps, mes frères et moi, nous riions de nos coups pendables, aujourd'hui, nous rions à nous les rappeler. Mais soyez sans crainte, avec l'âge, je me suis calmé.

— Demain, dit-elle, ce sera mon jour de congé.

Engelbert s'offrit à la reconduire dans sa famille. Brigitte aurait bien aimé faire le long chemin assise à ses côtés ; tout était prétexte à le côtoyer ; elle aurait passé sa vie avec lui. Elle se sentit obligée de refuser.

— Merci, Charles doit venir me chercher et je n'ai pas la possibilité de le joindre. Peut-être la prochaine fois.

— Accepteriez-vous que j'aille vous rendre visite chez lui ?

C'était plus que Brigitte ne pouvait espérer. Une immense joie parcourut tout son être. Elle retrouva sa voix chaude.

— C'est une bonne idée, mais c'est une bonne trotte ; Charles demeure loin.

— J'ai un petit cheval fringant qui n'est pas regardant sur les distances.

— J'en profiterais pour vous présenter la famille de mon frère. Ils ont une petite fille adorable.

— Vous aimez les enfants ?

— Beaucoup ! Et vous ?

Brigitte sentit la main d'Engelbert serrer la sienne.

– Quand ma femme est décédée, nous venions d'apprendre qu'elle était enceinte. Nous étions fous de joie. Mais elle est partie en emportant le petit avec elle. La vie en avait décidé ainsi.

Brigitte vit ses yeux se mouiller au rappel de ce souvenir douloureux. Engelbert était-il encore amoureux de sa femme pour s'attrister de la sorte? Deux minutes plus tôt, il était joyeux et racontait ses espiègleries. Il parlait, sans la regarder, comme s'il était ailleurs.

– Personne ne l'a su; ç'aurait servi à quoi, sinon à tourner le fer dans ma plaie? Vous êtes la première à qui j'en parle. Un jour, nous irons ensemble prier sur sa tombe.

Brigitte, bouche bée, se raidit. Elle regardait ce beau garçon qu'elle aimait de tout son cœur, quand lui en aimait une autre. Une morte! Jamais elle ne l'accompagnerait au cimetière.

– Je dois rentrer, dit-elle.

Engelbert s'aperçut de sa gaffe. Il lui adressa son plus beau sourire et lui dit:

– Entrons, sinon monsieur le curé va s'inquiéter pour votre vertu.

***

Le lendemain avant-midi, Brigitte reconnut la voiture de Charles au bout du chemin. Plus près, elle vit Julienne avec dans les bras sa petite Emma, tout emmaillotée de blanc. Son cœur fit un bond dans sa poitrine. Elle prit sa valise la déposa sur le perron, le temps de saluer madame Fernande, et courut vers les siens.

Sur le chemin de la maison, Brigitte raconta sa première semaine de travail, qui s'était bien passée. Elle ajouta:

— Je me suis ennuyée de vous autres, d'Emma surtout.

Julienne lui passa l'enfant dans les bras.

— Je dois vous dire quelque chose, dit Brigitte.

— Quoi donc? s'informa Julienne. Tu n'as pas perdu ton *job*? Parle! Fais-nous pas pâtir comme ça.

— Je suis amoureuse, mais celui que j'aime ne le sait pas encore.

— C'est qui? Un Irlandais?

— Non. Un gars de Saint-Ambroise.

— Pas Ambroise Dulong?

— Non, Charles. J'ai dit un gars de Saint-Ambroise, reprit Brigitte en pesant sur ses mots. Je n'ai jamais aimé Ambroise Dulong. Engelbert est un garçon de la place. Tu ne le connais pas.

— Prends garde, avant de t'amouracher de n'importe qui.

— Engelbert n'est pas n'importe qui. C'est un beau et bon garçon.

— Comment peux-tu le connaître quand tu viens tout juste d'arriver dans cette paroisse?

— C'est monsieur le curé qui me l'a recommandé. Engelbert est un veuf.

En entendant le mot «veuf», Charles se cambra. Il imaginait un monsieur d'un certain âge ayant une smala d'enfants et Brigitte qui se désâmait à servir tout le monde.

— Bon! Y me semblait qu'il y avait quelque chose du genre. Le curé doit lui chercher une servante!

— Mais non. Tu n'as pas raison de blâmer monsieur le curé, il n'y est pour rien. C'est Engelbert qui lui a parlé de moi en premier.

— Méfie-toi des veufs, ces hommes ne cherchent qu'une servante pour tenir maison et élever leurs enfants.

— Je me doutais que tu ne serais pas d'accord.

— Si tu te doutes, c'est que c'est douteux.

Julienne donna un coup de coude à Charles pour le ressaisir.

— À son âge, ta sœur doit être capable de choisir elle-même ses prétendants. Tu devrais attendre de le connaître avant de le juger, dit-elle, impatiente.

— Ce sera plus vite que tu ne le penses, ajouta Brigitte. Cet après-midi, il doit venir me chercher pour me ramener à mon travail. Ça va t'exempter un deuxième déplacement dans la même journée.

— J'ai hâte de le connaître, lui dit Julienne. Je te dirai ensuite si tu as du goût pour choisir.

Charles commanda sa bête au trot.

La petite Emma, ballottée par le roulement soutenu de la voiture, dormit durant tout le trajet du retour. Brigitte eut beau l'embrasser, la passer de son bras gauche à son droit, rien ne dérangeait son sommeil. Elle se réveilla seulement en descendant de voiture, quand Brigitte la rendit à sa mère. Là, alors, elle se mit à hurler.

— Elle a passé l'heure de son boire, dit Julienne qui n'arrivait pas à la calmer.

Après avoir ingurgité un bon six onces de lait, Emma se rendormit.

***

Les Chartier, assis à la table, étiraient un dernier café. Ils causaient gaiement quand ils entendirent un bruit de sabots dans la cour. Charles étira le cou à la fenêtre et vit une élégante voiture attelée à un petit cheval noir. Brigitte se leva.

– C'est lui. C'est Engelbert, dit-elle. Il arrive plus tôt que prévu.

Julienne s'énerva.

– De la visite! La table n'est pas desservie et la place, pas balayée.

Elle se leva d'un bond et s'attela à la tâche.

***

Brigitte fit les présentations.

Engelbert dégageait une chaleur, une sympathie qui n'échappa pas à Charles. «Un veuf de mon âge», se dit-il, surpris qu'un pareil cas existe.

Il serra la main d'Engelbert avec un regard souriant qui en disait long.

– Prenez donc une chaise, monsieur Neveu.

Julienne poussa une berçante devant lui.

– Merci! dit-il. Depuis le temps que je suis assis, je préfère rester debout pour me dégourdir un peu.

Ses yeux faisaient le tour de la pièce.

– Ça sent bon le bois neuf chez vous. Et c'est joli, vos rideaux à carreaux et votre huche à pain. Ça me fait penser que ma maison aurait besoin d'un bon ménage.

– J'aimerais bien vous aider, osa Brigitte, mais oubliez ça: monsieur le curé me ramènerait au presbytère par le chignon.

Engelbert n'ajouta rien. Brigitte crut qu'elle s'était un peu trop avancée.

— Avez-vous dîné? s'informa Julienne. Je peux vous réchauffer un peu de fricassée.

— Merci! C'est fait. J'ai mangé deux tartines et une pomme en chemin.

Charles fut tout de suite à l'aise avec lui.

— Approchez, dit-il. Vous prendrez bien un café avec nous. Julienne a un reste de pouding au chocolat.

— Ah, je ne peux pas refuser un dessert, j'aime trop les sucreries. Comme je suis seul, je cuisine peu et encore moins les mets compliqués.

Les femmes se levèrent. Brigitte sortit une tasse et une assiette à dessert. Près de la table, Julienne attendait, la cafetière à la main.

Julienne se colla contre Brigitte et chuchota:

— Invite-le à souper, ça nous donnera la chance de le connaître davantage.

— Je ne voudrais pas rentrer à la noirceur, dit Brigitte, ça ferait jaser.

De la table, Engelbert les observait avec un sourire au bord des lèvres.

— Qu'est-ce que vous manigancez, toutes les deux?

— Ma belle-sœur veut nous garder à souper.

— Accepté! dit Engelbert, sans prendre le temps de réfléchir.

« Pourvu qu'on ne me serve pas des œufs », pensa-t-il.

— Malheureusement, nous ne partirons pas tard. Nous avons un bon bout de chemin à parcourir. Vous demeurez plus loin que je n'aurais cru.

— La première fois, le chemin paraît toujours plus long, dit Charles, mais ce n'est qu'une impression.

Julienne s'approcha de Charles et lui souffla à l'oreille:

– Irais-tu me tuer un chapon?

Engelbert suivit Charles au poulailler. Celui-ci lui conseilla de dételer son cheval et de le laisser *lousse* dans le pré. Engelbert y avait pensé, mais il n'osait pas s'exécuter avant d'y être invité.

Les femmes, restées seules à la maison, pouvaient jaser librement tout en lavant la vaisselle. Julienne profita de l'absence des hommes pour donner ses impressions.

– Ton Engelbert, c'est quelqu'un de bien.

– Je me demande ce qu'en pense Charles.

– Pourquoi Charles?

– Parce que mon frère ne trouvera jamais un garçon assez bien pour moi.

– En arrivant, tu disais que tu l'aimais; ce sont tes sentiments à toi qui comptent.

– Et ceux d'Engelbert. Je me demande s'il en éprouve pour moi.

Brigitte regardait Julienne, les yeux humides.

– Il ne m'a jamais dit qu'il m'aimait. Je pense qu'il n'a pas oublié sa femme, dit-elle, la bouche grimaçante.

– Même si elle est morte?

– Si tu le voyais quand il en parle, son visage change d'expression.

– Tu n'es pas jalouse d'une morte?

– Je voudrais tant qu'il m'aime!

– Mais, Brigitte, laisse-lui le temps. Tu viens à peine de le rencontrer. Chut! Les voilà!

Les hommes montaient sur le perron.

– Déjà? Ils n'ont pas perdu de temps.

Charles balança le chapon plumé sur le comptoir. Julienne prit l'oiseau à la tête coupée et l'apporta au bout de la table pour le vider de ses abattis.

Charles s'assit tout près et secoua une main morte au-dessus du chapon.

— Enlève tout ça de sur la table ; on va jouer une partie de cartes.

— Je ne joue jamais aux cartes, protesta Engelbert. Comme je suis toujours seul… Et puis si tu savais comme je suis dur de comprenure…

— Je vais te montrer le mistigri, tu vas voir comme c'est un jeu facile à apprendre.

Pour la première fois, les hommes se tutoyaient comme des intimes. Pour Brigitte, ce tutoiement était de bon augure, mais elle voyait l'embarras d'Engelbert qui ne connaissait ni ses lettres ni ses chiffres. Elle vint à sa rescousse.

— Pourquoi ne joueriez-vous pas plutôt une partie de dames sur vos genoux ? Ça libérerait la table et, pendant ce temps-là, j'aiderais Julienne à préparer le souper.

Dans la chambre du bas, la petite Emma faisait entendre de légers miaulements.

— Est-ce que je peux aller chercher la petite ?

— Mais oui, va donc !

Brigitte revint avec le bébé qu'elle passa aux mains d'Engelbert. Elle voulait avoir un aperçu de ce qu'il aurait l'air si un jour il devenait papa.

— Qu'elle est petite ! On dirait un petit chat.

— Si vous l'entendiez crier, vous diriez plutôt : une lionne, rétorqua Julienne.

Engelbert rendit l'enfant à Brigitte.

– Je suis plutôt maladroit avec les bébés.

Charles ajouta :

– Les enfants, c'est l'affaire des femmes et c'est bien correct comme ça.

Le souper, composé d'un chapon en sauce et de légumes verts, fut très apprécié des visiteurs.

La visite inopinée d'Engelbert eut l'heur de créer des liens solides entre les deux hommes. La vaisselle terminée, Engelbert se leva.

– Vous allez nous excuser, nous devons partir tout de suite pour arriver là-bas de clarté, dit-il.

– J'en doute, ajouta Brigitte. Déjà le soir descend sur la campagne.

Charles serra la main d'Engelbert et embrassa sa sœur sur les deux joues.

– Fais attention à toi, dit-il.

– On va vous attendre lundi prochain, dit Julienne en faisant l'accolade à Brigitte.

Engelbert attela son petit cheval, puis il souleva Brigitte pour l'aider à monter. La voiture fit un grand cercle dans la basse-cour avant de s'élancer sur le chemin du retour. Derrière eux, les mains volaient dans un dernier bonjour. Charles et Julienne restèrent sur le perron jusqu'à ce que l'attelage disparaisse au tournant du chemin.

***

La voiture cahotait sur les inégalités du chemin.

– La journée a été bien agréable, dit Engelbert. On peut dire que votre frère est de bonne compagnie.

– Ça me fait tout drôle de quitter Charles. Avant la semaine dernière, ça ne nous était jamais arrivé.

– Cette Julienne est une bonne cuisinière. J'ai un peu abusé. Avez-vous, comme elle, ce talent de cordon-bleu?

– Je pratique avec madame Fernande, je pratique, répéta Brigitte en étirant son verbe.

– Vous faites mieux de vous faire la main parce que, quand nous serons mariés, il ne faudra pas compter sur moi pour vous cuisiner des petits plats.

Brigitte avait-elle bien entendu? Un frisson la traversa tout entière. Engelbert était-il sérieux?

Tout en parlant, Engelbert entourait les épaules de Brigitte de son bras et, elle, collée tout contre lui, sentait son haleine courir dans son cou. Il faisait sombre et aucune maison n'était en vue

Engelbert se pencha et l'embrassa à pleine bouche. Brigitte s'abandonna. C'était la première fois qu'un garçon l'embrassait et elle aurait voulu que ce baiser ne se termine jamais. Pour elle, c'était comme si Engelbert la possédait un peu. Elle qui, plus tôt, s'inquiétait de savoir s'il l'aimait. À partir de ce premier baiser, elle en eut la certitude.

Puis Engelbert redressa légèrement la tête et plongea son regard dans le sien, comme pour mieux voir le bonheur dans ses yeux.

– Accepteriez-vous de m'épouser? dit-il.

– Oui! répondit-elle, la voix émue.

Engelbert vit briller ses beaux yeux et sa bouche devenir radieuse.

– Quand? dit-elle.

– Bientôt. Très bientôt.

Brigitte redevint sérieuse.

– C'est que nous nous connaissons depuis peu.

– J'ai besoin de vous, Brigitte. Je vous aime depuis le premier jour où je vous ai aperçue sur le perron du presbytère.

– Moi aussi, mais j'aimerais que nous nous donnions un peu de temps, quelques mois, pour permettre à nos caractères de s'ajuster.

– Eh bien, soit! À l'automne, dit-il, si c'est votre désir.

***

Brigitte aperçut le curé qui faisait les cent pas sur le perron du presbytère.

– Monsieur le curé m'attend, dit-elle. Il va me réprimander.

– Votre journée de congé n'est pas encore terminée, je vais vous raccompagner jusqu'à votre porte.

– Et s'il s'en prend à vous?

Engelbert serra sa main.

– Je ne suis plus un enfant.

Les amoureux passèrent devant le curé, en se tenant la main.

– Il vous faudrait surveiller l'heure, dit le prêtre.

– C'est ce qu'on a fait, répondit Engelbert avec son sourire coutumier.

Il déposa la petite valise près de la porte et souhaita le bonsoir à Brigitte, ensuite au curé, puis il retourna chez lui, le cœur content. À l'avenir, il ne serait plus jamais seul.

CHAPITRE 36

Une semaine passa, durant laquelle Brigitte se retint de chanter tant le bonheur la transportait.

On frappa à la porte du presbytère.

– Qui ça peut bien être? dit madame Fernande. Ce jeune homme n'est pas d'ici.

Brigitte étira le cou et reconnut Ambroise Dulong. «Non, pas lui, se dit-elle. Qu'est-ce qu'il vient faire dans le coin?»

– Je ne suis pas là pour lui, dit Brigitte qui disparut aussitôt dans l'escalier.

Madame Fernande ouvrit.

– Je voudrais parler à Brigitte Chartier.

– Il vous faudra revenir, mademoiselle Brigitte n'est pas ici, monsieur, mais je peux lui faire le message.

– C'est pas vrai! dit-il, le regard chargé. Je sais qu'elle est là.

Il poussa la femme brusquement et traversa à la cuisine en criant à tue-tête.

– Arrive, Brigitte, essaie pas de te cacher, je t'ai vue à travers la vitre.

Brigitte, recroquevillée dans la penderie, était bien décidée à attendre le départ d'Ambroise dans ce coin sombre et inconfortable.

Elle n'aurait jamais imaginé qu'Ambroise Dulong pousserait l'effronterie jusqu'à monter aux chambres. Pour comble, dans un presbytère. «Qu'est-ce que monsieur le curé va penser de moi et de mes fréquentations?»

Madame Fernande courut chercher le curé qui lisait son bréviaire sur le perron, mais elle ne le vit pas. Elle l'aperçut qui causait avec Engelbert sur le perron d'en face. Elle l'appela à l'aide:

— Monsieur le curé, venez vite, un espèce de fou est entré au presbytère et il est en train de virer la maison à l'envers pour trouver mademoiselle Brigitte.

— Monsieur Engelbert, auriez-vous l'obligeance d'aller chercher le chef de milice?

— Permettez-moi plutôt de m'en occuper moi-même.

Engelbert et le curé se ruèrent au presbytère. De l'extérieur, ils entendaient une voix forte vociférer des injures. Avant d'entrer, Engelbert s'empara du râteau appuyé au mur de la bâtisse avec l'intention de s'en servir au besoin comme moyen de défense. À l'intérieur, le garçon, emporté par la colère, tordait le poignet de Brigitte qui hurlait. Le curé lui dit:

— Jeune homme, vous êtes chez moi, ici! Je vous prie de sortir immédiatement.

Mais le garçon, rouge comme un coq, n'écoutait rien.

— Vous êtes trop poli, monsieur le curé, dit Engelbert, ce voyou ne comprend pas votre langage.

Engelbert leva l'outil de jardinage devant le nez du garçon.

— Lâche mademoiselle tout de suite ou ben je t'étampe les dents du râteau dans la face, dit Engelbert. Pis cesse de crier, tu ne me fais pas peur.

Madame Fernande tremblait et disait :

– Mon doux seigneur! Vous n'allez pas vous battre dans un presbytère!

Ambroise libéra le poignet endolori de Brigitte.

– Ce qui se passe entre Brigitte et moi, dit Ambroise, ça regarde personne d'autre que nous deux.

– Ça me regarde, moi, son fiancé.

– Ce n'est pas vrai! s'écria Ambroise. Brigitte et moi, nous sommes fiancés depuis la petite école.

Brigitte s'en défendit :

– C'est de la pure invention. C'est Engelbert, mon fiancé, et personne d'autre!

Sur le seuil de la porte, une voix d'homme demanda :

– Avez-vous besoin d'aide en dedans?

– Je vous ferai signe au besoin, dit Engelbert.

Ambroise, emporté par la colère, respirait vite et fort.

– Tu me le paieras, Brigitte Chartier, dit-il.

– Des menaces maintenant? dit Engelbert. Ose revenir et je serai là pour t'attendre. C'est pas un petit mangeux de crottes de nez comme toi qui va venir faire sa loi ici.

Engelbert, toujours armé de son râteau, sortit derrière l'insolent, passa devant une dizaine de curieux regroupés dans la rue, et jucha le garçon dans sa voiture. Il donna une tape sur la croupe du cheval qui partit au pas.

***

À l'intérieur, Brigitte, assise à la table, la tête appuyée sur ses bras, pleurait doucement. Elle était la cause de tout ce brouhaha et elle avait honte. Elle s'excusa pour tout le trouble causé. Le curé remercia Engelbert et se retira à son bureau, sans demander d'explications et sans une parole rassurante pour Brigitte.

Une fois la cuisine déserte, la petite servante monta à son tour. Elle s'assit sur le lit et resta là, à fixer le vide, sans bouger, pendant que madame Fernande revêtait sa robe de nuit.

— Monsieur le curé doit m'en vouloir, se plaignit Brigitte. Il doit me prendre pour une dévergondée. Je vais partir d'ici. Je n'aurais jamais dû venir.

— Partir à cause de cet énergumène? J'ai besoin de vos services, moi, dit la vieille servante.

— Je ne pourrai plus jamais regarder monsieur le curé en face sans penser à cette scène. Vous l'avez vu? Pas une parole, pas un regard, comme si j'étais une moins que rien.

— C'est que monsieur le curé a la tête ailleurs : demain, aux petites heures, il doit partir pour Montréal rencontrer monseigneur Bourget. Il s'absentera pendant trois jours.

Brigitte se sentit un peu soulagée de n'avoir pas à lui faire face de nouveau.

— Dans trois jours, dit-elle, je ne serai plus là.

— Et votre fiancé? Vous pensez qu'il va vous laisser partir comme ça, sans vous retenir?

— Je l'ai humilié, lui qui tient mordicus à sa réputation. Vous avez vu les curieux rassemblés dans la rue? Ils vont garder une mauvaise impression de moi et dimanche, à la messe, on va me montrer du doigt, moi, une étrangère qui, à peine arrivée dans la paroisse, fait déjà scandale.

— C'est la faute de cet insignifiant.

Brigitte s'entêtait.

— Je vais m'en retourner chez mon frère. Je vais lui écrire tout de suite de venir me chercher.

— Attendez avant de décider quoi que ce soit, je vais parler de vous à monsieur le curé dès son retour.

Brigitte descendit sans bruit, s'assit à la table de cuisine et rédigea une lettre qu'elle cacheta.

***

Le lendemain, Brigitte reprit sa besogne en silence. Son travail bien fait, elle fila chez les Magnan qui tenaient le bureau de poste dans leur maison privée. Des curieux la dévisageaient. Brigitte baissa la tête pour ne pas croiser leur regard. Elle jeta son enveloppe dans la boîte aux lettres et revint sur ses pas.

Au retour, Engelbert l'arrêta au passage. Il remarqua ses yeux boursouflés.

— Vous avez passé une bonne nuit? dit-il.

Quelle question! Brigitte ne répondit pas.

— Entrez quelques minutes.

— On pourrait nous voir. Assez de scandale comme c'est là.

— C'est vous qui me disiez de ne pas m'arrêter aux bavassages et de me ficher des ricanements dans mon dos. Si ça vaut pour moi, ça vaut aussi pour vous. Et là, monsieur le curé est absent. Entrez.

Elle entra. Engelbert lui offrit de s'asseoir.

— Je quitte la paroisse bientôt, dit-elle. Je viens de poster une lettre à Charles. Je lui ai demandé de venir me chercher.

— Pourquoi partir, maintenant que cette histoire est réglée?

— Avec Ambroise Dulong, rien n'est jamais réglé. Je me demande comment il a pu me relancer jusqu'ici.

— Ce petit insolent se croit tout permis. Il doit exister des lois pour dompter les petits voyous comme lui. Je vous conseillerais d'écrire à votre père adoptif et de tout lui raconter de la visite de son neveu. De mon côté, je vais parler de son cas au capitaine de milice.

— Ce serait pour rien, je m'en vais d'ici.

Engelbert entoura ses épaules de son bras.

— Vous ne m'aimez plus? dit-il.

— Mais oui, je vous aime.

— Allez demander congé à madame Fernande et je vous emmène passer la journée chez votre frère. Ça vous changera les idées. Et dites-lui que nous reviendrons ce soir.

— Je préférerais aller à Trois-Rivières, chez mes parents adoptifs.

— Plus tard, lui promit Engelbert.

La vieille servante céda à sa demande après lui avoir fait promettre de revenir le jour même.

***

Tout au long du trajet, Engelbert tenait Brigitte serrée contre lui.

— Si vous saviez comme je vous aime! Je ne peux plus me passer de vous. Pour notre mariage, j'ai choisi septembre. À vous de choisir la date.

— Que diriez-vous du 20?

— La noce se fera chez moi, proposa Engelbert. Avant, je vais chauler toutes les pièces de la maison. Mes sœurs vont se faire un plaisir de m'aider. Je vais bientôt vous les présenter. Je suis sûr que vous allez bien vous entendre avec elles. Surtout avec Denise, qui a bon caractère.

***

Arrivée chez Charles, Brigitte s'assit près de la table et compta ses invités : les Smith, les Dulong, les Malarky…

— Quand nos parents adoptifs vont apprendre ton mariage, lui dit Charles, ils vont vouloir faire publier les bans à Trois-Rivières. Tu sais comme ils étaient fiers de nous. Et là, le beau fin finaud d'Ambroise va encore trouver le moyen de gâcher ta journée. Avec lui, tu peux t'attendre à tout.

— Je tiens à ce que monsieur Pierriche me serve de père, comme il l'a si bien fait tout le temps qu'il nous a gardés.

Engelbert comptait ses invités. Et la liste s'allongeait, sans compter les Irlandais que Brigitte ajoutait. C'était beaucoup trop de monde.

— Je veux aller voir mes parents de cœur et parler de tout ça avec eux, dit Brigitte.

Engelbert était prêt à tout pour satisfaire Brigitte.

— Si je peux trouver un remplaçant pour soigner mes animaux, je vous y mènerai.

— Je veux y aller aussi, dit Charles.

— Moi aussi, ajouta Julienne.

— Si vous venez tous, je prendrai ma voiture à trois sièges, dit Engelbert, ainsi la petite Emma pourra profiter de la banquette arrière pour dormir.

— Moi qui pensais y demeurer deux ou trois jours, dit Brigitte, déçue.

— Oui, oui! Trois jours! s'exclama Julienne en frappant dans ses mains.

La jeune femme ne tenait plus en place.

— Charles et moi irons loger chez mes parents.

Brigitte aurait préféré faire la route seule avec Engelbert. Avec tout ce monde, trouverait-elle le moyen de parler en privé avec lui et ensuite, avec sa mère de cœur qu'elle aurait préféré avoir à elle seule?

***

La veille du départ, Julienne prépara des vivres pour alimenter tout le monde pendant le trajet.

Le jour dit, avant le lever du soleil, Charles déposa la boîte de nourriture sous le siège de la voiture, et Julienne, un panier d'osier qui servait de berceau à Emma.

Charles commanda Catin qui les conduisit à Saint-Ambroise où Brigitte et Engelbert les attendaient.

Quoi de plus agréable qu'une belle promenade en voiture par une si belle journée d'été!

Pendant ce temps, Engelbert étrillait son cheval et astiquait sa voiture, ses harnais et ses cuivres. Il déposa un sac d'avoine à l'arrière. Il lui faudrait nourrir son cheval.

Charles et Julienne marchèrent un peu pour se dégourdir les jambes, avant de remonter dans la voiture d'Engelbert.

***

Des maisons, on pouvait voir une pleine voiturée de promeneurs qui passait sur le chemin gravillonné.

Engelbert commandait son cheval au trot par les chemins les plus rudes, puis quelques minutes après, il le ramenait au pas, laissant la bride sur le cou de sa bête. Sa main chevauchait celle de Brigitte. L'heure était exquise. Un souffle mourant berçait les dernières fleurs.

***

Les Dulong habitaient une maison en pierre, la sixième après la croix du chemin, mais Brigitte ne la reconnaissait pas. Après le feu, on l'avait reconstruite en belle brique rouge. Du tournant, les voyageurs pouvaient voir madame Dulong, une serpillière dans les mains, qui lavait sa galerie à grande eau. Elle avait dû les reconnaître ; elle s'empressa de vider sa chaudière au bout du perron. Elle essuya ses mains sur son tablier et courut à l'intérieur.

Engelbert cria :

– Wôô !

Au bruit de l'attelage, Pierriche se pointa dans la porte de l'étable. Il reconnut ses protégés et courut vers eux.

– Jeune homme, cria-t-il, dételle ta bête et lâche-la dans le champ, je vais t'ouvrir la barrière.

La voiturée se vida d'un coup.

En entrant, Brigitte tomba dans les bras de madame Charlotte. Les épanchements furent courts, les autres la talonnaient. Elle présenta Engelbert. Madame Charlotte prit sa tête à deux mains et lui fit une grosse bise, comme s'il était de la famille. Puis ce fut au tour de Charles de l'embrasser sur les deux joues, de Julienne que Charlotte avait reçue maintes fois lors du séjour de Brigitte dans sa famille, et de bébé Emma qu'elle n'en finissait plus de bécoter et d'admirer.

— Votre maison n'est plus comme avant le feu. C'est la brique qui la rajeunit. Les fenêtres sont plus grandes aussi, dit Charles, et j'ai remarqué que le perron est plus bas. Ça vous donne une belle vue sur l'étable.

— Charles, va chercher le ber en haut. Ensuite, vous allez tout me raconter devant un café : vos amours, vos projets, tout.

— Justement, je viens vous présenter mon fiancé, Engelbert Neveu.

— Quelle belle nouvelle ! Ma Brigitte, amoureuse !

Elle se tourna vers le garçon.

— Vous êtes un Neveu de quel endroit ?

— De Saint-Ambroise.

— Pas le garçon à Midas Neveu qui est parti de par icitte y a déjà une bonne douzaine d'années ?

— Non, mon père se nommait Damien.

Brigitte serrait sa main.

— C'est ici que j'ai été élevée, dit Brigitte, mais la maison a brûlé et on l'a rebâtie.

Des pas au plafond attirèrent l'attention. Brigitte tira la main d'Engelbert et ils gravirent l'escalier qui menait au deuxième.

— Anna ! s'écria Brigitte. Ma chère petite Anna !

La fillette, assise sur son lit, boudait.

— Ça ne va pas, Anna ?

— Quand maman a vu enfiler votre attelage dans la cour, elle m'a envoyée mettre de l'ordre dans ma chambre, mais moi, je ne voulais pas.

– Laisse le ménage et viens dans mes bras. Tantôt, je t'aiderai. Regarde, c'est Engelbert, mon amoureux. Tu sais que nous allons nous marier, Engelbert et moi?

– Non, mais là, je le sais. Maman m'a fait une belle robe pour le dimanche. Viens voir, dit Anna en ouvrant toute grande la porte de la penderie.

Brigitte retira le cintre en bois. C'était une robe en fin lainage rose pâle avec de toutes petites fleurs blanches, brodées sur l'empièccement. Brigitte pensa à madame Fernande qui avait souligné le travail minutieux de sa mère de cœur.

– Comme elle est belle! Tu devrais la garder pour mon mariage.

Anna sortit un autre cintre où était suspendu un manteau confectionné du même tissu.

– Ça, c'est pour quand le temps est frais.

Brigitte était émerveillée. Elle imaginait la fillette de dix ans portant ces vêtements qui attireraient tous les regards.

– Essaie-les, dit-elle à Anna. Et vous, Engelbert, tournez le dos.

Engelbert s'appuya à la fenêtre et la fillette échangea sa robe de semaine pour la nouvelle.

– Comme t'es belle, Anna! s'écria Brigitte.

La gamine tourna sur elle-même d'une façon on ne peut plus charmante.

Engelbert, qui jusque-là n'avait pas dit un mot, s'exclama :

– Brigitte a raison. Mais il faut dire qu'Anna possède déjà une beauté naturelle, ce qui ne nuit pas.

– Je le savais, dit Brigitte, que tu serais habillée comme une princesse. Ta mère a toujours eu des doigts de fée.

Je vais lui demander si elle accepterait de confectionner ma robe de noces.

— Est-ce que tu vas m'inviter chez toi quand tu seras mariée ?

— Mais oui, Anna. Peut-être aux fêtes de Noël. J'en toucherai un mot à ta mère et nous fixerons une date.

***

Madame Charlotte accepta de bon gré de confectionner la robe de mariée. Elle s'en faisait même une gloire. Ce serait l'occasion de manifester son talent de couturière aux yeux de toute la paroisse.

— Mais tu devras me laisser un peu de temps.

— Je la veux blanche, dit Brigitte.

— Quelle idée ! Une robe blanche ne servirait plus par la suite. Ce serait du gaspillage.

— Comme la reine Victoria. Margaret m'a raconté que la reine Victoria s'était mariée vêtue de blanc.

— Et tes souliers ? Blancs aussi ?

— Oui, j'en ai déjà une paire que je rafraîchirai. Je veux aussi un voile et une couronne, pas en or, bien sûr, mais peut-être de fleurs.

— Qu'est-ce que cette idée ? Par ici, jamais personne ne s'est marié en blanc, et encore moins avec une couronne. Tu épouses un cultivateur, Brigitte, pas un prince.

— Oui, j'épouse un prince, le prince de mon cœur.

— Bon ! C'est toi qui décides. Demain, nous irons choisir les tissus.

— Je veux quelque chose de léger.

— Léger, en septembre ? Et puis, tiens ! Pourquoi pas du satin ?

— Je la veux décolletée.

— Oh là, par exemple, non ! Tu veux une robe ou un jupon ? Un décolleté serait indécent. Monsieur le curé refuserait de te marier. Une robe au cou peut aussi être très jolie, tu sais.

— Je savais que vous diriez non.

Brigitte sourit. Elle se doutait bien que madame Charlotte ne serait pas d'accord avec son choix.

— Il me faudra aussi renouveler tes sous-vêtements et tu auras besoin d'une jaquette de mariée, ton autre doit être un peu défraîchie.

— Encore du travail pour vous, ajouta Brigitte, vous allez vous épuiser.

— Ne t'occupe pas de ça.

Maman est heureuse juste devant sa couture, la coupa Anna.

Charlotte remplit les tasses vides.

— Je tiens à ce que votre mariage soit célébré ici, dit-elle, et le repas de noces aussi.

Brigitte rétorqua :

— Non, Engelbert m'a proposé de faire la noce chez lui, à Saint-Ambroise, et j'ai accepté.

— Tu as le droit de changer d'idée.

— Pourquoi pas ici, où tu as été élevée ?

— Parce qu'Ambroise Dulong va tout faire pour gâcher ma journée de mariage, du début à la fin.

Brigitte lui raconta sa scène du presbytère. Charlotte l'écoutait, incrédule.

– Quand ton père va apprendre ça! Ce jeune fou ne va pas faire la loi partout sur son passage. Il y a quand même des limites. Il doit ben exister quelqu'un qui y réglera son compte une fois pour toutes. Nous aurons recours aux autorités s'il le faut, dit Charlotte, mais avant, ton père va aviser son frère. Comme il est le père, c'est lui le responsable d'Ambroise.

– Ce ne serait pas plus simple de nous marier à Saint-Ambroise?

– Si ce n'était pas de ce petit voyou, où préférerais-tu te marier?

– Ici, naturellement!

– Alors, ce sera ici!

Charlotte invita Brigitte à passer la semaine précédant son mariage chez elle.

CHAPITRE 37

Le matin du 20 septembre, madame Charlotte monta à la chambre de Brigitte et ouvrit les persiennes sous un ciel clair. Elle respirait d'aise.

– Holà! C'est l'heure, Brigitte. Ce matin, le soleil brille spécialement pour toi.

Brigitte prit le temps de s'étirer comme un petit chat avant de sauter sur ses pieds. C'était le jour de son mariage. À partir d'aujourd'hui, on la nommerait madame Engelbert Neveu.

Elle allait refaire le lit quand madame Charlotte lui dit:

– Laisse, je vais m'en occuper.

– Vous me traitez comme une reine, dit Brigitte.

– Ce n'est pas ce que tu voulais, imiter la reine Victoria? Va! En bas, la cuve est remplie d'une belle eau chaude; n'attends pas qu'elle refroidisse.

Brigitte descendit, sortit une serviette de la grande armoire et la déposa sur la barre du lit; tout lui était familier dans cette maison.

La cuve de bois était placée derrière la porte de la chambre du bas, et la robe de mariée, le cotillon, le voile de tulle, la couronne de fleurs faite de petits choux du même tissu que la robe, tout était étalé sur le grand lit.

Charlotte avait pensé à tout, comme le fait une mère pour sa fille.

***

Les cloches sonnaient à toute volée.

Sur le parvis de l'église, Brigitte, belle à couper le souffle, promenait un regard sur l'assemblée. Plus elle avançait, plus elle s'inquiétait de voir Ambroise Dulong à son mariage.

Dans le dernier banc, le chef de milice se tenait bien droit. À sa vue, Brigitte respira d'aise. Elle savait qu'il était là spécialement pour elle; son banc était le premier de la nef.

Elle s'avança, au bras de Pierriche, jusqu'à l'autel où l'attendait Engelbert. Celui-ci portait un habit noir, de bonne coupe, sur une chemise blanche fermée au col par un nœud papillon. Et sous ces beaux vêtements, deux cœurs battaient au même rythme.

On chuchotait dans l'assistance. On louait l'habileté de Charlotte. Tant d'élégance était rarement vu dans la place.

Puis vint le moment d'échanger les oui. Il se fit un silence absolu. Le célébrant demanda :

— Engelbert Neveu, acceptez-vous de prendre pour épouse Bridget Carter, ici présente, de l'aimer, de la chérir …

— Quoi ? laissa échapper Daniel tout haut.

Des chuchotements suivirent.

— Bridget Carter, répéta Daniel, comme pour lui-même.

Sidéré, il posa sur Brigitte un regard affectueux.

Puis, il n'écouta plus rien de ce qui se passait à l'autel. Il se tourna vers Charles et chuchota :

– Et toi, Karl Carter, je suppose ?

Charles fit oui d'une petite inclinaison de la tête, mais sans plus ; la mariée retenait toute son attention.

Daniel se pencha à l'oreille de Margaret et murmura :

– Ce sont les enfants de Nicolas Carter !

La nouvelle sautait de banc en banc. Des murmures parcouraient toute la nef. Le prêtre dut rappeler les fidèles à l'ordre. Les mariés attendris se regardaient dans les yeux. Ils étaient beaux, émouvants. Les fidèles les plus sensibles avaient le cœur en émoi.

***

Au sortir de l'église, Brigitte souriait à tous les visages familiers. Daniel et Margaret qui avaient parcouru un bon bout de chemin avec leur ribambelle d'enfants pour assister à son mariage, les O'Sullivan, les Malarky et quelques familles irlandaises de Saint-Alphonse dont les maris aidaient Charles à défricher la terre. Le curé de Saint-Ambroise était là avec madame Fernande et toute la parenté de madame Charlotte et de monsieur Pierriche. Enfin, la famille des Neveu les entourait, les embrassait.

Daniel essayait de se calmer. Il remit le temps des retrouvailles au dîner ; la belle nouvelle agrémenterait le repas de noces. Mais il ne pensait qu'aux Carter et la langue le démangeait.

Les nouveaux mariés avaient peine à se rendre à leur voiture tant la foule se pressait autour d'eux.

Engelbert souleva Brigitte dans ses bras et la jucha dans la voiture.

— Je t'aime, dit-il à son oreille.

Engelbert ne l'avait jamais tutoyée. Il repoussa les cheveux qui encadraient la figure délicate et déposa sur sa bouche un baiser rapide.

***

Le célébrant et toute l'assistance se retrouvèrent chez les Dulong pour le repas de noces.

Daniel n'osa pas déranger Charles et Julienne qui côtoyaient des couples de leur âge.

Il demeurait absorbé dans ses réflexions. Au dîner, il mâchouilla ses aliments plus qu'il ne mangea. Margaret remarqua sa joue gonflée par la nourriture accumulée, comme si un obstacle lui bloquait la gorge.

Daniel, habituellement bon causeur, ne dit plus un mot du reste du repas. Mais la dernière bouchée avalée, il n'en put plus ; il se rendit auprès de Charles.

— Tu ne me reconnais pas, Karl ? Je suis Daniel Cuthoen.

— Daniel Cuthoen, répéta Charles en s'élançant dans ses bras. C'est pas vrai ! Vous n'êtes pas marié à Mary Thompson ?

— En premières noces, oui. Mary est la mère de John. Elle est décédée en arrivant au pays.

Charles était sidéré.

— Pas vous ! Depuis le temps qu'on vous cherche !

— Eh oui. Vous êtes mes cousins. Dire que, moi aussi, je vous attends depuis des années. Vous avez failli me passer sous le nez sans que je vous reconnaisse. Où sont passés Nicolas, Kate et la petite Eanna?

— Tous les trois sont décédés durant la traversée.

Daniel se leva brusquement, le visage décomposé, et courut au petit coin.

Margaret savait que son mari se retirait pour cacher sa douleur.

— Pas vrai! dit-elle, profondément touchée. C'est incroyable! Vos parents étaient des cousins et des amis très proches de Daniel. Il y a une dizaine d'années, nous avons préparé la maison pour recevoir votre famille, mais malheureusement personne n'a pu la retracer.

Margaret répétait:

— Incroyable! Pauvres vous, perdre vos deux parents et votre petite sœur!

Charles raconta la traversée, leur drame, les années de silence de Brigitte, les recherches du curé pour retrouver Daniel Cuthoen et leur séjour chez les Dulong qui avaient été de bons protecteurs pour eux.

Les enfants Carter en avaient assez supporté. Daniel agit envers eux au même titre qu'un père. C'était comme si, d'en haut, Nicolas et Kate lui insufflaient un regain d'énergie. Charles s'échappa et revint avec Brigitte qui ignorait ce qui se passait. Daniel la serra dans ses bras et lui dit:

— Attends, Brigitte, j'ai un mot à dire aux invités.

Daniel demanda le silence. Les musiciens déposèrent leurs instruments.

— J'ai une belle nouvelle à vous annoncer, dit-il. Ce matin, avec le mariage de Brigitte, je viens de retrouver les enfants de mon cousin Nicolas que je cherche depuis une dizaine d'années. Ce sont Brigitte et Charles Chartier dont les noms étaient Bridget et Karl Carter.

En entendant son nom, Brigitte se leva et se jeta en pleurs dans les bras de Daniel qui lui dit:

— Te souviens-tu, Brigitte, comme je vous ai bercés tous les deux, assis près du poêle à bois? Et Kate qui vous disait: «Laissez donc la visite tranquille, allez jouer plus loin.»

Tout le monde applaudit.

Daniel leva la main pour redemander le silence.

— Vous devez sans doute tous souhaiter connaître le sort de leur famille. Les parents de Brigitte et de Charles, Nicolas et Kate, et Eanna, une enfant de six ans, sont décédés pendant la traversée.

L'assistance sentait l'émotion dans la voix de Daniel.

— À partir d'aujourd'hui, Charles et Brigitte, dit-il, vous êtes mes enfants.

Fin

Remerciements

Merci à Thomas Smith, Érika-Lynn Smith, Marie Brien, France Dalpé, Jean Brien et Élaine Lortie

Merci aussi à mon éditrice et sa précieuse équipe pour le support apporté.

La GRANGE
❦ d'en haut ❦

La grange d'en haut nous transporte en plein cœur de la campagne québécoise et nous expose tout le talent de Micheline Dalpé en racontant une histoire à saveur d'antan, où la quête de l'amour se confronte à la rudesse des champs, où les devoirs conjugaux s'opposent à une vie faite de choix.

«Micheline Dalpé nous raconte de manière simple et très imagée la vie des gens à cette époque d'antan.»
Shirley Noël, info-culture.biz

«Avec beaucoup de talent — un talent naturel, assure-t-elle —, elle arrive à faire revivre une époque, l'histoire des personnages, leurs émotions, en cohérence avec le mode de vie et la pensée de l'époque.»
Marie-France Bornais, *Le Journal de Québec*

Les Éditions Goélette

www.editionsgoelette.com
www.facebook.com/EditionsGoelette